حياة معلّقة

الأهليّة للنشر والتوزيع
e-mail: alahlia@nets.jo

الفرع الأوّل (التوزيع)
المملكة الأردنيّة الهاشميّة، عمّان، وسط البلد، بناية 12
هاتف 4638688 6 00962، فاكس 4657445 6 00962
ص. ب: 7855 عمّان 11118، الأردنّ

الفرع الثاني (المكتبة)
عمّان، وسط البلد، شارع الملك حسين، بناية 34

◆

حياة معلّقة/ روايات
عاطف أبو سيف/ فلسطين

لوحة الغلاف: غاستون كارّيو/ الولايات المتحدة الأمريكيّة

◆

الطبعة العربية الثانية 2015

حقوق الطبع محفوظة

◆

تصميم الغلاف: زهير أبو شايب، عمّان، هاتف 95297109 7 00962

الصف الضوئي: إيمان زكريا، عمان هاتف: 097/534156

ISBN: 978-9957-39-035-8
رقم الإيداع لدى دائرة المكتبة الوطنية
١٥٩٠/ ٤/ ٢٠١٤

رواية

عاطف أبو سيف

حياة معلّقة

الأهلية

إلى عائد أبو سمرة

الفَصْلُ الأوَّل

موت مفاجئ

وُلد نعيم في الحرب ومات في الحرب أيضاً؛ مثل أية صدفة أخرى يمكن أن تحدث في حياتنا.

هكذا يمكن لصحفي محترف أن يلخص قصة الموت المفاجئ لنعيم الورداني لحظة وقوفه أمام باب مطبعته الحديدي في الشارع الخلفي لبيته، وقتها باغتته رصاصة وسقط على الأرض، وقبل أن تصل به سيارة الإسعاف إلى المستشفى كان قد فارق الحياة. في الشريط الإخباري للفضائيات المحلية، ضاع اسمه في زحمة العشرين قتيلاً الذين قضوا في أحداث اليومين الأخيرين. ماذا يمكن أن يحدث أكثر من ذلك؟

كان الأمر محض صدفة عابرة وموت عابر.

استيقظ نعيم في الصباح، كما يستيقظ في كل صباح آخر. لا شيء يختلف. صباح بارد من صباحات آذار الغائمة والنسمات الرطبة تتسلل من النافذة الشرقية لغرفة نومه العريضة ذات الحواف الخشبية المدهونة باللون الأزرق السماوي. باستثناء ثرثرة الجيران في طريقهم إلى السوق، وصوت الراديو من بيت أم فوزي الأرملة، لا شيء يثير

الانتباه. تململ قليلاً في الفراش، طرد بقايا النعاس عن جفونه، أمسك طرف الشرشف الأحمر ذي الوردات البيضاء مثل حقل ربيعي، سحبه إلى أعلى جسده، وأخذ نفساً عميقاً. ما زالت في الشرشف رائحة آمنة. كان يفعل هذا كل صباح. ثمة أشياء تستطيع دائماً أن تسحبنا بعيداً في الماضي وترحل بنا، دون أن ندرك أنها بهذا تؤكد لنا أنها لم تعد إلا من الماضي. وكعادته أيضاً ينهض بتثاقل، يطوي الشرشف بشغف محب، يتذكر حبيبته، ويضعه على طرف السرير.

الغرفة البيضاء ذات السقف الاسبستي، والنافذة الشرقية، والخزانة البنية القديمة، وعلّاقة الملابس خلف الباب، المرآة المستديرة على الحائط، السجادة الخمرية على العتبة من الخارج والمزهرية الفخارية على الطاولة الصغيرة التي تتوسط المسافة بين الباب وحافة السرير بورداتها الذابلة... الغرفة على حالها. عالم صغير يسرد قصة حياة تجاوزت الثلاثة وستين عاماً. في صالة البيت الصغيرة ثمة ثلاث صور بالأسود والأبيض موضوعة في إطارات بنية داكنة معلقة على الجدار. صورة لنعيم وهو في منتصف العشرينيات من عمره، بجوارها صورة لوالده إبراهيم أيضاً في مقتبل الثلاثينيات، وثالثة لجده حسين، لكنها لرجل في الستينيات من عمره. صورة الوالد إبراهيم والجد حسين التقطتا في يافا قبل الحرب، قبل أن يولد نعيم. في صورته يبدو نعيم بسوالف طويلة وشعر غزير. على ما يبدو فالصورة التقطت في أوائل السبعينيات. أما الأب إبراهيم فيزين رأسه طربوش منشى جيداً والجاكيت الأسود الداكن وياقة القميص البيضاء والعيون الحادة الممعنة في المستقبل البعيد. في صورته كان الجد حسين يضع على رأسه كوفية سمراء مرقطة ويحكم

عليها عقال أسود عريض. الكوفية تتدلى على كتفيه فوق ياقة الجاكيت الأسود. كان يجلس على كرسي من الخيزران. يداه على ساقيه المتقاطعتين، وثمة حبل أسود تتدلى أجزاء منه في جيب سترته، كأنّه لساعة دائرية قديمة أو لنظارات طبية. على الجانب الآخر للجدار وقرب الباب الخارجي للبيت ثمة صورة لمدينة يافا بالأسود والأبيض، تبدو فيها البيوت على تلة تقف بهدوء فوق صدر البحر. الصورة القديمة ذاتها التي يمكن أن توجد في كل الكتب التاريخية عن المدينة التي وُلد فيها نعيم.

كان الماء يغلي في الركوة الصغيرة التي وضع فيها البيضات الأربعة، فيما كان يعد قهوته الصباحية، ويقطّع جبنة الماعز إلى شرائح. طقوس يؤديها وهو مغمض عينيه. كانت تلك طريقة آمنة في صنع القهوة. تترك الماء يغلي، ثم تضع القهوة وتخفض درجة النار أسفلها، ثم تبدأ بإزالة الرغوة الكثيفة عن وجه القهوة، وتتركها تغلي مرة أخرى. كان هذا الصباح عادياً جداً، لم يكن فيه شيء يلفت الانتباه. الحركة ذاتها والطقوس نفسها وسيجارة الصباح أيضاً. كانت عقارب الساعة لم تتجاوز السابعة بعد. أتم كل شيء، وضعه على الطبلية الصغيرة في حوش البيت. في الغرفة الأخرى كانت سمر تستيقظ على صوت رنات جوالها. لم تزل في الفراش حين دلف يغني لها :

الحلوة دي الحلوة دي قامت تعجن في البدرية والديك بينده كوكو كوكو في الفجرية ياللا بينا على باب الله يا صنايعية يجعل صباحك صباح الخير

نفس الأغنية ونفس الحركة وفي نفس الوقت ونفس الابتسامة التي ترتسم على وجهها، الكسل والتمطي ذاتهما في الفراش، ثم القفز السريع إلى طبلية الأكل، حيث لم يعد وقت كثير يفصل بين البيت ووقت المحاضرة عند الثامنة. هذا عام سمر الأول في الجامعة. سمر وحدها بقيت له من العائلة. لا يحب التفكير في ذلك، ويؤلمه أن يخطر هذا على باله، لا بد لهذا الخاطر أن يمر ولو مروراً عابراً. فكلهم تركوه. إخوته يتنقلون في المنافي البعيدة، أحدهم في تشيلي والآخر في الصين حيث يعمل في توريد البضائع واثنين في الأردن. قصة عادية. ابنه الثاني في السجن يكاد يظن أن باب الزنزانة قد صدأ ولم يعد يفتح، فأكثر من عشرة أفواج خرجت من السجن منذ توقيع اتفاق أوسلو وبقي سالم خلف القضبان. ابنه البكر سليم وجد ضالته في السفر وفي الدراسة، فمنذ أن أنهى الثانوية العامة التحق بجامعة بيرزيت في الضفة الغربية، وبعدها بأربع سنين عاد إلى غزة لسنتين، ومن ثم ذهب إلى بريطانيا لاستكمال تحصيله العلمي، وبعد سنتين عاد ومكث عاماً وسافر بعدها إلى إيطاليا للدراسة أيضاً. وهكذا لم يعد يراه إلا لوقت قصير. البنت البكر تزوجت ابن خالتها وسافرت معه إلى السعودية بحثاً عن الاستقرار والثراء.

ظلت له سمر الصغيرة الشقية التي روضتها الوحدة وخففت من شقاوتها. الطفلة التي وجدت نفسها وحيدة مع الرجل الذي بدأ يخطو على عتبة الكهولة، تستمع لحكاياته كل ليلة حين يعود من المطبعة وحزنه المخبأ على القتلى الذين يقوم بعمل الصور والبوسترات لهم، أو عن حنينه إلى آمنة «أجمل بنت في المخيم»، ولحظة لقائه بها في طريق عودتها من المدرسة الثانوية في المخيم. كان لقاءً عاصفاً في

حياته. تبادلا النظرات، وحضنت كتبها إلى صدرها وواصلت سيرها مع صديقاتها هبوطاً إلى قلب المخيم، حيث سيعرف أنها تسكن في أحد الأزقة الفرعية في الحارة التي يسكنها. الصدف تكون جميلة أحياناً. قالت له ذات مرة إن كل ما يدعى أنه صدفة هو من تدبيره، فهو الذي يعرف متى ينتهي يومهم الدراسي، ويعرف الشارع الذي تعود منه إلى البيت، فيمر من الشارع خلال ذلك الوقت. المرة الأولى قد تكون صدفة لكن الصدفة لا تحدث إلا مرة واحدة، لأنها بعد ذلك لا تعود صدفة. قصص نعيم عن آمنة أشهى من الإفطار، الذي تتناوله سمر قبل أن تنط إلى غرفتها تحمل حقيبتها، وتخرج بعد أن تطبع قبلة على خده، ثم تقرصه منه معاتبة «احلق ذقنك قبل ما تطلع». الشعرات السمراء المطعمة برشقات بيضاء تلف ذقنه. يتحسسها ويقوم إلى الحمام يحلقها، ثم يضع الكالونيا ويخرج إلى العمل في هذا الصباح الجديد.

كانت الشوارع فارغة، والصبية يحملون صحون الفول وأكياس الفلافل الورقية عائدين إلى البيت، وراديو أم فوزي يتحدث عن حرب محتملة في مكان ما في العالم. هبط التلة. في شارع الحارة كانت صورة شادي لم تفقد بريقها رغم مرور سنتين على إلصاقها، كانت عيناه تشعان بحزن كأنهما تأسفان على مغادرة الحياة. يوم جاءه الشباب بالصورة لم يكن يعرف أن شادي قد رحل، ولم يكن يعرف أن القناص أرداه قتيلاً فيما كان يلعب الكرة في الساحة خلف المدارس. كان قد رآه في ذلك الصباح الربيعي البارد قبل عامين، كان يسند جذعه على الجدار يقضم ساندويش الفلافل وينظر إلى السماء، كمن ينتظر بزوغ الشمس من بين الغيمات. تبادل معه نظرات التحية

ومضى في طريقه. بعد أقل من ثلاث ساعات كان عليه أن يجعل من شادي مجرد صورة لبطل يهتف بحياته الآخرون. لم يصدق. ناوله الشاب الصورة الصغيرة وقال نريد منها ألف بوستر. ظن أن ثمة خطأ ما، فشادي كان في الصباح يقضم ساندويش الفلافل وكان يبدو سعيداً. كما أنه لم يسمع إطلاق نار، ولا سمع بوجود مواجهات. كان الصباح هادئاً وكانت الحياة ثابتة. حدد له الشاب الوقت، وقال يُفضّل أن تكون جاهزة قبل المغرب، حيث تنتهي مراسم الدفن وينصب بيت العزاء. «لازم نوزع الصور في خيمة العزا». لم يسأل كيف مات شادي، أمسك الصورة وظل يحدق فيها، في العينين الذابلتين والبسمة الرقيقة. النافذة في جانب الصورة مفتوحة على عالم رحب بلا حدود، مثل ذلك العالم الذي تحلم به العينان الذابلتان. نزلت دمعة من عينه على الصورة. كتم نهنهته ورطب شفتيه بلسانه.

في حوش البيت كانت خزانة مصنوعة من خشب الزان بقوائم عريضة وأدراج بارزة لها مقابض نحاسية. كانت الأدراج الخمسة مليئة بصور الشباب الذين قتلوا خلال العقدين والنصف الماضيين. كان كلما طبع بوستراً لأحد هؤلاء الشباب احتفظ بالصورة الأصلية في أحد هذه الأدراج. يكتب خلف الصورة تاريخ استشهاد صاحبها وربما بعض الأسطر عنه، خاصة لو كان أحد أبناء الحارة أو من معارفه. يسحب الدرج وقبل أن يضع الصورة الجديدة تعبث يداه المتوترة بالصور المبعثرة فيه، يمسك إحدى الصور ويتأملها ملياً. ونادراً ما يضطر لقلب الصورة إلى الخلف ليتذكر اسم صاحبها. يتأمل الصورة ويعود به الزمن إلى قطار الحياة في تلك اللحظة حين أمسك بالصورة للمرة الأولى. في كل مرة كان الشباب

12

يأتون له بصورة شهيد جديد، كان يحس أنها المرة الأولى التي يكتشف فيها أن الموت يمكن أن يغيّب الإنسان إلى هذا الحد، وأن الحياة يمكن لها أن تنتهي، خاصة أن الذين يرحلون عادة لا تزيد أعمارهم عن الثلاثين، وربما قلّت عن العاشرة أو الخامسة. بشاعة الموت وقسوة الرحيل والإحساس بالفقد شيء لا يمكن وصفه، فقط كان يحسه ويشعر به يطفح على وجهه على شكل سحابة صفراء تلتهم الاستقرار والطمأنينة التي يفردها الصباح عليه. يعيد الصورة ويتناول أخرى، وفي كل مرة تكون كأنها المرة الأولى التي يفعل فيها ذلك. ثم يعيدها، وهكذا تضيع الصورة الجديدة في زحمة الصور. يجلس على الأرض قبالة الخزانة ويفتح أدراجها منقباً في حياة الذين رحلوا. تصلح خزانة نعيم تلك أن تكون كتاب حياة المخيم في العقدين والنصف الماضيين. الشيء الأكيد الذي لا بد أن يميزه عن غيره هو صورة الفتى الأول الذي طبع صورته. كان ذلك في ديسمبر 1987 حين بدأت الانتفاضة الأولى، وقتها لم تكن صناعة البوسترات رائجة بل إن الفكرة لم تكن طباعة بوستر، بل كانت طباعة عشر صور من الصورة اليتيمة للشاب لكي يحتفظ بها أصدقاؤه. تناول قلماً عريض الخط وكتب فوق الصورة اسم الفتى وتاريخ استشهاده، ثم قام بطباعة عشر صور أخذها الفتيان والشباب أصدقاء الراحل ومضوا، فيما احتفظ هو بالصورة الأصل. كانت تلك حكاية أخرى مثل حكاية صورة شادي، الفتى الذي رأى النور في عينيه ذلك الصباح ثم كان عليه أن يصنع له بوستراً.

رفض، قال للشباب إنه لا يقدر أن يقوم بذلك. نزلت الدمعات غزيرة من عينيه. كان الألم يأكله من الداخل، ومجرد

التفكير في المزيد من الألم قد يجهز عليه، فقد يرتفع الضغط الذي أصابه قبل سنتين. كان كل مرة يطبع فيها بوستراً يتألم، يشكو لسمر، التي كانت مستمعه الحقيقي الوحيد، الوجع الذي يحسه فالناس لا تفهم أنه يمسك الجمرات بيده، فهو ليس مثل حفار القبور، إنه يحس بهم. فجل الشباب في سن أولاده، منهم من درس معهم في المدرسة، ومنهم من كان جارهم في الحارة، ومنهم من يعرف أبويه، ومنهم من هو قريبه، ثمة تقاطعات ليست بعيدة. الألم الشخصي الذي ينمو مع المرء كلما عاند قسوة الحياة يزداد. كان حفار القبور هذا يضرب معوله في جسده، وينزف لكن أحداً لا يرى الجرح النازف. لو أنهم يفهمون أنه لا يقدر أن يحول تلك الابتسامة إلى صورة هامدة يتناقلها الناس. إن مجرد وجود البوستر هو النعي الحقيقي أن الشخص قد تحول إلى ذكرى ليس إلا، وأن التواصل مع هذا التذكار لا يتم إلا بالنظر لهذه الصورة الكبيرة المزينة بالشعارات الوطنية وعبارات النعي وتاريخي الميلاد والشهادة. هو من حوّل كل شباب وفتيان المخيم إلى بوسترات، هو من حفر هذا الإطار في ذاكرة الناس. يؤلمه ذلك لكن كيف لهم أن يفهموا. تحدث له الشباب عن البطولة والتضحية والتذكر وعدم النسيان، عن الروح الخالدة وعن الحاجة للاستمرار. المفارقة أن مثل هذا الحوار يجري تحديداً بينه وبين ابن أخته «نصر» الذي يقود الشباب في كل نشاطاتهم. كان نصر من ألمع شباب المخيم، من السهل التعرف عليه في كل مظاهرة ومسيرة تجوب الشوارع، في صغره قبل عشرين عاماً كان يُحمل على الأكتاف يقود الهتافات ويوجه المسيرات. سُجن مرتين، حيث أمضى في الأولى سنة فيما كادت الثانية أن تلتهم سني عمره لولا أنه خرج

بعد عشر سنين عام 1999. بعد خروجه من السجن التحق بأحد الأجهزة الأمنية لكنه سرعان ما انضم إلى المجموعات المسلحة بعد اندلاع انتفاضة الأقصى بعد خروجه من السجن بعام، سنة 2000. «يا خال بعدين بناقش خلينا نعمل هالبوستر ونخلص».

طبع نصر قبلة على جبينه وانصرف، مدركاً أن خاله سيقوم بطباعة البوستر، فهو ليس ضد الفكرة لكن يؤلمه أن الفتى مات صدفة دون أن يكون راغباً في الموت، مات وهو ينتظر النهار الجديد، فاجئته الرصاصة لتصادر منه نور النهار قبل أن تستوي الشمس في السماء. حين رآه نعيم كان الفتى ينتظر أصدقاءه ليتجمعوا ويذهبوا للعب كرة القدم في الساحة على أطراف المخيم. كان عليهم أن ينسوا كل شيء حتى واجباتهم المدرسية فاليوم عطلة رأس السنة الهجرية. لعبوا لأكثر من ساعة، وفجأة وفيما كان شادي يتأهب لتسديد كرة في مرمى الخصم سقطت قذيفة مدفعية ضربها الجيش الإسرائيلي وسط الملعب فأردته قتيلاً. سقط فوق الكرة التي لم تحقق الهدف. عادوا به محمولاً في سيارة إسعاف إلى بيتهم. كل ذلك تم في أقل من نصف نهار. حيث في النهار التالي لم يره واقفاً في الشارع يقضم ساندويش الفلافل، كما لن تبرق عيناه له بتحية الصباح الطازج، ولن يكون بمقدوره أن يشعر بهذا الكم من السعادة المفعمة بالنشاط وهو يتذكر تلك الابتسامة. الأشياء حين تغيب يصير تذكرها نكأ لجرح عميق. الصورة التي رآها في ذاك الصباح لن يكون بمقدور أحد أن يعيدها، فهي ليست بَكَرة فيلم سينما يمكن إعادة لفها مرة أخرى. التنقيب عن الصورة في أرشيف الذاكرة أكثر ألماً من الألم الذي نحسه حين نعيش اللحظة. هذا ما يحدث معه تحديداً الآن

وهو ينظر إلى صورة شادي المعلقة على الجدار تنعي الفتى الذي لم يتجاوز السادسة عشرة. أن نفتش في ذاكراتنا، بغض النظر عن قصدنا من وراء ذلك، فنحن نرغب في أن نتألم. اللحظات السعيدة حين نستحضرها نؤكد فقدنا لهذه السعادة، واللحظات المؤلمة تجعلنا نحس كم أن الألم عصي على النسيان. وفي الحالتين فنحن نتألم. الألم الشخصي الذي نخبأه في جيوب الذاكرة يخرج منها دون سابق إنذار.

لم تنقطع أم شادي عن الذهاب إلى مدرسته الإعدادية كل صباح، تضع حقيبته على المقعد الذي اعتاد أن يجلس عليه ملصق عليها صورته، تبكي كأنّها فقدته لتوها. وتعود أدراجها تجر الحزن في شوارع المخيم. قال لها ناظر المدرسة أن ترتاح من هذا التعب فإدارة المدرسة ستواظب على وضع حقيبة شادي على مقعده. بكت بكت بكت بكت «بدي أشوفه». شيء لا يقدر أحد أن يحققه لها. في طرقات المخيم، تقف أمام كل بوستر لشادي معلق على الجدران وتبكي كأنها أيضاً تبكي لأول مرة، وتظن من كثرة الدموع ومرارة البكاء أنها لن تتمكن من البكاء مرة أخرى. تقف أمام البوستر المعلق وتحدثه بحكايات ترهق القلب وتؤلم الروح. ذات نهار فاض بها الحزن ولم تقدر على احتمال الفقد، دخلت مطبعة نعيم وهي تبحلق في البوسترات الكثيرة المعلقة على جدران المكان. كان نعيم مشغولاً بتحضير إعلان تجاري لمحل ملابس جديد افتُتح في المخيم. لمح ظلها فرفع عينيه، ترك كل شيء وهرول نحوها: «شو يا أم شادي، نورت المطبعة». رفعت رأسها نحو البوسترات، فوقعت عيناها على بوستر شادي: «منورة من زمان يا عم نعيم»، وانهالت الدموع من عينيها. تشاركا في حزن مفجع بالحكايات، وللصدفة

أنها حكايات دارت في نهار واحد، هو ذات النهار الذي رحل فيه شادي. في ذاك الصباح لم يتناول إفطاره، قال لها إنه سيشتري ساندويش من محل الفلافل في الشارع. شرب كوب الشاي الساخن، وهو يقول لها إنه سيذهب للعب الكرة في الساحة خلف المدارس. كان جدار الغرفة مليئة بصورة لاعبي الكرة خاصة من فريق برشلونة الذي يعشقه الفتى، صورة لميسي وتشابي وغيرهم، كما يوجد صور لبعض المغنين وأخرى لبعض الشهداء، مثل تلك التي يعلقها نعيم في مطبعته. قال لها إنه يحلم أن يصبح نجم كرة كبير ويلعب في برشلونة مثل ميسي، وأن يلعب في كأس العالم مع منتخب فلسطين. ضحكت وهي تقول مرة واحدة. رد وهو ينظر إلى صور اللاعبين، ويرتشف آخر ما تبقى من الشاي: «بكرا بتشوفي». ولم يأت بكرا. في الحقيقة كان شادي يلعب بشكل جيد وهو ما لفت انتباه مدرس الرياضة الذي اقترح أن يلتحق بنادي الخدمات في المخيم ليلعب هناك. واللعب في نادي الخدمات شيء هام وخطوة أولى في اللعب على المستوى المحلي. إلا أن هذا لم يتم، إذ أن المدرس وعد شادي بأن يصطحبه في ذلك المساء إلى الأستاذ رياض عضو مجلس إدارة النادي. كل شيء لم يتم كما هو مخطط له. كان يمكن للفتى أن يكون شيئاً، على الأقل هو يحاول. لكنه لم يُتم ضربته للكرة في مرمى الخصم حين جاءت القذيفة فجأة. نزلت الدمعات من عين نعيم وهو يقدم الشاي لأم شادي، ويروي لها كيف أنه لم يعد يطيق صبراً فابنه سالم لم يخرج رغم كل صفقات الإفراج عن الأسرى. آمنة ماتت وهي لم تتمكن من رؤيته، وهو لا يريد أن يموت قبل اللحظة التي يمسكه بين يديه. كانت صورة سالم

17

مؤطرة في إطار خشبي معلقة خلف مكتبه، صغيرة بحجم كف اليد لكنها تضيء قلبه بالأمل كلما بحلق فيها. السجن لا يبني على أحد، القبر جدران مغلقة، أما السجن فثمة بوابة وسلاسل لكنها يمكن أن تزول، أما القبر فلا فائدة ترجى من انتظار ساكنه. كان كل صباح يشحذ نفسه بالأمل في لحظة قادمة يكون من الممكن للأحلام أن تتحقق، وهي لحظة ليست بعيدة.

فكر في أم شادي وهو يقف أمام الصورة، كانت الأمطار والرياح قد أصابت الصورة ببعض التمزق، إلا أنها ظلت صامدة تذكر المارة بالفتى الجميل الذي رحل مبكراً. كانت أغلب الصور في شوارع المخيم تحمل توقيع مطبعة العودة التي يملكها نعيم، وكانت المطبعة مَعلَماً من معالم المخيم. أما كيف بدأ نعيم العمل في حرفته تلك، فهذه قصة أخرى. يمكن إجمالها أنه بدأ حياته المهنية عاملاً في مطابع غزة المنزوية بين مفترقي الشعبية والسامر. عمل هناك أقل من عشرين عاماً بقليل، حيث ادخر مبلغاً بسيطاً، تمكن به من شراء الآلات الضرورية التي تمكنه من طباعة أشياء بسيطة مثل دعوات الأفراح وإمساكيات رمضان وأوراق الدعاية المتواضعة، ثم أضاف لها المزيد من الآلات وتوسع العمل وصار يطبع الدعايات الجلدية والمنشورات مثل الكتيبات والأدلة التجارية. أول مرة عمل فيها مع الشباب كان بطباعته بياناً جماهيرياً وزع في المخيم خلال مسيرة حاشدة عام 1983. يومها جاءه الشباب. كان ابن أخته نصر فتى حين جاء معهم. أعطوه البيان وأغلقوا باب المطبعة، وأخذوا بتوتر ينتظرون حتى ينتهي من تصوير الألف نسخة. جاءت فتاة تلف جسمها وتغطي رأسها بعباءة سوداء. وضعت المنشورات داخل

عباءتها، ومضت دون أن تتفوه بكلمة. كانت تلك أم شادي، وكانت وقتها طالبة في المدرسة الثانوية، ولم تكن قد تزوجت بعد. وتواصل العمل واستمرت الحياة. كان الحاكم العسكري يأتي للمطبعة كل شهر بصحبة جنوده مهدداً بإغلاق المطبعة إذا تعاون مع «المخربين» أو طبع لهم شيئاً. «خليك بحالك»، قال الضابط بلكنة هجينة ومضى. كل مرة نفس العبارة ونفس التهديد. ذات نهار جاءه الجنود، وقالوا إنهم بأمر من الحاكم العسكري سيغلقون المطبعة لثلاثة أشهر بالشمع الأحمر. سحبوه من يده وجروه للخارج. كان الحاكم العسكري في سيارة الجيب ينتظر، أطل برأسه وقال له «مش قلتلك خليك بحالك، خليهم ينفعوك». بعد ثلاثة أشهر أعاد فتح المطبعة. بالطبع لم يمنعه الشمع الأحمر من مواصلة العمل عند الضرورة، إذ كان ثمة باب خلفي صغير للمطبعة يمكن الوصول إليه من حاكورة الجيران الخلفية.

كانت المطبعة عبارة عن بيت قديم في المخيم استأجره نعيم من أصحابه الذين سكنوا في المدينة. قام بهدم جدران البيت ليصبح مساحة فارغة ممتدة. اليافطة الكبيرة معلقة هناك منذ اليوم الأول لعمل نعيم في المطبعة. ورويداً رويداً صارت المطبعة معلماً هاماً من معالم المخيم، فصار من الممكن أن تقول لسائق التاكسي أريد الذهاب عند المطبعة، أو تواعد شخصاً أو تصف له مكاناً فتقول يبعد كذا وكذا عن المطبعة. الصور الضخمة المعلقة على جدرانها، والشعارات الكثيرة المكتوبة حولها، وصوت ضربات الآلات كلها تذكر كل يوم أن ثمة حياة تمضي، وتنتهي تفاصيل وتحل مكانها أخرى. لم يفكر نعيم في ذلك الصباح إلا في صورة شادي. حطت على رأسه طيور

الذاكرة ونبشت في دماغه. أم شادي ما زلت لا تستطيع نسيانه للحظة. كل دقيقة تتذكر، كل صباح تفيق كأنها تتألم للمرة الأولى، كأن شادي رحل هذا الصباح. الإحساس بالفقد هو ذاته ما يشعر به نعيم وهو يفكر في رحلة حياته يوم ولدته أمه لحظة سقوط يافا وهجرة الناس عام 1948. كان يمكن له أن يأتي في أوقات أفضل، لكن الطفل بدأ يضرب بطن أمه بعنف فيما أصوات الطلقات والقذائف تهز المدينة. حياة مليئة بالأحداث رغم قصرها. يمكنه القول إنه شهد كل حروب الشرق الأوسط وعاشها وأنها كلها مرت على جلده، وتركت فيه آثاراً.

وقف أمام الصورة دهراً طويلاً. أفاق على صوت «صباح الخير». التفت فكان صاحب الصباح قد مضى إلى حال سبيله. ضحكت سمر فيما كانا يتناولان طعام الإفطار وهي تقول له إن أخاها سليم عرض عليها أن تدرس عنده في إيطاليا، يعني تترك جامعة الأزهر وتسافر إلى فلورنسا وتتعلم هناك. يستطيع أن يوفر لها كل شيء من مصاريف ورسوم جامعية وتذاكر السفر. ضحكت. تأمل وجهها الناعم، أدرك أنها ترغب في فعل ذلك ولكنها تخجل منه، تخجل أن تتركه وحيداً. التحقت سمر بجامعة الأزهر بغزة وكانت حقاً كما يظن، ترغب الدراسة في الخارج فمعدلها فوق التسعين، كما أنها كانت منذ طفولتها تحلم بدراسة طب أسنان، ليس من سبب وراء ذلك إلا أحلام الطفولة. لكنها تدرك بأن تركها والدها وحيداً سيكون كارثة، فهي على الأقل تسليه، تساعده في أعمال المنزل. الرجل الذي ترك نعيم الحياة من أجل تربية أطفاله، رفض الزواج بعد رحيل أمهم. ضحى بحياته من أجلهم. كان حقاً

كل شيء لهم، ألا تقدم شيئاً ولو بسيطاً له، أن تبقى إلى جواره. لم يشتك يوماً لكن نظراته التائهة كانت تعبر بقسوة وحزن عن بعض أفكاره. مرة واحدة ويتيمة قال لسمر كم ستكون الحياة أجمل لو كانوا كلهم يجلسون حول طبلية واحدة يتناولون الطعام سوية هو وآمنة وسالم وسليم وأختها سها وهي. مشهد لم يعد يتكرر منذ أكثر من عقد ونصف من الزمن، مثل المسبحة بدأت حباتها تنفرط حبة حبة ولم تتوقف حتى انتهت. في البداية اختطف السجن سالم، ثم رحلت الحبة الأهم في المسبحة آمنة حيث غيبها الموت، بعد ذلك تزوجت سها وبقيت تتنقل بين السعودية ورفح حيث عائلة زوجها، وخلال ذلك كان سليم يشق رحلة الغربة الخاصة به. بقيت له سمر الصغيرة. لم تكن تعرف أنه كل صباح وكل مساء وكلما وضع الطعام على الطبلية الصغيرة التي يأكلان عليها يتخيل هذا المشهد الجماعي، تخيلهم الستة يجلسون حول الأكل يتناوشون ويشاغبون ثم يأخذهم الجوع فينشغلون بالأكل. الصورة الأثيرة في ذهنه. في الحقيقة ثمة صورة واحدة في ألبوم نعيم الصغير الذي يحتفظ به في خزانة غرفة النوم، تضم العائلة مجتمعة. في الصورة تقف آمنة ترمي جزءاً من شعرها خلف كتفها فيما يتدلى الجزء الآخر على كتفها الآخر. كان نعيم يلبس جاكيتاً بنياً فوق قميص أبيض وبنطال جينز قطيفي بني اللون أيضاً. سها كانت صبية نهداها قد تكورا قليلاً. في الصورة، كان سالم وسليم فتيين لم يدخلا الشباب، فيما سمر طفلة بالكاد تقف على قدميها. كانت الصورة الوحيدة التي تجعل من لحظة الاجتماع تلك أبدية وممكنة وأكبر من مجرد لحظات تذكر أو تمني، بل واقع تم في لحظة من الزمن وقد تجمدت. لكن المسبحة انفرطت وضاعت

21

حباتها، وصار نعيم يجمعها كل لحظة وحين يغزوه الحنين بالتذكر. ينظر إلى الصورة، كان يداهمه ذات الألم الذي يحس به وهو ينظر إلى صورة شادي الآن. يضع يده على الصورة، على وجوه من رحلوا وتركوه فلا يقوى على الصمود، فيبدأ بمناجاة آمنة. لو أنها بقيت معه، لو أنها لم ترحل، لو أنها أكملت المشوار. ويخفق قلبه ذات الخفقة التي أحس بها حين رآها عائدة من المدرسة الثانوية. أحس بسهم أصاب قلبه، أحس به وكأنه رأس عصفور يرتجف قد ابتل بالماء البارد. حين رجف قلبه كانت تلك اللحظة التي استوطنت آمنة داخله ولم ترحل.

ماتت آمنة فجأة دون مقدمات ولا أوجاع. شعرت ذات صباح أن ثمة ما يؤلمها في بطنها. تحاملت على الألم وكابرت، وواصلت أعمالها البيتية كالمعتاد. ذهبت إلى السوق وعادت وبدأت تحضير الغداء، وكان الألم خافتاً لكنه معانداً. كانت آمنة أكثر عناداً منه، إلا أنه لم يكن يعيق عملها اليومي لذا لم يكن حجم القلق كبيراً. نظر نعيم في عينيها وهو يتناول الإفطار، وقال لها «شكلك تعبانة يا آمنة!». قالت ألم خفيف أو مغص. أخذت تنظف البيت، فيما هو يغادر إلى المطبعة يتأملها وهو يقول «ما تتعبي حالك، ارتاحي». شعر بشيء. بعض الأشياء نشعر بها، نحس أن ثمة شيئاً لا يسير على ما يرام. صوت ضربات الطابعة الكبرى رتيب مثل مضخة الماء تسحبه من جوف البئر، أصابعه ترتجف وهو يعاير ماكينة الألوان. أحس بالتعب فأخذ يحضر القهوة سارحاً يفكر في آمنة. لم يملك الطاقة الكافية للعودة إلى العمل. هربت منه الحيوية التي صاحبته

منذ الصباح. آمنة تتألم. لا بد أنها تكابر على ألمها وتعاند. لا تريد أن تقلقه، لذا حاولت إظهار كل شيء كأنه عادي. لكنه ليس كذلك. شيء في داخله قال إن عليه أن يعود إلى البيت. كانت آمنة مع الصغيرة سمر وحيدتين في البيت. القلق أخذ يتسلل إليه، بل إنه لازمه منذ أن رأى آمنة تتألم، لكنه بدأ ينمو كلما فكر في الأمر أكثر. أغلق باب المطبعة فارتج الباب الحديدي الضخم. حتى أنه نسي أن يطفئ الإضاءة داخل المطبعة. هرول إلى البيت. لم يلتفت لشيء. دفع الباب كأنه أدرك أنه ليس بحاجة لطرق الباب. كان كلما عاد إلى البيت يطرق الباب ثلاث طرقات، وهو يقول «يااااااا آمنة»، ويدفع الباب. طقوس خاصة بهما. لكن يبدو أن اليوم انتهت كل الطقوس. كانت آمنة ممدة على الفرشة في حوش البيت، والطفلة سمر بجوارها تمسك بيدها الباردة. كانت نظرات آمنة واهنة وجسدها أكثر وهناً. قالت بصوت خافت إنها لم تقوَ على الوقوف فقررت التمدد في الفرشة. لم يعد مجال للانتظار. ساعدها على النهوض وخرجا إلى مستشفي الشفاء. لم تكن الأخبار التي سيسمعها من الطبيب المناوب سارة. قال الطبيب إنه لا يستطيع تشخيص المرض، وأن عليهم انتظار الطبيب المختص. حتى هذا ستكون لديه أخبار أكثر إزعاجاً. اكتشفوا أن لدى آمنة ورماً على الكبد، ويشكون أن الورم خبيث ويصعب السيطرة عليه. لم يمضِ وقت طويل قبل أن يدرك الأطباء أن الوضع حرج. نامت آمنة في المستشفى ثلاثة أيام، ثم فارقت الحياة في صباح اليوم الرابع. أغمضت عينيها وبسمة خافتة لم تفارق شفتيها. كان نعيم في صالة الانتظار حين خفق قلبه وسقط في بئر عميقة. طلب من الممرضة أن تسمح له برؤية زوجته. اصطحبته

الممرضة إلى الغرفة كانت آمنة تودع الحياة، حين رمقته بنظرة الفتاة ذات السبعة عشر ربيعاً التي تحمل كتبها عائدة من المدرسة الثانوية إلى البيت. لم تقوَ على الكلام. تبادلت معه النظرات في محادثة طويلة انتهت بابتسامة واهنة، لكنها مليئة بالحيوية – لو استطاعت أن تقوم صاحبتها عن فراش المرض – وأغمضت عينيها.

الحاكم العسكري أمسك به من ياقة قميصه وشده بعنف. زعم أنه يعرف كل شيء. فهو يعرف من يدخل للمطبعة ومن يخرج منها، وهو يعرف كل كلمة تطبع داخل المطبعة. ضحك وهو يقول إن ماكينات الطباعة تخبره بكل شيء. صفعه على خديه أكثر من مرة، وسال الدم من أطراف فمه. قلتلك «خليك بحالك». أخرج سيجارة من علبة فضية متباهياً بأنه سجن ابنه سالم. طلب منه التذكر دائماً أن سالم لن يخرج من السجن أبداً. لم يمضِ في ذلك الوقت على سجن سالم إلا أشهر. «لا تصدق من يقول لك غير ذلك، سالم لن يخرج، أنا من يقرر»، وضحك. كان نعيم طوال الوقت ينظر في عيني الحاكم العسكري الذي وُلد في بولندا واستوطن أحد بيوت العرب في حي النزهة بيافا. تنحنح وبدا أنه على أهبة الاستعداد للانفجار. صفعه الحاكم مرة أخرى. قال نعيم إن سالم سيخرج «اليوم أو بكرا». «أنا ما بعرف شو يعني بكرا، بكرا هادا بعيد». وضحك.

في تلك الليلة من شهر شباط كان الشتاء غزيراً، هطل المطر كأن السماء احتبست منذ سنوات، وأرادت أن تعوض ما فاتها. كانت العائلة تجلس حول كانون النار بعد أن تناولت العشاء. وبعد أن همدت شعلة الكانون رمى نعيم حبات البطاطا الحلوة وسط

24

الجمر ليخرجها بعد قليل ساخنة تصلح لتدفئة الصدر. لم يكن سالم قد تجاوز العشرين بعد. كعادته منذ فترة صار يأتي إلى البيت متأخراً حتى حين يفرض الجيش منع التجول على المخيم، كان يخرج خلسة ويعود إلى البيت خلسة أيضاً. أخذ نعيم يسرد على الأطفال آخر أخبار أعمامهم من منافيهم البعيدة، وكان بين الفينة والأخرى يقرأ مقاطع من رسالة طويلة، على ما يبدو أنها وصلته حديثاً من أحدهم. كان سؤال سها مفاجئاً «ليش ما طلعت معهم على الأردن؟» سؤال وجيه في ظل «الساجا» الطويلة التي يرويها نعيم عن إخوته الذين تركوا البلاد إلى عمان إبّان حرب عام 1967 قبل أن يتفرقوا في المنافي. لم يكن لديه إجابة شافية. في مرات كثيرة نتوقع سماع شيء قريب من الأسطورة أو غرائبي لدرجة يجعل التفسير لا منطقياً، لأننا نرغب في أن يكون ثمة سبب كبير وراء الأحجية. وكانت تلك أحجية كبيرة يصعب على الأطفال سماعها. فأعمامهم كلهم في الخارج إلا والدهم. حكاية العائلة التي تركت يافا فيها الطفل نعيم ملفوف في الكافولة لم يكمل صرخة الميلاد بعد، تحتضنه أمه عائشة وتركب سفينة الصيد الصغيرة التي يملكها خالها وتهرب من ضراوة القصف في أحضان البحر، لتجد نفسها على رمال الشاطئ في غزة. حكايات الأعمام والترحال الكثير وقصة العم الأوسط الذي التحق بالثورة في الأردن ورحل معها بعد حرب أيلول إلى لبنان وبعد حصار بيروت عام 1982 هاجر إلى تشيلي. لم يكن لدى نعيم تفسير كبير لما حدث. كل ما يعرفه أن والده أخذ إخوته لحظة الحرب ونزح بهم إلى الأردن. لم يكن نعيم في البيت حين حدثت الحرب. وظل طوال الحرب وحتى بعد انتهائها بأسبوعين خارج البيت، وظن

إبراهيم أن الولد قد مات في القصف، وحين حمل الأطفال رفضت عائشة اللحاق بهم وقالت إن نعيم حي وأنها ستنتظر عودته. وهكذا تشتت العائلة بين غزة والأردن. وذهب إبراهيم مع أطفاله بين أمواج النازحين شرقاً، وهناك عاش في مخيم الوحدات وظل نعيم وعائشة في غزة، ولم يكن من الممكن إعادة لم شمل العائلة. ومات إبراهيم في بلاد وماتت عائشة في أخرى. أما أين كان نعيم وقت الحرب، فهذه حكاية طويلة يسردها على أطفاله وهم جالسين حول كانون النار.

طرق صاخب وعنيف على باب البيت الصفيحي، جنود يقفزون من فوق السطح إلى حوش الدار. فزع الأطفال، وأخذت سمر تبكي فيما آمنة تعنف الجندي الذي أمسك بيد سمر ورمى بها أرضاً وهو يقترب من سالم. أمسك به من يده وجره على الأرض والجنود الآخرون ينهالون عليه ضرباً. واصل جره في أزقة المخيم وسط تجمعات المياه الموحلة في الطرقات. أركبوه في الجيب العسكري ومضى به الجيب يشق المطر المنهمر بغزارة على الأرض. مثل لقطة من فيلم كاوبوي انتهى كل شيء... دخل الشرير إلى الحانة أطلق النار على كل من فيها بومضة عين ومضى، كأنه لم يزعج أحداً. آمنة لم تفق من الصدمة إلا بعد أن رأت الجيب يختفي بين زخات المطر، حين لحقت بالجنود في الطرقات. لم تصرخ ولم تبك، فقط اكتشفت أن ابنها سُرق منها. خرجت نسوة الحارة أحطن بآمنة وعدن بها إلى البيت. في البيت انهارت مثل لوح من الزجاج يتفشفش. انحرقت حبات البطاطا الحلوة في قعر الكانون، ورويداً رويداً خبت النار فيه وصارت رماداً، والعيون الساهمة تبحلق في بعضها البعض

غير مصدقة هول الصدمة. لم يتلقوا أخباراً عن سالم لأكثر من شهر. كان نعيم يركض من مقر الصليب الأحمر في غزة إلى سجن أنصار «2» على شاطئ البحر إلى الإدارة المدنية شرق المخيم يسأل. بعد شهر قال له موظف الصليب الأحمر إن سالم موجود في سجن غزة المركزي «السرايا»، ولا تتوفر لديهم معلومات حول سبب اعتقاله. طمأن آمنة في المساء بأنهم أخيراً وجدوا أن الولد حي يرزق. وظل سالم من سجن إلى سجن، ومن زنزانة إلى أخرى، وجاءت اتفاقيات السلام ورحلت آمنة وسافر سليم وظل السجن سجناً.

كأن الأبناء يعيدون سيرة الآباء، وكأن ثمة شيئاً في التاريخ لا يمضي. الأحداث التي تمر في زمن تعود للمرور في زمن آخر، أو كأن هناك أحداثاً هي عبارة عن أنماط في الحياة أو في شجرة التاريخ لا تنتهي، بل إنها تتجدد من وقت لآخر وتعود للظهور في مرحلة جديدة. وهي أحداث نتعرف عليها في وعينا الباطن أو ندركها بمجرد لمسها بأطراف أصابعنا. فأبناء نعيم يعيدون سيرته بشيء مذهل من الرتابة. يعيدون إنتاج هذه الرحلة ويمرون بالشتات ذاته. فالعائلة التي تمزقت أوصالها لحظة خروجها من يافا، واصلت التشتت مرة بعد أخرى مثل القنبلة العنقودية كلما انفجرت نتج عن كل شظية انفجار جديد. وبعد حرب 1967 خرجت العائلة إلى الأردن ومن هناك للمنافي البعيدة. سالم خلف السجن ولا يبدو في المنظور القريب أنه سيخرج، ليس لأن الحاكم العسكري توعد نعيم بذلك، بل لأن اتفاقيات السلام عاجزة عن فرض ذلك، كما أنها تصنف الأسرى إلى أسرى خطرين وآخرين بسيطين وسالم من الصنف الأول. وسها تقضي عامها في السعودية وتعود كل صيف

هي وزوجها لزيارة عائلته في رفح وتمضي فقط ليلة في بيت أهلها. وسليم أحب الحياة في أوروبا ففيها ما ليس في غزة. لا شيء مقصود لكن لا يمكن رمي كل هذا على كاهل الصدفة. هل هي الصدفة التي جاءت بمخاض عائشة لحظة خروجها من يافا، أم أنها الصدفة التي جعلت قارب خال عائشة يتجه جنوباً نحو غزة فيما السفينة الأكبر التي تحمل إخوة إبراهيم زوجها (أعمام نعيم) تتجه شمالاً باتجاه لبنان، فيما تمضي والدة عائشة وإخوتها بالشاحنة الضخمة باتجاه نابلس. أم أنها الصدفة التي جعلت من المتعذر على نعيم العودة للبيت لحظة مهاجمة إسرائيل لغزة في حزيران 1967 وبالتالي نزوح والده وإخوته لعمان ليبقى وحيداً في غزة مع عائشة. أم أنها الصدفة التي رمت بسالم خلف القضبان وخرج المئات وظل هو في عتمة السجن! أي نوع من الصدف هذه التي تجعل طموح سليم في الحياة أكبر من ألم العائلة؛ فيفضل البقاء في الخارج. لا بد أنها سيرة سرمدية في روح العائلة تبقي هذا النمط دائم التكرار، نمط قائم على الترحال والسفر.

قرر نعيم مواصلة السير نحو المطبعة لينجز بعض الأعمال مبكراً قبل الحادية عشرة، ليتمكن بعدها من المشاركة في الوقفة التضامنية الأسبوعية أمام مقر الصليب الأحمر في شارع الجلاء. كانت تلك عادته كل يوم اثنين، يخرج إلى مقر الصليب الأحمر حاملاً صورة سالم ويجلس مع المئات من أهالي الأسرى أمام المبنى المكون من طابق واحد لنصف ساعة ثم يعود إلى عمله. كانت هذه الوقفة عملاً روتينياً لكنه ضروري. آمنة كانت تذهب معه قبل موتها. كان النشاط يدب فيها كأنها ذاهبة لملاقاة سالم. أمام الصليب سيقابل

أهالي الأسرى أصدقاء سالم، وسيتبادلون الحديث والذكريات حول أبنائهم والأحلام التي يعدونها لهم فور خروجهم. كان يوم الاثنين هذا يعني له الكثير. لم يُفوّته مرة واحدة حتى في الأسبوع الذي توفيت فيه آمنة ذهب هناك وحمل صورة سالم. كانت الدموع تغرق عينيه وهو يضم الصورة إلى صدره، ووجه آمنة «يقصدر» بين غيمات الدمع على رموشه. كان يجلس على حجر طوب قديم ويضع الصورة في حضنه، يركز ذقنه على إطارها العلوي سارحاً في أشياء كثيرة، فيما بعض المفوهين وأصحاب البلاغة يدلون بالخطب العصماء والوعود المعسولة عن الغد الأجمل. لم يكن يسمع شيئاً من هذا، كانت الأفكار الكثيرة التي تجري في دماغه تشغله عن كل شيء. لم يعرف ماذا يقول لسالم حين تمكن من زيارته في أول مرة بعد وفاة آمنة. في الزيارة الماضية كانت آمنة بكامل حيويتها ونشاطها، لم يبد عليها الألم ولم تعانِ من الوجع، بل إنها حدثت سالم عن فدوى ابنة الجيران فهي قد سألت عنه. وغمزت بعينها وهي تقول إنها طلبت صورة له. ابتسم الشاب وهو يتذكر النظرات البريئة التي كانا يتبادلاها من فوق سطح البيت في المخيم. كان شتلة حب لم تسق طويلاً، وتفرقت العيون واختفت النظرات إلا في الطيف الذي يستحضره المرء في لحظات الحنين. كان سالم وقتها في سجن نفحة الصحراوي وكانت الطريق إلى هناك تستغرق ساعات من السفر في الصحراء القاحلة. بعد التفتيش والتدقيق والانتظار دلف نعيم إلى صالة الزيارة. كان السجناء يجلسون على مقاعد اسمنتية خلف الشبك الذي يمتد من الأرض حتى سقف الصالة ويفصلهم عن ذويهم. كان نعيم وحيداً ولم تكن آمنة كعادتها معه. انتظر سالم قليلاً فقد تدلف والدته عما قليل، لكنها لم تفعل. ارتبك نعيم حين سأله

الولد أين أمه. لم يجب، صمت. لم يخطر ببال الولد بأن آمنة فعلاً رحلت. بعد تلكؤ رد إنها مريضة وترقد في المستشفى. كان عليه ابتداع كذبة بيضاء. قال إنها حملت بجنين إلا أن صحتها تدهورت بسبب الحمل المتأخر وقرر الأطباء إسقاط الجنين. شردت عينا سالم وهو يسأل المزيد من الأسئلة المربكة حول أمه. انتهت الزيارة والقلق يدب بأقدامه في كل الجمل التي تبادلاها. كان نعيم قد أوصى أم فوزي أن تطلب من ابنها فوزي الأسير مع سالم أن يقوم هو بمهمة إبلاغه داخل السجن بعد انتهاء الزيارة.

هكذا تبدأ الأشياء وتنتهي، سحب ظله من ممرات السجن بعد أن انتهت الزيارة وهو يتخيل الألم الذي سيحس به الولد حين يعرف بالفاجعة. وحيداً سيلوك أحزانه وذكرياته. ماتت آمنة ولم تتمكن من عناق الولد، كانت تحلم بتلك اللحظة، باليوم الذي تجده معها، تجلسه معها حول كانون النار في الشتاء ليكملا السهرة التي اختطف الجنود حلاوتها حين قفزوا للبيت وأخذوه. آمنة لم يكن لها أمل في الحياة أكبر من ذلك، أن تفرح ولو مرة واحدة من قلبها. كانت تخطط للولد، أن تزوجه وتبني له غرفة فوق سطح البيت في المخيم. كانت تريد كل أولادها حولها، أن يعيشوا أسرة واحدة. ستبني لكل واحدة غرفة، بعد أن تعيد بناء البيت ليصبح مكوناً من طبقتين وتقسم الطبقة الثانية بين الأخوين. كانت أحلامها بسيطة وممكنة لولا قسوة الحياة. لم تعرف أنها رغم ذلك عصية على التحقيق. بل كانت تسرد على مسامع نعيم خططها الأوسع وهي تحدق في ضوء اللمبة الخافت. فبنت الجيران فدوى جميلة وتصلح عروساً لسالم. يبدو أن الولد كان يحب البنت قبل أن يُسجن. هكذا استنتجت

30

آمنة وضحكت. لم يهمها كثيراً فيوماً ما سيخرج سالم وهذا اليوم قريب. فدوى الآن تزوجت وأنجبت وصار ابنها في المدرسة وسالم لم يخرج بعد، آمنة لا بد أنها تعرف ذلك في قبرها فالأموات يعرفون قصص الأحياء كما كانت عائشة الأم الكبرى تخبر نعيم. وآمنة تحس بكل ذلك ولا بد أنها حزينة من أجل ذلك أيضاً. أما الولد الثاني سليم فآمنة غير قلقة «فحظه بين رجليه» كما قالت لنعيم، الولد محظوظ و«عقله سنفتح في المدرسة» وسيلتحق بالجامعة. آمنة قالت لنعيم إنها ترغب أن يدرس الولد سليم في جامعة بيرزيت، لا تعرف لماذا، لكنها ترغب في ذلك. في حقيقة الأمر ما لم تتذكره آمنة أن سبب حبها للجامعة يعود إلى أن الشاب الذي تقابله في السجن عند زيارتها لسالم طالب في جامعة بيرزيت، وهو صديق حميم لسالم في السجن. شيء من هذا القبيل لا بد أنه طور هذه الرغبة لديها. أما البنات فإن أحلام آمنة لهن كانت أقل تواضعاً، فسهى ستتزوج عما قريب وتسافر إلى السعودية مع زوجها، أما سمر فكانت طفلة ولم يكن التفكير في مستقبلها ذي فائدة، لكنها متأكدة أنها ترغب في رؤيتها طالبة جامعية. سهى لم تكن جيدة في المدرسة لذا تعثرت أكثر من مرة في امتحان التوجيهي وليس من الحكمة الإصرار على دخولها الجامعة. حظ سمر سيكون أفضل وستتمكن من دخول الجامعة. هكذا رسمت آمنة، قبل أن ترحل لنعيم خارطة الطريق التي وافقها، وعليه أن يقود قطار العائلة الصغيرة التي خرجت بها من الدنيا.

حين يفكر نعيم في كل ذلك ويعمل جرد حساب، يشعر أن المهمة كانت شاقة، وأن ما تحقق من تلك الأماني كثير وقليل في نفس الوقت. الحياة لم تكن سهلة، فحتى فترات الهدوء والاستقرار التي

شهدتها غزة بعد إقامة السلطة لم تدم طويلاً، إذ أنه مع اندلاع الانتفاضة الثانية في سبتمبر 2000 عادت غزة لتصبح مسرحاً للمواجهات والقصف والاجتياحات والتدمير. كما أن الفرص المتاحة لم تكن كثيرة، وتحقيق الأماني كان يتطلب السير في ممرات ضيقة لا يقود الممر فيها إلى مفازة أو حديقة، بل إلى ممرات أخرى أكثر ضيقاً. في ساعات الليل وحين يضع رأسه على المخدة يمر شريط سينما الحياة من أمام عينيه. بالطبع لو كانت آمنة معهم ولم تمت لكانت اختلفت الحياة، على الأقل ساعدته في تحمل هذه الأعباء. لم تكن لتغير كثيراً في واقع الحال، فكل الأشياء التي جرت لم تتم برغبته الشخصية. فهو حقاً يريد لابنه سليم أن يحقق أحلامه بالتعلم والسفر لكنه لا يريد له أن يبقى خارج البلاد. كما أنه في مرات يعتب على ابنه سالم الذي ذهب بعيداً في حمل الأعباء، وها هو يمضي عمره في السجن. قد يلوم نفسه فهو من بث هذه الروح الحماسية فيه وهو يحدثه عن لحظة ميلاده والحرب دائرة، وكيف كادت عائشة تموت وهي تعاني آلام المخاض وما بعدها في قلب البحر. أو يحدثه عن العم الأكبر عوني الذي كان تفكجياً خلال ثورة 1936 ضد الإنجليز. قصص كثيرة وعمر طويل مضى بسببها، وآلام غير منسية طبعت على الجسد الواهن. الأب الحزين على فراق ابنه، يخبئ أحزانه وآلامه مثل جمرات في صدره، تلسعه فلا يتأوه إلا وحيداً وهو يغلق باب الغرفة على نفسه. كانت أم شادي تبكي مثل غيمة تغطي الأرض كلها، وكانت النسوة يطلبن منها أن «تكون على قد المسؤولية»، بوصفها أماً لشهيد. عليها أن تزغرد أو تتغنى بالبطولة وتتمنى لقائه في الجنة. كانت الخطابات والكلاشيهات

العريضة التي تتخلل أحاديث الناس منزوعة الإحساس، وكان التمسك بها عفوياً وبلا وعي، لكن لا أحد ينسى من يحب. أم شادي كانت ترفض أن تؤدي الدور. كان حزنها طافحاً ويصيب كل من حولها. الصحفي في القناة المحلية حين التقاها في البيت أخذ يصور أشياء شادي، التي تحتفظ بها أمه من لعب مكعبات وأقلام ألوان كبيرة، وكرة قدم متسخة قليلاً تركتها على حالها. لم تنجح كل جهوده في دفع أم شادي أن تقول كلمة كبيرة، عبارة ضخمة من تلك التي تحبها كاميرا القناة. ظلت تقول إنها تتمنى لو أنه معها لأعدت له حلوى البافاريا التي يحبها.

جردة الحساب تطول، وهو لم يقصد يوماً أن يخفف عن نفسه أو يواسي آمنة في قبرها. فلم يكن شيء من اختياره. فسليم يحب السفر ويحب حياته في أوروبا. منفاه الطوعي الذي قرر الذهاب إليه برجليه، لم يدفعه التهجير كما حدث مع العائلة عام 1948، ولم تدفعه الحروب الدموية كما حدث مرة أخرى عام 1967، بل ما دفعه كان البحث عن حياة أفضل. من السهل خلق الأعذار وصوغ المبررات ولكن يظل من الصعب أن تكون صادقة. لم يجادل ولده كثيراً حين قرر السفر أول مرة لاستكمال دراسته العليا في بريطانيا. قال في نفسه أنا لم أعلمه ليبتعد عني، بل أراده أن يبقى معه. الولد تحدث عن المستقبل، عن القطار الذي لا يجب أن يفوته، عن الحياة التي يحلم بها. كلمة طموح كانت تتردد في حديث الولد كل دقيقة، حتى بات نعيم ينتظر سماعها كلما افتتح الولد جملة أو بدأ بالحديث. بالنسبة لنعيم ثمة شيء من الأنانية. بل إن التوصيف الأدق لذلك هو الأنانية بعينها. ننزع دائماً لتوصيفات وعبارات جميلة لتغطية

قصورنا أو عيوبنا الشخصية، لكن لا يمكن لذلك أن ينطلي على الجميع. وطموح الولد لم ينطل على نعيم. لكنه بالمطلق لم يكن ليقف في وجه الولد. ولم يرد أن يكون عثرة في طريق مستقبله. بعد أن أنهى سنتين في بريطانيا عاد إلى غزة لسنة ثم قال إنه سيذهب لإيطاليا ليكمل دراسة الدكتوراه. هذا حلمه، أن يدرس ويدرس. وكان نعيم يهز رأسه ويقول أن يسافر ويسافر ويسافر. كان في البداية يأتي للزيارة في كل صيف يمكث أقل من شهر ويمضي حيث يتوجب عليه أن يلتحق بالجامعة. أنهى دراسة الدكتوراه في فلورنسا والتحق بمركز للأبحاث يعمل به هناك. أيضاً وجد مسوغات كثيرة لذلك فمستقبله الأكاديمي والخبرة التي سيكتسبها كلها ستساعده في الحياة، ستدفع قطار الحياة إلى محطات متقدمة. كان نعيم يلتفت إلى توصيف قطار الحياة، ويتخيل هذا القطار يدوس كل فرص العناق التي يمكن لها أن تأتي في المستقبل. قطار جميل لكنه يمر على فرحة العائلة ولحظات سعادتها، قضبانه هو اجتماع العائلة الصغيرة الذي لم يعد يتم. حتى تلك الزيارة السنوية لم تعد ممكنة خلال السنوات الثلاثة الماضية، حيث إن معبر رفح دائم الإغلاق، وسليم يخشى لو دخل غزة أن لا يستطيع الخروج منها، لذا تحولت هذه الزيارات إلى «ألوهات». لم يحدث مرة أن عاتبه أو طلب منه أن يدوس على أحلامه، بل إن كلمات التشجيع التي كان يقولها كانت تكفي لدفع الولد أميالاً إلى الأمام في تلك الأحلام. ويجوز أن تكون دافعاً أساسياً في إمعان الولد في تشغيل قطار الأحلام الذي يتحدث عنه. لم يكن يملك إلا فعل هذا. ماذا كانت ستفعل آمنة!! لم يكن التفكير الافتراضي يفيد. أما سهى فحياتها كانت تعرفها آمنة منذ طفولتها

فهي لن تجد ضالتها في العلم، لكن آمنة لم تكن تتوقع أن تتزوج البنت وتغترب مع زوجها في السعودية حيث يعمل في شركة مقاولات. لكنها بنت بارة رغم ذلك. ففي كل ذكرى سنوية لوفاة والدتها ترسل لوالدها مبلغاً من المال ليذبح عجلاً ويوزعه على الفقراء في المخيم على روح أمها.

ها هي خارطة الطريق التي وضعتها آمنة لم يعد فيها طريق على حاله. ولم يعد من الممكن تعديل مسارات الطرقات. ربما معجزة وحيدة يمكن لها أن تخربط كل شيء وتغير العالم حوله، وهي معجزة صعبة التحقيق، كما أن حدوثها بحاجة لمعجزة أخرى. ونعيم لم يعد يفكر في زمن المعجزات. هو الزمن الذي انتهى أيضاً حين فكرت والدته عائشة وهي تحلم بطفلها الجديد (هو) بمستقبل الطفل وحياته وبدأت تنسج أحلاماً كبيرة له. سيلتحق الولد بالمدرسة العامرية وبالكلية العربية في القدس وربما في الجامعة في القاهرة. يدرس الطب أو الحقوق. هو من يقرر ولكن عليه أن يختار «أ» أو «ب». وستبني له بيتاً في قطعة الأرض التي ورثتها عن والدها في حي المنشية. ظلت هذه الأحلام شغل عائشة الشاغل طوال فترة حملها التسعة أشهر حتى تحطمت على صخرة الحرب. بالنسبة لنعيم لم يعد من المجدي التفكير في زمن المعجزات. فأية معجزة تلك التي ستُخرج سالم من السجن، وتقنع سليم أن على هذه الأرض حقاً ما يستحق الحياة، وترجع سهى مع زوجها إلى غزة ليبنيا حياتهما الحقيقية هنا، وتعيد إخوته إلى البلاد. قائمة طويلة بحاجة لطابور طويل من المعجزات ربما لن يحظى بمشاهدة تحقيقه. لم تبق إلا سمر، ولم يكن بقاؤها باختيارها فهي لم تزل صغيرة. لكنه هذه المرة كان

يحاول جهده أن تظل سمر ضمن خارطة الطريق التي رسمتها آمنة. فالفتاة تحب الدراسة وتتمنى أن تكمل تعليمها. وها هي في سنتها الأولى تدرس الحقوق. كانت ترغب في دراسة طب الأسنان في الخارج، لكن نعيم كان من قال إنه يريدها عنده هنا. في الحقيقة سمر لم تعاند كثيراً، حتى إنها لم تطرح الأمر. بعد أن ظهرت نتائج الثانوية العامة وحصلت على معدل تسعين بالمائة، هاتفها سليم من فلورنسا مهنئاً عارضاً عليها أن تلتحق به هناك، حيث ستدرس في جامعة فلورنسا، وسيتكفل بدفع كل المصاريف لها. صبت الشاي لوالدها في الليل، وهي تقول إنها لن تتركه أبداً. نفخ في كأس الشاي. قال إنه يعرف أن هذه رغبتها ولا داعي لإنكار ذلك. لكنه أيضاً لا يحب أن يتركه الجميع وحيداً. هذه المرة الوحيدة التي قرر أن يحرك فيها الملعقة ليؤثر في الطبخة. كان يعرف أنها ضغطت على نفسها لتقبل أن تظل هنا، لكنه أيضاً لا يملك أن يرى نفسه وحيداً. ولم تكن تشعره بشيء. كانت تحدثه بحماسة عن الجامعة، وعن مدرسيها، وعن أحلامها في أن تصبح محامية كبيرة، تترافع في المحاكم، وتدافع عن الفقراء الذين لن تأخذ منهم أتعاباً. «وكيف بدك تعيشي؟» من الأتعاب اللي بآخذها من الأغنياء. ويضحك وتضحك. لكنه يعرف أن هذه ليست كل الحكاية ولا هي معالم الحياة التي كان يحلم بها وكانت تحلم بها آمنة، حين تحدثا سوية لأول مرة قبل أن يقرر أن يرسل أمه عائشة لخطبتها له في اليوم الأول لسنة 1970. كانت تلك معجزة كبرى لم يُجِدِ بمثلها الزمن منذ ذلك الوقت. أحلام كثيرة تراجعت وآمال أكثر أصبحت في قائمة الخيبات والإحباطات. ونعيم حين يخطو باتجاه محله، كما قد يفعل كل صباح، يفكر في كل ذلك، ويبتسم لأنه أيضاً ما زال قادراً على التفكير في تلك الأحلام والآمال.

غازلت الشمس المتسللة من بين سطوح البيوت عينيه، مسح وجهه ببطن يده ومضى باتجاه المحل. كانت جدران البيوت تمتلئ بالشعارات الكثيرة التي تتراوح بين البطولة والتنديد والاستنكار إلى عبارات الحب ورؤوس القلب وسهام كيوبيد التي يرسمها الشبان للفتيات في طريقهن إلى المدرسة. ثمة شعار ضخم في طرف الزقاق المضي باتجاه يتحدث عن الذكرى السنوية العشرين لدخول سالم في السجن، وآخر عن الفتى شادي الذي لن تذهب دماؤه هدراً، كما يقول الشعار. ابتسم وهو يقرأ الشعار الذي يبارك له بعودته من الديار المقدسة حيث تمكن من الحج العام المنصرم. كانت رحلة ستود آمنة لو شاركته إياها. في الطرف الآخر للزقاق، كان الخال يوسف يضرب الأرض بخفة بعكازه. يجوز القول إن الخال يوسف أطول شخص في الحارة. كان فاره الطول منتصب القامة وسيم الوجه. كان يمكن له أن يصبح ممثلاً جذاباً لو صارت الأمور كما يجب معه. صار نحوه وقفا سوية. كان يعرف، فالخال يوسف لا بد ذاهب كعادته كل صباح إلى المقهى في غزة، يجلس هناك ساعتين أو نحو ذلك ثم يعود إلى المخيم. يفعل ذلك منذ أكثر من أربعة عقود. الخال يوسف عاش حياته بالطول والعرض وهو حقاً يحب الحياة. ورث عن والده محل البقالة في الحارة وطوره وصار سوبرماركت ضخماً، وبعد ذلك عمل في شراء وبيع البيوت في المخيم، وبعدها صار تاجر عقارات معروف في المنطقة. بيد أنه لم يترك المخيم حيث هدم خمسة بيوت متجاورة اشتراها وابتنى له بيتاً يشبه الفيلا. أيضاً يجوز القول إن كل الحروب على غزة لم تلمس جلد الخال يوسف، أو على الأقل هكذا يبدو عليه. أحد أولاده كان مسؤولاً كبيراً في

السلطة منذ تأسيسها. وبعد انتخابات 2006 وتغير الحكومة صار له ابناً آخر مسئولاً كبيراً في الحكومة الجديدة. ابتسم الخال وهو يقول لنعيم «تعال خذلك نفسين أرجيلة عند يورو!!». هز برأسه. أخرج الخال سيجارة، ناوله إياه. أيضاً هز رأسه شاكراً. كانت أول سيجارة وضعها في فمه، يوم وضعت آمنة سالم. كان يقف خارج غرفة الولادة في عيادة الوكالة في المخيم متوتراً، لا يكاد يقف لثانية يجوب ساحة العيادة ويخرج إلى الشارع أمامها ويعود. يأكله القلق. تناول سيجارة من شاب قلق مثله ينتظر مولوداً، وأخذ يجر دخانها إلى صدره. كان مرعوباً من حدوث أي مكروه لآمنة. علمته الحياة الخوف والقلق الدائمين، فقسوة الواقع قد تجعل الفرحة مجرد استراحة قصيرة تتخلل مسلسل الأحزان. سمع صراخ الجنين. تلاقت عيونه مع عيون الشاب الذي ينتظر مثله. لا بد أنه جنين أحدهما. خرجت الداية وقالت «مبروك» ثم دخلت إلى غرفة الولادة. ذهب إلى محل الحلوى وأحضر صينية كنافة كبيرة، ووضعها على مدخل غرفة الولادة، ودعا الأطباء والممرضات والداية كلهم للتحلية.

اقترح عليه الخال ألف مرة أن يوسع المطبعة خارج المخيم ويؤسس شركة طباعة ضخمة. «صنعة بتكسبك ذهب»، قال الخال، «وأنا سأساعدك». قال نعيم إنه يفضل العمل الصغير حتى يستطيع التحكم به. رسم له الخال ذات مساء على ورقة تصوره للمطبعة الجديدة. ستكون قرب الجامعات، وستوفر للطلاب كل ما يحتاجونه من كتب جامعية وقرطاسية وهدايا. «أنا بدي مخك والباقي علي». يحظى الخال يوسف بعقل تجاري نظيف وبعلاقات واسعة. فمسؤولو السلطة كانوا يواظبون على زيارته واستشارته في بعض القضايا التي

تهم المخيم كما يفعل إمام المسجد الكبير الشيخ حسن وقبله والده الشيخ رياض، والكل يتعامل معه باحترام. حتى الحاكم العسكري قبل السلطة كان يأتي في كل عيد «يعيد» عليه. وبسبب التجارة كان الخال يمنح تصريحاً للسفر حتى في أشد اللحظات توتراً. كان هذا يوفر له فرصة زيارة أولاد عمه الذين بقوا في يافا. الحياة سهلة ولا يمكن أن تكون العثرات أكبر من الإصرار. بهذه العبارة يمكن تلخيص حياة الخال يوسف. وقفا سوية لبرهة من الوقت. سأله الخال عن عمل المطبعة وعن «الولد اللي في السجن» و «الولد اللي برا». طبطب على كتفه شاكراً اقتراحه بأن يتناول شاي الصباح عنده. قال إنه سيفعل ذلك في طريق عودته إلى البيت بعد ساعتين ونيف. رد نعيم أن عليه وقتها الذهاب إلى الوقفة التضامنية الأسبوعية أمام مقر الصليب. ابتسم الخال ورد «إذاً العصر!!». وسار في طريقه حيث كانت السيارة تنتظره على طرف الزقاق. أسند نعيم ظهره إلى الجدار المقابل لباب المطبعة سارحاً يبحلق في السماء. كانت الشمس قد اشتد عودها وحرارة النهار أخذت في فرد عضلاتها. نظر إلى الخال يصعد السيارة ويمضي، وصار الزقاق فارغاً إلا من ظله الذي بدأ ينمو مع النهار. من يراه يظن أنه نسي لماذا يقف في الشارع. كان باب المطبعة يدعوه لأن يفتحه ويبدأ نهاره الجديد.

لا شيء جديد، وليس من إثارة تصبغ فرحاً جديداً على الحياة... كل شيء على حاله.. ها هو يفعل ما فعله يوم أمس، وما فعله أول أمس، وما فعله قبل شهر وقبل سنة وعشر سنين وقبل عشرين سنة. لا جديد. سيفتح المطبعة ويبدأ عمله بيده، ينجز ما عليه من التزامات للزبائن. عند الظهر سيعود إلى البيت لتناول

الغداء ثم يشرب الشاي، ويعود لفتح المطبعة حتى المغرب، حيث سيكون قد انتهى نهار العمل. في الليل قد يخرج للجلوس على كرسيه الخشبي أمام الشارع وقد يجلس معه بعض رجال الحارة. وستكون جلسة الليل مع سمر، عادة ما قبل النوم. هكذا يبدأ يومه وهكذا ينتهي. لكنه لم يمل أبداً. ولم يشعر يوماً برتابة الأشياء. كأنها يجب أن تحدث كذلك، أو أنه من المنطقي أن تكون على هذا الشكل. فقط نفحات الذاكرة حين تهب عاصفة تخلخل هدوء اللحظات وتزلزل الأرض تحت قدميه، وتجري سحباً في دماغه. لكن في نهاية المطاف الحياة يجب أن تستمر فهو لا يقدر على تغير دفة السفينة. بل إنه غير متاح له أن يكون على مقربة من هذه الدفة. آمنة لم تكن كذلك. كانت تريد تغيير كل شيء، أن يسير كل شيء وفق ما تخطط له، أن تعرف سلفاً ما سيحدث وتقرر كيف ستؤثر فيه. لكنها في نهاية المطاف لم تنجح في ذلك، لذا من العبث محاولة قهر اللحظة. على الأقل هكذا تعلم من صنعته، فأفضل شيء هو أن تخرج الصورة كما هي. لا يمكن أن تغير معالم الصورة فأنت تضع الصورة في ماكينة التصوير وتخرج لك شبيهتها، بل في مرات تقل جودة الألوان وعليك أن تقبل. حتى الخال يوسف ماذا يفعل بأمواله وعلاقاته وجلساته في المقهى!! الحياة في آخر المطاف تمضي بحلوها ومرها، أهم شيء أن يعرف المرء كيف لا تدوسه الحياة. ونعيم حين يفكر بذلك ويستحضر جردة الحساب وخارطة الطريق التي تركتها له آمنة، يشعر ببعض الرضا أنه في آخر المطاف لم يكره حياته يوماً ولم يود مفارقتها حتى حين يشتاق لآمنة. لم يقل يوماً لو أنه يلحق بها، بل كان يقول لو أنها معنا. بل إنه وبالمعنى الإجرائي لم تكن حياته

40

سيئة، ويمكن له أن يسوق ألف دليل على ذلك، فسليم ابنه قد أنهى دراسة الدكتوراه وسالم في نظر الناس بطل، وسهى سعيدة بحياتها وسمر ستصبح محامية. كل شيء يبدو على ما يرام، فقط لو أنهم كلهم حوله. يظل هذا الألم الجواني هو ما يفتت خفة الحياة وطراوتها.

وقف أمام الباب الحديدي الضخم المطلي بالأحمر. تحسس جيب سترته، وأخرج سلسلة المفاتيح. وضع أحدها في قفل الباب العلوي وأداره، فصدرت عنه تكة بسيطه، ثم سحب المفتاح ووضعه في القفل السفلي وبدأ في إدارته من أعلى إلى أسفل، وكان عليه أن يضغط المفتاح جيداً إلى داخل القفل، ثم يضغط أكثر وهو يديره داخله. ولما فعل صدرت عن القفل تكة أعلى صوتاً من تلك التي صدرت عن القفل العلوي، لكنها تبشر أن الباب قد انتهى إغلاقه. أمسك سلسلة المفاتيح بيده اليسرى وبدأ بسحب جاروري الباب، وهو ما كان يتطلب جهداً أكبر. سحب العلوي فأصدر صوتاً عالياً مثل كل مرة، ثم مد يده ليسحب الجارور السفلي. عندها أحس بوخزة خفيفة، بشيء أصاب جسده مثل إبرة تخز اليد فجأة. تألم قليلاً وخبا الألم بعدها. ثمة شيء حدث في تلك اللحظة. لا يمكن أن تكون تلك وعكة عادية. بدأ الألم يعاود الظهور ببطء ولكن بثبات. وضع يده على جانبه الأيسر حيث الوخزة.

لم يكن هناك ما يشير أن شيئاً كهذا يمكن أن يحدث، أو أن نعيم سيموت فجأة هكذا. فقط وقع على الأرض فيما الباب الكبير بالكاد سمح لنور الشارع بالتسلل إلى داخل المطبعة حيث تلف جدرانها الداخلية صور الشبان والفتية الذين طبعها نعيم خلال

الربع القرن الماضي. لم يتمكن نعيم من فتح الباب، فهو بالكاد أدار المفتاح في القفل العلوي وبدأ بإدارته في القفل السفلي وسحب جاروري الباب حتى جاءته الرصاصة، وما أن سحب جسده إلى الخلف، حين أحس بوخز الرصاصة وبالدم البارد ينز من جانبه الأيسر، حتى ترخرخ الباب وبات مواربًا قليلاً، ينتظر أن يدفعه نعيم كعادته كل صباح. ظل الباب مثل لوحة غير مكتملة معلقاً بين الإغلاق والفتح في انتظار معجزة لن تتم، حيث سيقوم نعيم بالمكابرة على جرحه وفتحه. سحب نعيم جسده إلى الخلف قليلاً وحاول أن يتكأ على الجدار، أخذ نفساً عميقاً ثم حاول الاقتراب من الباب مرة أخرى ليفتحه. إلا أن الخطوات الثلاثة التي قام بها قضت على بطارية الطاقة المتبقية في جسده. لم تكتمل المهمة. هام شعاع الحياة الأخير المتبقي في عينيه داخل المطبعة من خلال الفتحة الصغيرة التي بانت من الباب. طاردت الصور بعضها بعضاً، وتداخلت الأخيلة وتكثفت اللحظات، وصار هذا الضوء مصدر الحياة الوحيد المتبقي. كان الزقاق هادئاً والأزقة الأخرى كذلك، والشارع الكبير الذي جمع الحارة حول حضنه هادئاً كذلك، نوافذ البيوت مفتوحة تستقبل الصباح، والحركة بدأت تدب برتابة الطقوس في المخيم، المحال التجارية فتحت أبوابها، وتلاميذ المدارس انتظموا في الطابور الصباحي، وصوتهم من بعيد يؤدون التحية للعلم وينشدون النشيد الوطني، حتى الحلاق فتح صالونه، والخباز بدأ يشعل النار في فرنه حتى يصبح جاهزاً بعد ساعة أو اثنتين. كانت الصورة قد اكتملت، والحياة بدأت تسرى في جسد المخيم. لكنها في مكان آخر نفذت وانسلت بدعة ودون أن يحس بخروجها أحد. وخزة في الجانب

الأيسر وضع على إثرها يده على موطئها، ثم أحس بدم لزج دافيء ينسل من بين ملابسه. لم يسمع صوت رصاص ولا قذائف، لا شيء سوى ضربات قلب نعيم التي بدأت رحلة الحياة العكسية، حيث دورتها الأخيرة في النبض والخفق.

بدت المطبعة لمبة خافتة الضوء، تنعكس الظلال داخلها وتتماوج مع صوت الجلبة التي بدأت تسرى في الشارع، حين اكتشف طفل صغير جسد نعيم يتأوه على الأرض، ملأ الحارة زعيقاً وصراخاً. التمّ الناس ولم يبقَ أحد في بيته إلا وخرج نحو الزقاق الذي تقع فيه مطبعة العودة، حيث جسد نعيم مسجى لا يقدر على الحركة أو النطق، ولا يصدر منه إلا آهات مكبوتة. هكذا مات نعيم في ذلك الصباح الدافئ من شهر آذار. اندفع ابن أخته نصر من بين الجموع نحوه. وضع إبهامه على وريد يده. صرخ «سيارة الإسعاف سيارة الإسعاف». بعد دقيقة كان صوت بوق سيارة الإسعاف يسبقها، حيث سيحمل الجسد مع ضوء الحياة الخافت المتبقي فيه داخل السيارة، فيما نصر يجلس مع الممرض حول الحمالة الصغيرة يستصرخ كل آيات النجاة والبقاء أن لا يخبو ضوء الشمعة المتبقي، وسيارة الإسعاف تبتلع الطرقات وصولاً إلى مستشفى الشفاء. قبل أن تصل بأمتار قليلة، كان الممرض قد تيقن أن الجريح قد فارق الحياة. نظر في عيني نصر الذي رفض أن يتقبل الحزن والأسف الصادر عن عيني الممرض. أخذ يتحسس يد خاله كأنه يرجوه ألا يفعلها. لم يكن كل ذلك لينفع فقد أجهزت تلك الوخزة الخفيفة على مصدر الحياة، وأغلقت كتابها، وسحبت الضوء من وجه نعيم النضر.

هكذا مات نعيم!

الفصل الثاني

البوستر

أنا لا أريد بوستراً لوالدي.

مش بخاطرك.

لن نعمل له بوستراً، لو كان حياً لما قبل أن نقوم بذلك.

ولكنه ليس حياً.

أقصد لو كنت أنا من استشهد، لما قَبِل أن يعمل لي بوستراً ... لكان رفض.

أنت لن تعمل له بوستراً، نحن (تشديد على الكلمة) سنعمل له بوستراً. فقط أعطني واحدة من الصور التي قالت عنها سمر، وأنا سأعمل له بوستراً. هذا واجب، حقه علينا. لا يمكن ... أنت لا تفهم!!

بل أفهم، أنت لا تفهم، أبي لم يكن ليسعد لو فاق من موته ووجد صورته بوستراً معلقاً على الجدران.

ولكنه لن يفيق. أنت!! ما الذي يفرق معك. الأمر ليس شخصياً بل هو يخصنا كلنا، يخص كل فرد فينا. هذه عادة دارجة في

المخيم. كل شهيد نعمل له بوستراً تخليداً لذكراه. طبيعي. انظر إلى شوراع المخيم، إلى الجدران، إلى أبواب المحال، إلى اللوحات المعدنية المحمولة على قوائم في الشوارع العامة، كلها صور وبوسترات للشهداء. هذه عادة لا يمكن أن يكون خالي استثناءً. شو يقولوا الناس!!

لن يقولوا شيئاً، فقط نحن لا نرغب أن نراه مجرد بوستر معلق على الجدار.

ومن قال إننا لا نتذكره إلا بالبوستر، إنه هنا (يشير إلى قلبه) كلنا نحبه ونتمنى لو أنه معنا، ولكن هذه هي الحقيقة. أنت متعلم وتعرف ذلك. ليس من فائدة من العناد. أن تضرب رأسك في الجدار. الحب أكبر من مجرد صورة وشعار. اسألني أنا أعرف هذا. طوال العقدين الماضيين، مضى إلى القبر كوكبة من أعز أصدقائي. كنت مثلك أتألم وأنا أراهم صوراً على الجدران، لكن أن يكونوا معنا ولو على شكل صورة أفضل من أن يكون المكان حولنا خالياً منهم.

المشكلة أنني أفهمك وأنت لا تفهمني. والدي كان يتألم وهو يطبع صور الشهداء، ويحولهم إلى مجرد بوستر يمر عنه الناس في الشارع كما يمرون على يافطة الصيدلية أو محل البناشر. كان هذا يؤلمه.

ويؤلمنا كلنا، ولكن هذه هي الحياة.

لا يمكن للحياة أن تكون أكبر من إرادتنا. أنت فدائي وتعرف ذلك. يمكن لنا أن نغير فيها الكثير، بل يجب أن نغير فيها الكثير.

كيف؟ نطلع برات البلاد! نهرب منها!

46

لا تشخصن الأمور. أنا لا أتحدث عن شيء شخصي، بل شيء جماعي.

تحديداً كل ما قلت سابقاً حول رفض عمل بوستر لوالدك هو شيء شخصي. أنت لم تسق مبرراً جماعياً واحداً، بل تحدثت عن دوافع رفضك لأنك كذا ولأنك كذا. في الحقيقة الدافع الجماعي يقول إنه يجب عمل بوستر لخالي مثله مثل بقية الشهداء، وأن هذا الأمر ليس شخصياً، وبالتالي لا يعود لك الحق في التقرير فيه بل لنا نحن، نحن من نقرر. ونحن قررنا أنه يجب أن نعمل له بوستراً، وسنعمل له بوستراً بالطول وبالعرض، ونوزعه على بيوت المخيم وشوارعه ومحاله. هذا هو الأمر الجماعي. أما الأمور الشخصية فاحتفظ بها لنفسك.

أنت تصادر موقفي.

هذا كلام جميل... موقفك والديمقراطية، ولكن يا عزيزي لا علاقة لكل ما نقول بالحوار والتشاور والتدارس المشترك وكل العبارات الكبيرة. هذا شأن وطني بحت. وبالمناسبة لست من يقرر وحدي، بل إن هناك حكمة موروثة ولا يمكن لي أن أسمح لك بأن تكسر سنن العمل الوطني.

أي عمل وطني هذا الذي سيحول والدي إلى مجرد بوستر على الجدارن؟!.

هكذا نفعل لنخلد شهداءنا وأبطالنا. نحن لا نصّغرهم إلى مجرد صورة على جدار كما تزعم، بل إننا نقول لهم إننا لا يمكن لنا أن

نعيش بدونهم، لذا كما نعلقهم في قلوبنا نعلقهم على جدران بيوتنا. إنهم أبطال. تذكر أشهر البرد القارصة في سجن النقب ... عذاباتنا في التحقيق.. هذه هي البطولة.

ولكن والدي لم يكن بطلاً، كان ضحية العدو.

كل الشعب ضحية العدو، أنا وأنت وهي وهو وهم. كلنا ضحايا.

ولكني أقصد ضحية بالمعنى الحرفي.

لا يوجد معنى حرفي ومعنى فلسفي. وأنا لا يهمني هذا الفرق حتى لو وجد. الشهداء ليسو ضحايا، بل هم أبطال قدموا حياتهم ثمناً للحرية وثمناً لحياتنا نحن، ونحن يجب أن نكافأهم.

ما قصدته أنه لم يكن يقوم بعمل بطولي حين جاءته الرصاصة من القناص ومات. كان إنساناً عادياً يمارس حياته أيضاً بشكل عادي يقوم بما كان يقوم به كل يوم. أقصد أننا يجب أن نركز على الجانب الضعيف فينا. إننا ضحايا بطش آلة قتل جبارة.

تمام، اتفق معك ولكن لا علاقة لكل ذلك بعمل بوستر للشهيد البطل. قل ما تشاء. خالي كان مناضلاً صلباً. بالنسبة لنا فإننا في التنظيم نعتبره من خيرة من قدّم للوطن. فهو كان يطبع لنا صور الشهداء والمنشورات والبيانات والمواد الثورية. كان جزءاً منا. أنت لم تلحظ ذلك، هذا ذنبك. لم تعرف المخاطرة الكبرى حين قام بطباعة البيان الأول في الانتفاضة خلال حظر التجوال، حينها مر الجنود فجأة وسمعوا صوت الماكنة تطبع البيانات. لو تم كشف الأمر لأمضى عمره كله في السجن. لم يكن يهمه.

لكنه كان يبكي كلما مات أحد الشباب، يبكي طوال الليل.

ومن منا لم يبك حين استشهد أحد رفاقه أو معارفه. ولكن ماذا سنفعل؟ (صمت) أنا أقول لك ماذا سنفعل. نرفع رؤوسنا عالياً ونمضي في الطريق، لأن أرواح من سبقونا تعطينا القوة اللازمة لمواجهة الحياة.

حياة شو يا نصر ، بل نحن نموت ونقتل.

أنا ولدت والحياة كذلك في المخيم حولي، وأنت ولدت وهي كذلك. لم نختر من هذا شيئاً، ألم يولد خالي، والحرب تمزق يافا، وهاجرت جدتي وهي لم تتخلص من بقايا الولادة في رحمها. ولكن الحياة استمرت. وطالما لم نختر البداية، ليس لنا الحق في التوقف.

أنت تبسط الأمور.

بل أنت تفسلفها. لا تجعل الجبن والضعف يتسللان إليك..

لست جباناً. (طفح الغضب على وجهه) لقد بصقت في وجه المحقق «أبو حاتم» في السجن ولم أعترف. أنت تعرف هذا! لا تقل لي شيئاً عن الجبن والضعف.

أعرف جيداً. هذه الروح ذاتها يجب أن تكون دافعك في الحياة. هذا بالضبط ما أقصده.

لو أنك تفهم عليّ!

لست بحاجة لكثير من الفهم، فقط أعطني الصور لكي أختار صورة تصلح للطباعة على شكل بوستر ونوزعه على الناس في المخيم.

لا أستطيع.

بل تستطيع. الأمر بسيط لا تجعله معقداً.

أنا لا أعقده. يعز علي أن يتحول أبي إلى مجرد صورة على جدار. لم يكن يسعده ذلك إطلاقاً. كان يحزن حين يرى الشباب صوراً على الجدران. أنا أعرف.

وأنا أعرف أيضاً أنه لن يسعد لو لم نقم بذلك. نحن اعتدنا أن نقوم بذلك، وهو جزء منا. كان هو من يقوم بطباعة بوسترات الشهداء، هل من المعقول أن لا يُعمل له بوستر. لا أفهم كيف الرجل الذي كان يصنع البوسترات لا يُصنع له بوستر. لماذا؟ لأن حضرتك لا تحب الفكرة.

ليس حباً ولا كراهية بالفكرة ولكن..

الجواب الصحيح، الذي يجب كلنا أن نصطف خلفه، أننا يجب أن نمجد شهداءنا ونعلي من شأنهم..

وكيف نعلي من شأنهم!! ببوستر!!

هذا أقل واجب، أو على الأقل هذا الواجب الشكلي والجماهيري. ماذا سيقول الناس لو لم نطبع لخالي بوستراً؟ كيف سينظرون إلينا؟

إليكم أنتم التنظيم!

(أشعل سيجارة. بانَ عليه التوتر وهو يقدح عود الثقاب: يده المرتجفة والسيجارة تهتز بين شفتيه، وشعوره المفاجئ بالبرد، ودقة قدمه اليمنى على الأرض، وعيناه تزومان في سقف البيت)

صحيح، وأيضاً كيف سينظرون إلينا نحن العائلة، أم هل نسيت أنه خالي، وأنني أقرب الناس له في غزة بعدك أنت وسمر.

لم أنسَ ولكن يبدو أنك أنت نسيت، وتتعامل معه كأنه مجرد شهيد عادي، وأنك تنفذ مهمتك التنظيمية.

لم أعد أطيق فلسفة الأمور. الوقت يمضي ونحن بحاجة للخروج من هذه الدوامة. الناس تنتظرك في خيمة العزاء لتقبل التعازي. ولا تكرر عبارة ضحية أمام أحد. خالي شهيد كبير وبطل عظيم وتضحياته مدرسة نتعلم منها، وتتعلم منها الأجيال القادمة.

مش قادر.

قال سليم ذلك بصراخ. سحبه نصر داخل الغرفة، وأغلق الباب بعنف. داخل الغرفة ذاتها، التي كان ينام فيها نعيم، وعلى السرير ذاته، دار نقاش حامي الوطيس بين سليم ونصر، ووصل إلى حد الصراخ. أغلقا الباب وبدا التوتر أسبق من الهدوء المصطنع الذي غلفا به جلستهما في البداية. كانت نظرات نصر حادة، فيما سليم يجول بعينيه في نواحي الغرفة، يتأمل الخزانة الضخمة البنية التي كان والداه يضعان فيها ملابسهما، والتسريحة الصغيرة ذات المرآة الطويلة التي كانت تقف خلفها أمه تسرح شعرها وتضع زينتها. أخرج نصر سيجارة وأخذ يشعلها، عرض على سليم واحدة فأخذها بدوره. كانا مثل لاعبي ورق، يخسر كل واحد منهما إذا أتى بالحركة الخاطئة. صعدت سحب الدخان في الغرفة، كان على أحدهما أن يعاود الحديث المبتور الذي بدأ بينهما في حوش البيت، وفضلاً أن يكملاه داخل الغرفة.

عاد سليم إلى غزة في مساء اليوم الثاني لاستشهاد والده. كانت العائلة قد انتهت من دفن الجثمان، وأقامت صوان عزاء ضخم في شارع الحارة، أمّته الألوف من سكان المخيم والضواحي المجاورة. بدا الأمر مربكاً. في ذلك الصباح الذي كانت العائلة تنوح وتندب الفقيد العزيز بعد وصول خبر وفاته من المستشفى، حيث التمت نسوة الحارة في البيت، يحطن بسمر التي عادت على عجل هي الأخرى من الجامعة، كان سليم قد انتهى من شرب القهوة في كافتيريا الجامعة وتناول فطيرة بالقشطة، وسار باتجاه مكتبه. في المكتب فتح جهاز اللابتوب، وبدأ كعادته بقراءة بعض الصحف العربية وتقليب مواقع النت الإخبارية. كانت متابعة الأخبار قد تحولت إلى عادة لم يقوَ على مقاومتها وصار تناولها أمراً ضرورياً كل صباح مثل القهوة. سليم ورث هذه العادة من سياق حياته في المخيم، كما ورثها من والده وجيرانه.

أسباب كثيرة تتضافر لتفسر هذا الشغف. منها ما له علاقة بارتباط ما يجري بالحياة الشخصية، ومنها ما له علاقة بالسياق العام. كان دائماً يخشى تلك اللحظة التي تأتي له فيها الأخبار بالمزيد من الأحزان، يضع يده على قلبه وهو يقرأ أنباء القصف والاجتياحات، خاصة حين يتابع أسماء من داستهم ماكينة القتل. الخوف يقضم استقرار الروح ويزلزل هدوء الصباحات الرائقة، حيث كان يعد للسفر إلى باريس مساءً للمشاركة في مؤتمر علمي حول الديمقراطية العربية. لكن حدث ما كان يتجنب التفكير فيه. كانت صفحة وكالة «وفا» الإخبارية على النت تتحدث عن مقتل رجل ستيني في مخيم قرب مدينة غزة أمام مطبعته شرق المخيم. بدا الخبر مبتوراً، غير

كامل المعلومات حيث لا يتوفر اسم الشهيد ولا معلومات حول المواجهات أو الاجتياح الذي تم قبل أن يقتل. بدأت عينا سليم تزومان وتبحلقان في الصفحة. قرأ الخبر للمرة العاشرة وفي كل مرة كان يبحث عن ما يكذب الفاجعة التي بدأت تتسلل إليه. كان يدقق في الكلمات لعل الخبر قال «أمام مطبعة» وليس «أمام مطبعته»، أو لعله قال «في الستين» وليس «في الستينيات»، أي شيء يجعل الشك مخففاً للألم. لم ينتظر هاتفه المحمول طويلاً، حيث تلقى الرسالة النصية القادمة من رقم لا يعرفه، الخبر قطع كل شك. كانت الرسالة تقول «عظم الله أجركم في والدكم». ليس أكثر من ذلك. أربع كلمات كانت تختصر حياة الرجل، وتضع حداً لها. ما أجمل الشك لو ظل قائماً على الأقل غذى به نفسه بالأمل. لو ظل وقتاً يفكر في أن ما حدث قد يكون مجرد سوء تغطية من صحفي سيء، أو أن خطأ ما وقع في نقل المعلومات الواردة في الخبر. كان يمكن لهذا الشك أن يكون مخرجاً. لكن الرسالة النصية لم تترك مجالاً لخلق التبريرات ولتعزية النفس، أو حتى التهرب من التصديق. في مرات كثيرة نود أن نكذّب ما يدور حولنا، أو نتخيل عدم وقوعه، أو نرسم عالماً جديداً يخلو من معالم اللحظة الراهنة. كانت تلك عادة تعلمها سليم من والدته آمنة وورثها عنها. أفضل طريقة بالنسبة لآمنة كي تتفادى آلام اللحظة هو التفكير في لحظة بديلة أو استحضار لحظة أخرى. كانت آمنة تتخيل لو أنها عاشت حياتها في يافا، (وهي بذلك تنفي الأحداث التاريخية الكبرى التي حدثت في الشرق الأوسط، والحروب الخمسة التي دكت دولاً وممالك)، لكانت الآن تعيش في بيت كبير على شاطيء البحر. ولو أن سالم لم يُسجَن لكان الآن قد تزوج ورُزق

بالأولاد، ولتمتعت باللعب مع أحفادها الصغار. وكانت آمنة جادة في تخيلها واستحضاراتها، وتأخذها على محمل الجد.

كان شكه في محله، فالرسالة جاءته من جوال نصر ابن عمته. عاود الاتصال بالرقم الذي أرسل الرسالة النصية فرد نصر. كان نصر رابط الجأش متماسك، وهو يسرد عليه القصة التي صارت متداولة في الشارع. فنعيم كان يقف أمام باب محله يفتحه، حين باغتته رصاصة من قناص إسرائيلي على تلة قرب الحدود الشرقية من مسافة بعيدة لكنها قاتلة. لم يكن من الممكن إنقاذ حياته، حيث إنه بقي لربع ساعة بعد إصابته وحيداً ينزف من الداخل. لو اكتشف الأمر مبكراً لكان من الممكن إنقاذه. تنهنه سليم وبدت واضحة دموعه وهي تتساقط على سماعة الهاتف ما دفع نصر إلى التشجيع والمواساة، متنازلاً عن الجَلَد الذي كان يغلف به حديثه السابق، فبدا صوته متهدجاً أيضاً وهو يتحدث عن «الخال» والبطل الذي ساعد الشباب طوال الفترات الماضية وكان عنصراً هاماً في نشاطاتهم. جلس سليم على الكرسي منهاراً ونصر يصرخ فيه «أين أنت؟ لماذا لا تجيب؟». نفض رأسه وهو يرد «معك». سأل عن سمر، وكيف تتعامل مع الموقف. لم يكن نصر قد عاد من المستشفى بعد، فقد كان عليه توقيع بعض الأوراق حيث أنه إقرب الناس الموجودين للفقيد. كانت صورة سمر تبكي وتخبط رأسها بين يديها والنسوة يحطنها تقفز أمام عينيه فتزيد من ألمه. الوحيدة التي عليها أن تواجه الفاجعة وتتلقى التعازي وتتصرف وحدها. موقف لا تُحسد عليه. ما زلت في أول شبابها لم ترَ من الحياة شيئاً. رحلت أمها وهي طفلة لم تخرج للحياة خارج البيت وها هو والدها يرحل وهي بالكاد بلغت

54

الثامنة عشرة. لم يكن هذا في الحسبان ولا جاء حتى في أشد كوابيس العائلة. كانت قواه قد خارت، وجلس على الكرسي ورمى برأسه على طاولة المكتب، فيما الجوال بجوار يده الممدة للأمام تستجير الصبر والسلوان والتحمل. لم يكن من السهل على الصبية التي بدأت حياتها للتو أن تجد نفسها بلا عائلة لا أب ولا أم ولا أخ ولا أخت. قسوة غير محتملة. أمسك جواله ثم أعاده إلى الطاولة. يود لو تحدث معها، لو سمع صوتها. ماذا سيقول لها، وأي الكلمات تستطيع تخفيف الألم. من يخفف ألم من؟ وكيف سيسمع كلماتها من بين الدموع المنهمرة من عينيها، ومن بين التنهدات والزفرات الخارجة من حلقها. وكيف سيقوى على قول العبارات المواسية!! لم يقدر على فعل ذلك. أكثر من عشر مرات يحمل الجوال ويعيده . مرة واحدة أفلح في التماسك والضغط على الرقم، لكنه سرعان ما قام بإنهاء الاتصال قبل أن يرن في الطرف الآخر. قال لنفسه إن الحل الوحيد هو إقفال الجوال نهائياً. فعل ذلك، وظل ممسكاً بالجهاز بيده يتأمل العتمة التي غطت شاشته. ماذا لو اتصل أحدهم فجأة من غزة! لو اتصلت سمر مثلاً. هو يريد أن يتخلص من هذا القلق، أن يرتاح من التفكير المضني والعبثي في الاحتمالات المختلفة. أن يخلو لنفسه ويفكر قليلاً، أن يتدبر أموره ويقلّبها. فهو في صباح جميل كهذا وجد نفسه أمام فاجعة كبيرة، وعليه أن يمتص الألم مثل اسفنجة ناشفة، لكنه ممتلئ ومشبع بالوجع. كما أن ثمة أشياء كثيرة أمامه ستتغير وتتبدل بعد الحادث، فحياته التي سارت وفق خط مستقيم رسمه لها بعد أن التحق بجامعة بيرزيت، سيكون عليه لزاماً أن يعيد التفكير بها وبكل الخطط التي وضعها لحياته القادمة. وضع

جواله في درج المكتب بعد أن أغلقه وغطس في متاهات التفكير. كان شعاع الشمس الخافت يتسلل من بين أوراق شجرتي الكستناء أمام نافذة المكتب، يداعب عينيه الغافية وشعره الدهني الأسود. لو التقط مصور صورة له سيبدو مجهداً متعباً خائر القوى. غفا. لم يقدر على مقاومة سطوة النعاس والتعب والإرهاق الذي حل به فجأة. شعر بأنه لا يستطيع فتح عينيه، لا يستطيع التفكير بأكثر مما فعل، إنه فقد مقدرته على التواصل مع أفكاره، لم يعد يستطيع العثور على الكلمات المناسبة للتعبير عن تلك الأفكار المشوشة. وقع في النوم دون أن يقصد. الصورة، التي ستكون «كريستيانا» قد التقطتها حين دخلت عليه غرفة المكتب، كانت تقول أكثر من ذلك. جاءت «كريستيانا» بخطا مسرعة تريد أن تطلعه على بعض أوراق المؤتمر الذي سيسافران إليه سوية لباريس يوم غد. كان الباب موارباً، دقته أربع مرات، فلم تتلق جواباً. فتحت الباب فوجدت سليم غافياً يهيم في ملكوت النوم. نقرت بيدها على سطح المكتب الذي اتخذ منه سليم مخدة، فلم يفق. أخرجت جوالها من جيب سترتها والتقطت له صورة، وخرجت تاركة إياه يستمتع بنومه الجميل. إلا أن الصورة كانت بعد خمس دقائق على صحفة «كريستيانا» على «الفيس بوك»، وتعليق صغير أسفلها يقول «الطفل النائم». وقبل أن يفيق سليم من غفوته كانت عشرات التعليقات قد كتبت رداً على الصورة.

حين أفاق، كأنه نسي كل ما حدث. فرك عينيه متخلصاً من بقايا النعاس فيهما، ثم فرك شعره بيديه نافضاً التعب عن رأسه، عندها عادت إليه كل الأسئلة التي كانت تعتمل في دماغه قبل أن يسقط في بحيرة النوم. هرب لساعة ونيف واستطاع أن يقفز خارج

الدائرة، ونجح في النوم عميقاً وبالتالي نسيان ما حدث. لم يكن هروباً كما بدأ يفكر بل إنه استراحة ليصبح قادراً على مواجهة الأزمة، غفوة يستطيع بعدها أن يقف بكامل قواه في وجه الأمواج العاتية التي ستهب على حياته، كي لا تقتلعه. كان يحس بهول الكارثة وثقل المصاب الجلل، وكان يعرف أن ثمة استحقاقات لا بد أن يقف أمامها. الحزن على رحيل والده، الرجل البسيط الذي أفنى حياته في سعادة أطفاله، ولم يتمكن رغم ذلك من جعل حياتهم أجمل. نعيم الذي فقد سعادته لحظة ميلاده والنيران تضرب يافا، ووالدته الصبية وقتها لم تتمكن من الفرحة على طفلها البكر. حين يفكر في نعيم، وفي هذا الموت المجاني الذي خطفه من نور الحياة، يشعر بعجز تام عن التفكير. نزلت الدمعات من عينيه وهو يتخيل الجسد المسجى محمولاً على الاكتاف في الرحلة الأخيرة على سطح الأرض، قبل أن يوارى الثرى في رقاده الأبدي حيث سيظل وحيداً. حياة والده المليئة بالوحدة وباللحظات الأليمة، التي كان عليه فيها عبور الأمواج وحيداً بقواه البسيطة وبإمكاناته الأكثر بساطة.

حين حصل على المنحة الدراسية للالتحاق بجامعة «يورك» بانجلترا، اندفع داخل المطبعة لاهثاً يبشر والده. كان الأب ينظف ماكينة السحب بفرشاة كبيرة وممسحة، بجواره كومة من المطبوعات الصغيرة هي دعايات لشامبو جديد. جلس نعيم على الكرسي القش أمام باب المطبعة، حيث الشمس تسبح باتجاه الغرب فيفد ضوؤها رشيقاً خفيف الظل، جلس بجواره ابنه. ابتسم الأب معبراً عن سعادته بسعادة ابنه. قال الولد هذا حلم الحياة، «تخيل راح أدرس في بريطانيا!!» كان نعيم يعرف أهمية ذلك، وكان يقدر على تخيل كل

هذا. تناول الورقة من يد ابنه وأخذ يقرأ فيها مستعيناً بإنجليزيته التي اكتسبها خلال دراسته حتى الثانوية العامة. كان كل شيء جاهزاً. شعر الولد أن الأب لم يكن متحمساً للمشاعر الصادرة عنه بخصوص السفر، وأن ثمة انقطاع في التواصل بينهما. ارتشف نعيم الشاي، ثم عاد يسأل عن الوقت الذي سيمضيه ابنه هناك. «سنة فقط». أحس بأنه لا يصدقه أو أنه لا يثق بقصة السنة برمتها. كان يعرف. أخذ الولد يصف للأب الرحلة الجميلة التي سيقوم بها والمدينة الرائعة التي سيعيش فيها، «منها أخذوا اسم نيويورك فهي -نيو- يورك، أي يورك الجديدة». وأسهب في وصف المدينة من خلال المعلومات التي نجح في الحصول عليها من مواقع النت المختلفة. كان على الوالد أن يتكلم، عليه أن يعبر عن القلق الذي بدا واضحاً في صمته الطويل أمام عبارات ابنه الفرحة. كان يخشى أن يحب ابنه الحياة هناك ولا يعود. كل الذين فقدهم في قطار الحياة لم يكونوا يخططون لفعل ذلك، كلهم ظنوا أن الأمر مجرد عدة أيام ويعودون، لكن الأيام أصبحت شهوراً والشهور سنين، ومضى العمر. شعر أن الولد سيفعل ذلك، سيلهث وراء طموحه ومستقبله. «المستقبل يكون حيث تقرر». هز الولد رأسه، لكنه قال إن الفكرة ليست في المستقبل بل في المستقبل الأفضل. لم يرد نعيم أن يجادل الولد لكنه أصر على أن تكون هذه مجرد دراسة وليست حياة، فهو لا يريد أن يخسر كل شيء فالابن البكر في السجن والبنت الكبرى في السعودية. اقترب الولد من أبيه وقبَّل رأسه. أمسك نعيم بيده وهو يقول إنه خرج من الدنيا بهم - يقصد أولاده. فهو لا يملك شيئاً غيرهم، كما أنه لا يملك أباً ولا أماً ولا إخوة ولا أخوات، فهم

إخوته وأخواته وهم أبناء عمه وهم أصدقاؤه الحقيقيون. هز رأسه ببطء وهو يسأل «فاهمني؟». فهم الولد، فعاد للجلوس قبالته على الكرسي قائلاً «أنت بتضخم الأمور كلها سنة وبرجع». «الكل بقول مثلك» رد الأب. بيد أن نعيم لم يكن يضخم الأمور ، فحكمة الحياة علمته أن لا شيء مؤكد، حدث بسيط قد يقلب العالم رأساً على عقب. والحقيقة أن وقائع المستقبل برهنت على صوابية هذا التشاؤم -كما يصمه الابن- الذي واجه به نعيم رغبة ابنه في السفر. حين عانقه فيما سائق سيارة الأجرة ينادي عليه، قال له «تذكر لسنا وحيدين في الحياة». لم يفهم الولد، هرول نحو السيارة وانطلق نحو معبر رفح ومن هناك إلى مطار القاهرة. ولم يعد بعد سنة بل إنه أمضى سنة أخرى في البحث عن فرص أخرى في الحياة هناك. ولحسن حظ نعيم، ربما، لم يجد الولد الفرصة التي كان يبحث عنها. عمل سليم خلال العام الذي تلا حصوله على الماجستير في مطعم هندي كبير في لندن، ثم في بقالة لرجل فلسطيني في «إدجور روود»، منتظراً المنحة التي وعده بها أستاذه في الجامعة ليكمل دراسة الدكتوراه، إلا أن لجنة المنحة قررت عدم اختياره رغم ضغط أستاذه. ربت زميله الجزائري على كتفه وقال «مافش إزهر يا سليم». وعاد إلى غزة.

لم تمض على عودته سنتان عمل خلالهما في إحدى المؤسسات العاملة في حقوق الطفل، حتى ترك غزة مرة أخرى. كان طوال السنتين مزاجه على سفر، يفكر فيه ليل نهار، يفكر في حلمه الذي لم يكتمل. كثيراً ما كان الوالد يرى هذا الطموح يقفز في عبارات الولد وكلماته، وكثيراً ما كان الولد يحدث والده عن هذا الطموح الذي

هو تحقيق للحلم الجماعي، فهو حين يصبح دكتوراً وأستاذاً جامعياً فإن هذا لخير العائلة كلها، فهو سيعني تحسين وضع العائلة الاقتصادي والاجتماعي. كان يضع نجاحه ضمن سلم النجاح الجماعي للعائلة. فنجاحه كان، كما يقول، حلم آمنة فهي كانت ترغب أن تراه شيئاً كبيراً، وكان هذا الشيء الكبير الذي تتمناه له، مصدر سعادتها لو عاشت وشهدته. حتى إنه كان أحد أحلام عائشة الجدة، الأحلام التي دفنتها الحرب يوم خرجت من يافا، لكنها رغم ذلك ستجد في نجاحه سلواناً يخفف عنها أوجاع الخسارة الكبرى. أيضاً فإن سالم يشعر بالسعادة أن أخاه يحقق شيئاً كبيراً. كانت فكرة الولد تقول إن هذا الطموح هو طموح الجميع. كان الوالد يقلب الأخشاب في موقد الكانون، وهو يرى البريق الساطع في عيني الولد المتلهف لسماع وجهة نظر أبيه. كان يدرك أن ثمة حقيقة فيما يقول، لكنها ليست الحقيقية، أو أنها جزء من الحقيقة المرغوبة بالنسبة للولد فقط. ما فائدة النجاح الذي سيبعد العائلة عن بعضها، وسيحدث المزيد من الفراق والفقد! ما قيمة الأشياء الجميلة إذا كانت تعيدنا إلى الوراء أو تشعرنا بالحزن. نعيم كان يعرف أن المزيد من طموحات الولد ستعني المزيد من عذابات الفراق والاشتياق، وأن العائلة التي لم تعد تجلس حول طاولة واحدة سيتعذر عليها أن ترى بعضها بعضاً إلا بعد سنوات. حتى هذه السنوات قد لا تأتي. فعائشة خرجت من يافا وهي تحمل مفتاح البيت وتقول لنفسها «يومين وبنرجع»، ودُفنت عائشة في غزة وظل مفتاح البيت في أغراضها ملفوفاً بقطعة قماش بيضاء. الولد يريد فقط أن يخرج، أن يرى العالم، أن يكتشف حياته خارج نسقها المعتاد، يريد أن يصبح أستاذاً جامعياً، ويريد أن يحقق المزيد من التواصل مع العالم، أما نعيم فيعرف أن هذا يعني في

المحصلة نتيجة واحدة أنه لن يعود معه، لن يراه كل صباح، لن يجلس معه حول الطبلية الصغيرة يتناولان الطعام، كما لن يذهب معه كل خميس مساء إلى المقبرة لقراءة الفاتحة لآمنة ولعائشة، ويوزعان الحلوي والبسكويت على الأطفال. هو يعرف أن الترجمة الوحيدة لكل ذلك أن الولد لن يكون معه، وأنه سيذرف المزيد من الدموع وهو يتذكره، وأن لحظة مرغوبة أخرى ستضاف لقائمة المستقبل المشتهى، وهي لحظة يحضنه حين يعود من السفر... لحظة مؤجلة أخرى. لم يكن بحاجة لمزيد من الألم، ولم يكن بحاجة للمزيد من الدموع، ولا للمزيد من الأماني التي لم يتحقق منها أي شيء حتى الآن. أطرق في النار وهي تشتعل وتطقطق، أحس بقلبه يسقط داخلها وهو يشعر لسعة الألم القادم أمام إصرار الولد على استكمال مشوار الحياة. جلى صوته الذي لم يرد الخروج في البداية، وحدث الولد عن العائلة التي تمزقت وتشتت في كل بلاد الأرض وعن اللحظات التي يتمنى أن يجود الزمن بها عليه، وتحدث له عن الألم الذي يحسه كلما فكر في ذلك. «أحلامك هي أحلامي» لذا لم يكن الولد وحيداً في تقرير مصير هذه الأحلام. هو يريده أن يكون أفضل إنسان على وجه الأرض. الرجل فقط يقبل أن يكون ابنه أفضل منه وهو يتمنى له أفضل ما يتمنى لنفسه، لكن هذا الشيء الأفضل لا يمكن أن يكون على حساب سعادة الجميع. السعادة المفقودة أصلاً والمدفونة في جوف الزمن. «عشان هيك بدي تبقى معي». وأمسك الملقط الحديدي وقلب النار بقوة، فوقعت بعض الأخشاب المشتعلة على الأرض وكادت تحرقهما. أشار للنار الواقعة على الأرض، وهو يقول «شايف كيف النار ما بترحم .. الحياة هيك». الولد غرق في تأمل النار، يفكر في كلام والده الذي يرى كل شيء من منظور الحياة

القاسية التي عاشها والألم الذي خبره. لا يستطيع التفكير في شيء خارج نطاق دائرة الألم تلك.

الحلم الجماعي!! بالنسبة للوالد فإن هذا يعني أن تلتئم العائلة على طبلية واحدة، أن يعود «الغيّاب» (يقصد إخواته) ويخرج ابنه السجين وتستقر سهى في غزة. هذا على أقل تقدير، فثمة تفاصيل أخرى أكبر من ذلك. أما ما يطلبه الولد فهذا حلم فردي، هروب مع صرخة «نفسي نفسي». أعاد الجمرات المتساقطة داخل الكانون، وهو يرى هذا القلق في عيني الولد. كان يعرف حقاً أن هذا الحلم الشخصي حلم حياة بالنسبة للولد. قام واتجه صوب الخزانة وسحب درجاً أخرج منه ألبوم صور قديم وجلس على الأرض بجوار الولد وأخذ يقلب الصور وهو يحدثه عن الماضي الذي تنبئ به تلك الصور. الصور رغم ذلك أكبر شاهد بأن الأشياء لا تبقى على حالتها، فهي تجميد أبدي للحظة من الماضي لن تتكرر. كان الوالد يدرك أن ثمة لحظة ستأتي وسيخرج الولد من غزة، وأن هذه اللحظة ليست بعيدة. فالمرء طالما وضع شيئاً في رأسه من الصعب أن يتنازل عنه إلا مرغماً، وهو لا يريد أن يرغم ابنه على ما لا يرغب. يعرف هذا ويزيده ألماً معرفته أنه سيتحقق. مثل النبوءة التي نعرف أنها ستقع، ونظل نتألم كل يوم ونحن نعرف أنها ستحدث. معاندة الأحداث والوقوف في وجه المصير لا ينتج إلا الألم. كان يعرف أن الولد يواصل البحث عن أحلامه، وأن قطار الأحلام هذا لا يأبه سائقه لو داس وحدة العائلة و«لمة» شملها. لذا ليس عليه إلا أن يحضّر نفسه لتلك اللحظة، التي يصبح عليه أن يلوح لسائق القطار مودعاً مبتسماً يعطيه كل الأمل في رحلة آمنة وسالمة في أدغال الحياة.

هناك فرق بين أن نفعل الصحيح أو نتصرف بحكمة. فليس بالضرورة أن تعمل الصح دائماً، لأن ثمة مواقف تقتضي أن تتصرف بحكمة، وهو بحاجة في مثل هذا الموقف أن يتصرف بحكمة كي لا يتألم أكثر. فالولد سيسافر سيسافر وإن منعه من ذلك سينغص عليه حياته، وهو لا يرغب في رؤية ابنه فاشلاً.

حصل سليم على منحة للدراسة في مدينة فلورنسا في إيطاليا. ذات المشهد ونفس التفاصيل التي حدثت قبل ذلك بأعوام، دخل الولد إلى المطبعة في آخر النهار، والوالد ينهي يومه بتنظيف عدة الشغل. كانت الورقة ترفرف مثل جناحي عصفور في يده. رفع الوالد عينيه وابتسامة خافتة على شفتيه: «شو طلعتلك المنحة». «احزر وين؟». لم يحزر لأن إجابة الولد تلت السؤال مباشرة، حين قال في إيطاليا. اقترب الولد نحوه وضمه بحرارة إلى صدره «ابنك راح يصير دكتور». ابتسم هذه المرة بحرارة، وربت على ظهر الولد وهو يقول «إيطاليا حلوة»، «أنت أحلى أب في الدنيا». هذه المرة سيغيب الولد أربع سنين، لكنه سيأتي لزيارته كل صيف. لم تعد فائدة من الجدل والنقاش، لذا قرر أن يبارك له سفره القادم. شعر الولد بأن ثمة غصة في حلق والده، لكن في نهاية المطاف لا يوجد شيء بلا ثمن. أيضاً هو لم يرغب في النقاش. الاتفاق الضمني بين الاثنين على عدم فتح الموضوع، أنقذ الموقف طوال الشهرين المتبقيين بين تلك اللحظة في المطبعة وبين سفر الولد. فقط ليلة السفر، وفيها الولد منهمك بتجهيز حقيبته ولملمة أوراقه، وشوارع فلورنسا الضيقة القديمة تمشي أمام عينيه، قام نعيم بتشغيل جهاز المسجل. وكان المغني الشعبي يقول:

يا ظريف الطول وقف تقلك رايح ع الغربة وبلادك أحسنلك

خايف يا ظريف تروح وتتملك تعاشر الغير وتنساني أنا.

خرج نعيم يتمشي أمام باب البيت في الزقاق، كانت نسمات الليل باردة وكان التفكير يرهق الرأس ويوجع القلب. جاب التلة من أولها لآخرها، كانت مصابيح الكهرباء قد بدأت النوم في بيوت الجيران. هبط للشارع العام في الحارة، قطعه أيضاً من أوله إلى آخره، كان الشارع فارغاً إلا من الشبان الذين يرتادون محلات النت والألعاب التي بدأت تظهر في الشارع، وكان صراخهم وصيحاتهم تخرج من أبواب المحلات إلى المارين. عاد مرة أخرى إلى الزقاق. وقف ملياً، غير أن الأفكار لم تتوقف في رأسه. كان صوت المغني الشعبي قد خمد في جهاز التسجيل، وأغنية بالإيطالية يودع فيها عاشق حبيبته تخرج من نافذة الغرفة إلى الزقاق.

تشاو بيلا، بيلا تشاو

لم يكن سليم يعرف الإيطالية بعد، لكنه كان قد دخل في الجو، بدأ يحضر نفسه مبكراً للحياة هناك. عن النت استطاع تحميل عشرات الأغاني الإيطالية الشهيرة القديمة والحديثة، وأخذ يتعود على سماعها. هز الوالد رأسه فالولد من الآن يعيش هناك، بل هو منذ سنوات لا يعيش أصلاً في غزة. الصبي الذي يعمل في البقالة على طرف الزقاق لا يفوت فرصة يرى فيها نعيم، إلا ويحكي له عن أنه قرف الحياة في غزة، وأنه يتمنى لو يعيش خارجها. كان فؤاد طويل القامة عريض المنكبين شعره غزير وناعم ووجهه ممتلئ ، يقف خلف الطاولة الصغيرة في البقالة التي ورثها من والده ويبدأ

في سرد حكايات العمر التي يتخيلها. «أنا أصلاً مش لازم أنولد هون!!». تخيل لو أنه وُلد خارج غزة لكان الآن ممثلاً كبيراً، فهو يصلح للكاميرا. قالت له صحفية أمريكية ذات مرة، وهي تعد تقريراً عن الوضع الإقتصادي في غزة، إنه فوتوجينيك، فالكاميرا تحبه. حتى تعليمه لم يستطع تكملته، فوالده توفي وهو في الثانوية العامة، فترك المدرسة وحمل عبء تربية العائلة. لم يعش فؤاد يوماً حقاً في غزة، كان دائم الترحال في مخيلته في بلاد «برا»، يستوطن كل يوم في بلد ويعيش فيه، ويؤلف لنفسه قصصاً حدثت معه هناك. وفي اليوم التالي يرحل عنه ويعيش في بلد آخر. كان فقط جسده الذي يقف خلف الطاولة ذات القوائم الطويلة تضاهي طول ساقيه، فيما أحلامه وعقله وأفكاره ليست في المكان. فؤاد حين يسرد على نعيم قصة حدثت معه في ترحاله المتخيل في بلد ما، يجعله يصدق أنها حدثت. وكان نعيم يستمتع بهذه القصص التي يعتقد أنها روايات من تأليف الشاب الحالم، بل إنه قال له يوماً إنه سيكون أشطر من غسان كنفاني لو كتب رواية. وكان يبرع في ربط ترحاله اليومي في البلدان المختلفة، بحيث لا ينسى ما رواه يوم أمس ويوم أول أمس حين كان في البلد الفلاني أو المدينة الفلانية. كان حالماً بارعاً وراوياً أبرع لتلك الأحلام. لم يكن يسمع الأغاني كما لم يكن يقلب صفحات النت عن صور ومناظر طبيعية لتلك البلدان، كان يرسمها في دماغه كما يشاء.

انتهت الأغنية الإيطالية وصمت المسجل. دخل نعيم إلى البيت. كان الولد قد انتهى من ترتيب أشيائه، وقال إنه سيخرج ليودع عمته وابنها نصر ويعود.

أخرج نعيم كرسياً من الخشب والقش وضعه أمام البيت وجلس، ثم قام صوب غرفته وأخرج النرجيلة من الخزانة. نعيم لا يخرج النرجيلة ويدخن عليها إلا في حالات نادرة ونادرة جداً منذ أقلع عن التدخين قبل عشرين سنة، لذا فهو حين يخرج النرجيلة فإنه حقاً في وضع صعب أو بحاجة لتفكير عميق أو أنه حزين جداً ويواسي نفسه بسحب الدخان الصاعد من فوهتها. وكل هذه الحالات تتوفر فيه الآن. تناول النرجيلة وذهب إلى المطبخ. فككها وأخذ ينظفها بعناية فائقة. كان خرير الماء فوق زجاج النرجيلة يسابق الأفكار التي تركض في دماغه وهو سارح، لم ينتبه أن الماء تراشق على ملابسه وبللها. وضع ماءً في خرطوم النرجيلة ونفخ فيه ثم نفضه على الأرض. وضع التبغ المعسل في رأس النرجيلة الفخاري ولفه بالسلفان. أشعل الفحم على قطعة شبك صغيرة وضعها على البوتجاز، وحين اشتعلت وضعها في كانون حديدي صغير. ملأ زجاجة النرجيلة بالماء المثلج ثم ثبت الخرطوم في الفتحة الجانبية. كل شيء صار جاهزاً. فقط في حالات نادرة يخرج نعيم النرجيلة ويدخن عليها، وهي حالات قد لا تتكرر لسنوات. مرة بعد أن انتهى عزاء آمنة وانفضّ الناس في الليل بعد اليوم الثالث. بذات الطقوس أخرج نرجيلته ونظفها وأشعل الفحم وجلس على ذات الكرسي الخشبي. أيضاً يوم حكمت المحكمة العسكرية الإسرائيلية على سالم بالمؤبدات الخمسة. كان يظن أن الأمر مجرد عشر سنين أو خمس عشرة وسيخرج الولد، لكن القاضي العسكري رأى أن سالم تهديد خطير على العالم وليس على الجيش الإسرائيلي. قال لنفسه عشر سنين تمر حتى خمس عشرة تمر، أما خمسة مؤبدات فسيمر هو ويموت، ويمر سالم

ويموت، وهي لن تنتهي. بكى حين سمع بالخبر. في الليل أخرج نرجيلته وأخذ يبتلع دخانها من القهر. المرة الثالثة كانت حين سافر نعيم للمرة الأولى إلى إنجلترا للدراسة، وتحديداً يوم سافر وأيقن أنه عبر الحدود، أحس قلبه يهبط في بئر سحيقة. لم يقوَ على التفكير، كانت سحب الدخان الخارجة من فمه تكاد تغرق التلة والمخيم وتلفهما بالبياض.

أخرج النرجيلة ووضعها أمام الكرسي وعاد وأحضر الفحم المشتعل. جلس على الكرسي ووضع الفحم على رأس النرجيلة، وأخذ المبسم وبدأ يسحب الدخان من قرقرة الماء. ليس من شك أنه يعرف أن ثمة لحظة فاصلة في حياته تتشكل الآن، وأنه يعبر جسراً لا يرغب ولم يرغب يوماً في المرور عليه، ينقله إلى فقرة أخرى في حياته. لم يعد يوازن الأمور بين رغبته ورغبة الولد، بين الطموح الجماعي والطموح الفردي. في مرات كثيرة لا يعود للنقاش فائدة ولا يعود للكلام جدوى، لذا من الأفضل التفكير في اللاشيء، وعدم إمعان النظر في المستقبل، كما أن استحضار الماضي مؤلم. غير أن الأمر حين يتعلق بالماضي لا يستطيع عدم التفكير فيه. لا يعرف كيف يمكن له أن لا يفعل هذا. هو أصلاً لا يريد أن لا يفعل، بل يجد متعة في تذكر الماضي وفي رسم المقارنات بين الماضي والمستقبل. وهو ذات الماضي الذي ورث فيه النرجيلة عن والده، قبل أن يترك غزة إلى الأردن. كان إبراهيم قد جلب هذه النرجيلة من حلب في أواخر الخمسينيات، وبقيت نرجيلته المفضلة حتى حرب 1967 حين نزح عن غزة وتركها لابنه نعيم. لذا اكتسبت النرجيلة معانٍ كثيرة بالنسبة له. كانت آمنة أفضل من يقوم بإعداد النرجيلة، وكانت تحب تدخينها.

في المساءات الدافئة كانت تجهزها كما تجهز العروس، تنظفها وتزينها بالدناديش. تضع كرسيين في حوش الدار قبالة الجهة الشمالية الغربية حتى تلتقط أشعة الشمس الهاربة خلف شجرة الجميز الضخمة في البيت المجاور. وتبدأ آمنة بسحب نفس عميق، ويخرج الدخان من جوفها ناعماً مثل غيوم الصباح تسرح بين التلال.

خطا ظل العم يوسف نحوه من الشارع صاعداً التلة. ثبت العم عصاته في الأرض، واتكأ عليها منحنياً قليلاً. عرض عليه نعيم أن يحضر له كرسياً، قال إنه جالس طوال النهار، يحب الوقوف. ظل نعيم يسحب أنفاس النرجيلة. حامت عينا العم في الزقاق، ثم سقطت نظراته على الفحم الملتهب وعلى وجه نعيم المكفهر يأكل الدخان. كان يعرف أن هذه لحظة صعبة بالنسبة لنعيم، فهو يخرج النرجيلة ويجلس في الشارع. عادة من عاداته التي تشي بسوء الحال. كما لاحظ أن نعيم لم ينطق بكلمة وليس أكثر من رفع عينيه بالتحية له بين فترة وأخرى، كأنه يشعره أنه يدرك وجوده. فقط لا شيء غير ذلك.

العم يوسف: شو الولد مسافر.

هز نعيم رأسه، وانحنى يلتقط جمرة جديدة من الكانون الحديدي الصغير، وضعها على رأس النرجيلة، وأمسك مبسمها بين شفتيه، وأخذ يعب الدخان، وينفثه للخارج سحباً قلقة.

العم: خليه يشوف حاله.

نظر نعيم إلى أعلى نحو وجه العم يوسف ثم أعاد التحديق في نرجيلته.

العم: يعني راح تزعل وتكشر وتبكي، ويمكن ما توكل يومين تلاتة !! بس ما رايح تغير شيء في اللي راح يصير. خليها تطلع برضاك. خليه يشوف مستقبله وحياته. بدك إياه عندك طول عمره. ما لك يا نعيم سنّة الحياة. الدنيا هيك.

لم ينطق بكلمة ظل يسحب الدخان من قرقرة الماء، ولم تفلح كلمات العم في أن تستخرج الحديث من فمه.

العم: بعدين وينك أنت بدك الولد يقتل مستقبله عشان يظل جنبك. هاي أنانية يا نعيم (رفع عصاته ودقها على الأرض) هاي أنانية.

رفع نعيم رأسه نحوه منتبهاً للغضب الصادر من حديث العم.

العم: تطلعليش هيك. فكر كويس. لو كنت مكانه وجاتك فرصة عمل بتضيعها. تقوليش العيلة واللمة، بعرف كل هادا، وبتألم أكتر منك لما بفكر فيه. كلنا في الهوا سوا. يعني بنتك اللي في السعودية لو أعطيتها مليون دولار بترجع تسكن في المخيم هون. خلص الناس بتلاقي حياتها وين بترتاح.

نزع نعيم رأس النرجيلة بيده ورفعه إلى فمه، وأخذ ينفخ فيه، فخرج الدخان بكثافة من بين فتحات السلفان، وبتوتر أعاده إلى النرجيله فكاد يسقط من يده المرتجفة.

العم: يا نعيم مغلب حالك ومغلب الولد معك. فاكر لما كنتوا أولاد أول الهجرة لما سكنا في المخيم زمان..

(وقتها كان العم يوسف في أول الشباب. يهز رأسه فهو يسحبه إلى مناطق يحبها)

كان الولاد مش ملاقين كرة يلعبوا فيها، كانوا بلفوا القماش والملابس القديمة (يضحك) كل ملابسنا كانت قديمة. كنت بأمشي مشي على رجلي عشان أزور أختي في معسكر البحر وبقطع بيارات وسوافي. الدنيا تغيرت يا نعيم. فاكر كان الواحد فينا نفسه يتعلم ويصير دكتور ومحامي وأستاذ مدرسة. بس كانت الدنيا صعبة والحرب ورا الحرب. وقتها لو صحلك لكنت سافرت برا ع مصر تدرس. فاكر.

(يهز برأسه كأنه يقول إن هذا لم يكن القصد. كان يبحلق في الأرض كالهارب من وطيس المحادثة القاسية التي يفرضها العم والتي لا يشارك فيها نعيم إلا بالصمت)

أنت كان نفسك تطلع محامي وكنت وأنت صغير توقف في الصف وراء الكرسي تبع الأستاذ فتحي وتخطب في الصف وتخبط ع الطاولة. بس شو تسوي الدنيا لعبتها بالمقلوب معك. أنا بحب المال ومبسوط أنه الله أعطاني، بس كان نفسي أكون دكتور أعالج الناس. الواحد ما بوخذ إلا نصيبه يا نعيم. (يضحك العم) أولادي الملاعين ولا واحد فيهم حتى قبل يطلع دكتور (يضحك أكثر) حتى ولا واحد طلع بحب المدرسة. (يصمت) شو أرميهم بالبحر عشان ما بدهم يعملوا اللي بدي إياه.

مر فتى صغير وقف قليلاً، نادى عليه العم، ولما اقترب منه ناوله خمسة شواقل وطلب منه أن يشتري لهما علبتي «ميرندا». خلال ذلك كان نعيم ينظف رأس النرجيلة بمنديل ورقي، ويقوم بتعبئة الرأس بتبغ جديد ويلفه بالسلفان، ويصنع ثقوباً في غطاء الرأس السلفاني، ثم يضع الجمرات على الرأس ويسحب نفساً عميقاً.

العم (بألم) بيني وبينك كان نفسي واحد منهم يصير دكتور وافتحله عيادة في نص المخيم. شو تسوي الولاد ما بدهم، المصاري والبزنس أحسن.

يصمتان. الفتى يناولها علبتي الميرندا ويقول له العم أن يأخذ المتبقي من الشواقل الخمسة له، وبعد رفض شقي يقبل الفتي.

العم: شو أحسن بس برضه العلم كويس. أنت يا رجل زعلان لما ابنك يطلع يتعلم ويصير عالم كبير. احنا انهزمنا من قلة العلم. لو كان عنا علماء ما انهزمنا، كان عملنا حياتنا صح وبنينا سلاح صح وبنينا بلادنا صح. ما ترتكب غلطة عمرك وتوقف بوجهه.

العم بدأ يشعر بالتعب من الوقوف.

العم: قوم جيبلك كرسي ارتاح عليه.

دخل نعيم إلى البيت وعاد بكرسي خشبي مثل الذي يجلس عليه. وضعه بجوار كرسيه. وجلس عليه العم، واضعاً العصا بين ساقيه ممسكاً بها بكلتا يديه من الوسط، وهو يهز رأسه متأملاً نعيم وهو مشغول بالهروب خلف سحب الدخان الخارجة من فمه إلى سقوف البيوت في الزقاق.

العم: والله إنك أشطر من «يورو» في عمل الشيشة.

مد له نعيم مبسم النرجيلة. تناوله العم وبدأ يسحب الدخان إلى جوفه ثم ينفثه في الهواء. خمس مرات متتابعة دون أن ينطق أحدهما بكلمة، ثم ناوله المبسم.

العم: سيدنا علي يقول «علموا أولاكم على أخلاق ليست كأخلاقكم، فإنهم قد خلقوا لزمان غير زمانكم». يعني مش معقول ابنك يعيش نفس العمر اللي عشته، ويحلم نفس الأحلام اللي بتحلمها، ويتعذب من نفس الشي اللي بتتعذبه. للحياة سنن وحكم. وأسوأ شي يا نعيم يقف الواحد ضد سنن الحياة. يعني راح تعاند وتعاند وبعدين لا راح توقف الولد عن السفر ولا راح تغير المستقبل. الولد راح يسافر وراح يتعلم وراح يصير شي كبير ويرجعلك (حملق في وجهه) آه راح يرجعلك اليوم ولا بكرا. عشان هيك خليه يسافر وأنت مبسوط بتضحك بوجهه، مش بتنفخ الدخان في السما قرفان من الحياة.

ما لا يعرفه نعيم أن الولد حين خرج من البيت كي يودع عمته وابنها كما قال، كان في حقيقة الأمر قد عرج في البداية على بيت العم يوسف، ورجاه أن يتحدث لوالده عن موضوع السفر، فهو لا يريد أن يسافر ووالده غير مقتنع بالفكرة، أو على الأقل وهو غاضب منه. هز العم رأسه وهو يقول للشاب إن نعيم لن يقتنع بالفكرة «حتى لو قلنا له إن سفرك سيحرر فلسطين، ولكن على الأقل تسافر وهو بضحك مش وهو مكشر». وهذا ما كان يبغيه الولد.

أخيراً نطق نعيم. ناول العم المبسم، ثم أخذ يزيل الجمرات الصغيرة عن رأس النرجيلة، ويضع أخريات أكثر اشتعالاً.

نعيم: يرضيك يا يوسف أظل وحيد. يعني أنا كم ولد عندي عشان واحد ينسجن مؤبدات، وواحد يظل برات البلاد. شو أنا سويت بحياتي عشان بالآخر أظل وحدي. الولد مش قادر يفهم أنه

في مرات لازم نضحي بأشياء بنحبها عشان الحياة تستمر. يعني شو بدو يصير لما يوخذ الدكتوراه؟ أستاذ جامعي! وشو يعني ! كل هادا ما بيسوي لمتنا حوالين طبلية الأكل في الصبح. فاهمني يا يوسف.

العم: فاهم والله فاهم. بس الولد عقله بختلف عني وعنك. سيبه يجرب حظه في الحياة، خليه يتعلم ويتألم ويحن ويشتاق على طريقته. مش بالضرورة يفكر زينا.

نعيم: يشتاق ويحن!! يا يوسف الولاد بايعينها، المهم يركضو ورا أحلامهم.

العم: أنت قلتها يا نعيم الكل بجري ورا أحلامه. وأنت بتجري ورا أحلامك كمان. ما تستكتر عليهم يجروا ورا أحلامهم.

نعيم: حلم عن حلم بفرق.

العم: مش كثير. كل واحد بشوف حلمه أكبر من العالم، وبشوفه أحلى حلم في العالم.

وكان حلم الولد كما يراه أكبر من العالم حقاً. وهكذا حمل الغياب الولد خارج غزة.

في الغرفة طلب نصر من سليم أن يعطيه الصور. في الحقيقة، لم يكن نعيم يحب الصور، وكانت الصورة اليتيمة التي يحتفظ بها هي تلك المعلقة على جدار حوش البيت بجوار صورة والده إبراهيم وجده حسين، في تواصل بصري لوجود العائلة. لكنها كانت صورة قديمة في السبعينيات حين كان نعيم شاباً بسوالفه الطويلة. أنزل نصر الإطار الخشبي الذي يحتضن الصورة عن الجدار وأخذ يتأملها،

التفت إلى الشاب الذي يقف بجواره فرأى نظرات عدم الموافقة في عينيه. لا تصلح الصورة فهي تقول إن صاحبها شاباً صغيراً. على الأقل لا أحد من الشباب يتذكر نعيم وهو شاب صغير، كما أن البوستر لن يلقى ترحاباً كبيراً في الشارع لو كان لصورة قديمة. لا بد من وجود صورة جديدة. كان الإكسير الذي بعث الحياة في الأزمة هو سمر حين قالت لنصر، إن لدى سليم مجموعة منْ الصور التي التقطها للعائلة في رحلته الأخيرة لغزة.

يومها كانت المفاجأة الكبرى لنعيم، لم يصدق عيناه. كان ذلك قبل ثلاث سنوات من هذا التاريخ. بعد أن وضع سليم حقائبه وانتهى من احتضان والده وأخته، جلس بجوار والده على الفرشة ووضع اللابتوب على حجره، وقال له بدك تشوف إخوتك! ابتسم نعيم. أخذ الولد يقلب الصور في ألبوم على سطح المكتب. بكى نعيم وبكى وبكى ثم وضع رأسه على المخدة وغفا سارحاً في حقول الذاكرة، يركض فيها، يعبر قاطراتها من سني الطفولة إلى العناق الأخير وتهدج الأصوات المودعة على الهاتف. نجح سليم في الحصول على البريد الإلكتروني لابن عمه في تشيلي وقام الأخير بإرسال صور العائلة وصور الأعمام له تباعاً. لم يتعرف نعيم على الأولاد والأحفاد، لكنه سرعان ما تعرف على إخوته رغم تجاعيد الزمن في الصور وغبار الشيخوخة. كان ذلك المبرر الوحيد الذي أقنع نعيم بأن تلتقط له صورة لكي يرسلها الولد لأعمامه. فيما مضى لم يكن يفعل ذلك وكان يرفض تصويره ولو صورة واحدة، فقط فعل ذلك في مرة يتيمة في حياته، ربما كانت في مطلع التسعينيات حين وقف أمام المصور مع آمنة وسامر وسليم وسهى وسمر.

التقط لهم المصور صورتين قام نعيم بإرسال واحدة لإخوته في عمان مع جارتهم أم فوزي، واحتفظ بالأخرى في الألبوم. كانت تلك يتيمة الدهر. أعجبت نعيم الفكرة، فيمكن لصوره أن تسعد إخوته كما أسعدته صورهم.

في الحقيقة كان نصر سيلجأ إلى خيار الصورة القديمة المعلقة على الجدار، لولا أن سليم قال إنه قادم إلى غزة يوم غد. سأله عبر الهاتف عن الصورة وتأكد من أنها موجودة، لذا قال من الأفضل الانتظار ليوم غد. كانت تلك رحلة سهلة وممكنة بفضل خدمات نصر. فحين حطت الطائرة في القاهرة كان الوقت ليلاً وكان الوصول إلى المنطقة الحدودية مع غزة يستغرق خمس ساعات في السيارة عبر صحراء سيناء شمالاً، إلا أن المعبر الحدودي الوحيد الذي يربط غزة بالعالم «معبر رفح» كان مغلقاً مثل عادته خلال السنوات الماضية، وكان المئات من المسافرين ينامون على جانب الحدود ينتظرون اليوم الذي سيفتح فيه المعبر ليتمكنوا من العبور لغزة. وصلت سيارة البيجو إلى الحدود مع الفجر لم يكن هناك أدنى أمل أن يفتح المعبر في الصباح، ولو تم ذلك فرضاً فإن سليم بحاجة لمعجزة حتى يتمكن من الدخول بعد يومين على أقل تقدير. الحل الوحيد كان المرور عبر الأنفاق. رتب نصر لكل شيء. ذهب سليم إلى رجل يعمل في التهريب أعطاه نصر هاتفه بعد أن تحدث إليه، يسمونه بلغة التهريب عبر الأنفاق «الأمين». دخل «الأمين» في بيت عادي على الحدود في الجانب المصري، لحق به سليم يجر حقائبه. دخلا غرفة كان فيها فجوة تنحدر بزاوية مائلة إلى عمق النفق. هبط سليم فيها، وجلس على قاطرة جلدية يسمونها «الشياطة»، واضعاً حقائبه خلفه. أعطى «الأمين»

الإشارة إلى الرجل على الطرف الآخر عبر الهاتف. بدأ الرجل في الجانب الفلسطيني بسحب الشياطة حتى وصلت إلى قاع البئر في الجهة الفلسطينية من الحدود. ثم صعد سليم عبر مصعد كهربائي بدائي على وجه الأرض حيث كان نصر والشباب في انتظاره.

بعد النقاش الطويل الذي دار بينهما، بدا أن سليم يتلكأ في إعطاء الصورة لنصر الذي أدرك أن ابن خاله لا يأخذ الأمر على محمل الجد، وأن تبريراته ليست منطقية بل إنها لا تراعي مشاعر الآخرين. فهو لا يريد أن يتحول والده إلى مجرد بوستر على الجدران كما يقول، وكان كل من رحلوا تحولوا إلى بوسترات. «هذا ادعاء زائف بامتلاك الحقيقة». فالناس لا تنسى وهي لا تحول أبطالها إلى مجرد ورقة معلقة على الجدران، بل هناك سمة في البشر هي التذكر. فهم يتذكرون من يحبون كما يتذكرون من له فضل عليهم ومن ضحى من أجلهم. ليس صحيحاً أن الأمر مجرد صورة على جدار. سليم لا يدرك رمزية الأشياء ولا دلالات المواقف. ما أصعب اللحظة على نصر - أن يستشهد خاله ولا يعمل له بيت عزاء يليق ببطل. البطولة التي لم يبحث عنها، بل كان يفضل أن يكون خلف الستائر. كان يعمل بصمت مع الشباب، لكنه كان شعلة تمدهم بالنور والأمل. فرك نصر ذقنه بيده وهو يتخيل ردود سليم الجاهزة المقولبة حول البطولة والتضحية والضحايا، أيضاً فثمة «منطق أعوج». لا أحد يموت عن سبق إصرار وترصد، بل إن الدافع وراء التضحية هو قيمة الحياة الأسمى. فالشباب لا يحبون الموت، ولا يبحثون عنه ولا يمجدونه، بل إنهم يبحثون عن النتائج التي ستكون نتيجة لتضحيتهم، فهم يموتون من أجل أن يحيا الآخرون، أن يجدوا

حياة أفضل من تلك التي عاشها من رحلوا. مقاربة عاطفية، لكن المنطق فيها بالنسبة لنصر أكبر من العاطفة. نظر سليم إلى نصر وهو حائر محبط منه، وحاول أن يخفف من حدة النقاش «لو أنك تفهمني». جلس نصر على الكرسي المقابل للسرير وهز برأسه رافضاً أن يفهمه. يبدو أن نقاط الالتقاء بينهما وهنت أكثر من ذي قبل.

ليست البطولة أن تموت مجاناً، أن تموت بسبب خطأ وسوء تدبير، بل هي أن تعرف ماذا تفعل، وأن تفعله بطريقة سليمة حتى لو كلفك ذلك حياتك، وتحقق غايتك من ورائه. هنا يصبح للحياة قيمة، وتكون التضحية معقولة وضرورية. الناس في غزة ضحايا آلة القتل التي تعمل رصاصها في أجسادهم وتحصدهم بين وقت وآخر، مثل سنابل في بيدر قمح تنهال تحت مقص آلة الحصاد. ليس لهم رغبة في رحيلهم المفاجئ أو في اختيار موتهم. نعيم كان واحداً منهم. لقد مات دون قصد منه، دون أن يكون راغباً في الموت، دون أن يبحث عنه. جاءه الموت صدفة. اخترقت الرصاصة جسده وهو يمني نفسه بيوم جميل. نظر سليم إلى نصر وسأله مرة أخرى هل يفهم ما يقول.

لو كانت الأمور بهذه البساطة! لكنها ليست كذلك. هذا التحليل ينقصه عاطفة جماعية تبحث عن المدلولات الأخرى والأعمق. لم يمت نعيم مجاناً أو صدفة أو بسبب خطأ، بل إنه مات بسبب إصرار الجيش على قتل المواطنين، ونعيم كان يعرف ذلك وكان كثيراً ما يقول، كما يروي نصر، إن مجرد بقائنا في غزة هنا هو بطولة كبيرة. حدق نصر في عيون سليم وهو يعيد هذه الرواية

مدركاً أن الكلام آلمه وأنه عناه بطريقة أو بأخرى. بل إن الخال كان كثيراً ما يحرض الشباب على العمل وعدم خشية السقوط قبل بلوغ الجسر، لأن الخطوات الأولى على الطريق البكر ستظل مغروزة في الأرض تقود الآخرين إلى الجسر. كما أن المرء لا يعيبه أن يموت برصاصة تأتيه فجأة، لأن لا أحد يحب الموت ويبحث عنه وليس الخال بالطبع، بل يعيبه أن يعدم الإحساس في قيمة موت الناس، ويحاول أن يعقلن هذا الموت ضمن منطق مادي بحت. لم يكن هذا ليعجب الخال رغم أنه منطق ابنه.

كان نصر يصنع من خاله منظراً كبيراً ولا يعرف المرء متى يكون نصر قد أصبغ على حديث خاله، الذي يرويه من معارفه وفكره الخاص، ومتى يكون ناقلاً أميناً وراوياً دقيقاً، إذ أنه من السهل في بعض المرات أن يتعرف المستمع إلى عبارات من العيار الثقيل ترد في ثنايا الحديث تحتوى على نكهات معرفية وفكرية لم يكن ربما ليتقبلها الخال. فهو ما كان يحب العبارات الكبيرة ولا الجمل المتحذلقة. في المقابل كان نصر يرى خاله أيقونة كبيرة، فهو تعلم منه أول دروس الحياة. لم يكن نصر في ذلك مجاملاً أو مختلقاً لحدث تاريخي، فهو حقاً يدين لخاله بالكثير من مشاعره الأولى وحبه للعمل الفدائي. فالولد كان يرى في خاله بطلاً كبيراً وقف بصلابة في وجه قسوة الحياة. هذه هي التضحية التي لا يفهمها سليم، تضحية غير مصطنعة وليست بحثاً عن مجد، بل هي التضحية الصامتة التي تجعل للحياة قيمة أكبر من مجرد المتعة والمأكل والمشرب. ليس بالضرورة أن يكون البطل من فعل شيئاً عظيماً، لأن هذا الفعل العظيم بحاجة لإدراك من الناس كي يعرفوا به،

وعليه إذا لم يعرفوا به لن يعود عظيماً، كما لن يعود فاعله بطلاً. لذا فإن ثمة قيمة أعمق وأكثر إنسانية في البطولة. الرجل الستيني الذي ولد في الحرب وعاش حياته كلها خلال حروب متتالية، ومنعته الحرب من استكمال تعليمه الجامعي، كما منعته الحرب من الالتئام مع عائلته على طاولة واحدة، وعاش يتيماً بلا أب ولا إخوة بعد أن دفعت بهم الحرب خارج البلاد، الرجل الذي رفض ترك غزة واللحاق بأحد إخوته في المنافي، لأنه آمن بأن ثمة حقاً شيء يستحق الحياة، كما تقول الورقة الصغيرة المعلقة خلف مكتبه في المطبعة، الرجل الذي عمل مع الشباب في كل مناسبة وطنية وطبع لهم المنشورات والبوسترات والمواد الثورية وواجه الحاكم العسكري أكثر من مرة، الرجل الذي مات في الحرب، وكأن حياته قضية تروى بين حربين، كيف لا يكون بطلاً.

فتح سليم اللابتوب وأخذ يبحث في ملفاته، فيما نصر يشعل سيجارة أخرى، وصوت همهمة الناس خارج الغرفة تنتظر انتهاء القمة. الشباب متذمرون من موقف سليم، وبعضهم بدأ يضيق ذرعاً بطول اللقاء وعدم الجدوى حتى تلك اللحظة. سمر تجلس مع عمتها محاطة بالنسوة النائحات يندبن حظها حيث تُركت في الدنيا بلا أب ولا أم. يتسلل صوت النواح إلى الغرفة التي يدور فيها النقاش، فيقول سليم فجأة «أنت لا تفهم هل تحس بهذا الألم الشخصي!!» هذا الألم لا يمكن أن يكون مشاعاً، شيئاً يجلب معه الإحساس بالمتعة عند الحديث عنه، أو استخدامه لغايات سياسية أو حتى دعائية. الألم شيء فردي. نواح سمر وبكاء النسوة والاستجارات الواهنة المكسورة التي تصعد إلى السماء، وجيب القلوب الحزينة ...

هذه أشياء لا يمكن لأكبر بوستر في العالم أن يعبر عنها، كما من المهين أن يتم الاستعاضة عنها بورقة على جدار.

مرة أخرى يدرك نصر بأن الأمر انتهى، وأنه لن يكون من المجدي مواصلة النقاش، إلا أنه لم يرد أن يقفل الخط دون تطييب للموقف. بالطبع هو يدرك كل حديث سليم، حول الحزن الشخصي والألم الفردي، لكن أيضاً ثمة ألم جماعي يحس به الناس، وهو ليس فقط مجرد مجموع الأحزان، بل إنه فعلاً حزن يلف المخيم على رحيل الخال نعيم. سأله إن كان يتذكر يوم استشهاد زميلهم سهيل في المدرسة الابتدائية قبل قرابة ثلاثين سنة، كيف عاشت المدرسة في حزن لأكثر من ثلاثة أشهر حتى نهاية الامتحانات. حتى أشجار الكينيا والسرو في ساحة المدرسة بدت حزينة. بل إن أزهار الجوري والياسمين في الممر أمام غرفة المدير والمدرسين ذبلت. «هل تذكر بكينا أنا وأنت ونحن نغادر المدرسة». لم يكن سهيل قريبهما أو والدهما أو ابنهما. «ولكنه كان صاحبنا، ابن صفنا». وماذا عن أشجار الكينيا والجوري! لم تكن صديقته. وماذا عن المخيم الذي خرج غاضباً واشتعلت أزقته وشوارعه بالمواجهات مع الجيش الذي قتل الفتى البرئ. في المحصلة ثمة حزن ومشاركة جماعية، لا يمكن القفز والادعاء بأن الألم أمر فردي.

هز سليم رأسه معلناً أنه لم يجد الصورة المطلوبة، وأنها ربما ضاعت حين قام بإعادة تهيئة الجهاز قبل شهر. ابتسم نصر وهو يقذف بعقب السيجارة من النافذة. التفت إليه وقال «مش مهم، لا تقلق». ثمة مراوغة واضحة من الطرفين لكنها خفية ويكاد يحس بها

كل طرف. سليم لم يبحث في الملفات التي يمكن له فيها أن يجد الصورة، بل اكتفى بفتح بعض الملفات التي يعرف أنها لا تضم الصورة. أحس بتأنيب الضمير، كاد أن يفعلها ويعطي الصورة لنصر. كاد أن يستمع إلى صوت العاطفة الجارف في داخله، ففي نهاية المطاف والده واحد من عشرات الآلاف الذين سقطوا شهداء ودرجت العادة على فعل بوسترات لهم. لماذا يعمل من الحبة قبة؟ لماذا تقف الدنيا أمام هذا الأمر؟ لا يعرف! لكنه يدرك أن والده ما كان ليسعد لو رأى بوستراً له في الشارع. لا أحد سيسعد، لأن لا أحد يقبل أن يتحول إلى مجرد ورقة أو شعار بطولي على الجدران. بيد أن للحياة سنناً أيضاً من الجنون السير عكسها. حين خرج نصر محاطاً بالشباب دخلت سمر إلى الغرفة تمسح دموعها. حضنها متنهداً، مسح دمعها الغزيز بكلتا يديه. ارتمت على صدره، أجلسها على السرير. بعد ربع ساعة فاقت من نوبة البكاء. كان خلال ذلك يقلب صور والده على اللابتوب. كان قد التقط بعض الصور في البيت، فيما نعيم يقف بجسده الطويل متكأً على الطاولة ذات الأرجل الطويلة. وأخرى في غرفة النوم جالساً على السرير حيث يجلس الآن سليم. وثالثة أمام باب البيت وقت الصباح. ورابعة أمام المطبعة وخامسة داخلها. وسادسة مع بعض الجيران من رفاق العمر خاصة العم يوسف. وكلها صور نجح سليم في التقاطها له في يوم واحد، حيث سيتمنع نعيم بعد ذلك، ويقول إن الولد قد أخذ له صوراً تكفي لتوزع على العالم. جلس يومها بجواره وهو يرسلها لأولاد عمه عبر الإيميل، وأخذ يقلب صور الإخوة وبناتهم وأولادهم قبل أن يقول «يا رب تعجبهم صور عمهم» وضحك. وكانت السعادة

واضحة على وجهه. بدا على سمر رغبة في مناقشة الأمر. لم تعرف كيف تبدأ، لكنها وجدت في تأمل أخيها لصور الوالد فرصة سانحة. قالت فجأة «كان لازم تعطي الشباب صورة».

القصة ليست في الصورة ... في الفكرة.

الناس لا تفهم. أبي كان سيحزن لو لم نعمل له بوستراً لأن حقه مش ناقص.

القصة مش هيك.

مش مهم كيف شايفها، المهم كيف الناس شايفاها. نصر هلأ زعل وأنت عارف نصر أقرب واحد إلنا هون بغزة.

بكرا برضا.

البنت ركزت على الحق والشيء الطبيعي، فهي لا تعرف كيف تقولب الأمور ولا كيف تبررها، ولكن هذا حق وشيء عادي، وطالما كان الأمر كذلك فلا يعيب العائلة أن تكون جزءاً من عادة المجتمع. صحيح أن الوالد كان يتألم وهو يعمل البوسترات للآخرين لكن في نهاية المطاف كان عليه أن يعملها، ولو كان ضد الفكرة مائة بالمائة لما عملها. فهو كان مقتنعاً بحب الناس لهذه الصور وحتى للعبارات البطولية التي تكتب أسفلها تمجد تضحيات الشهيد. لذا كان يتفنن أيضاً في تزويق البوستر ومنتجته وإخراجه في أحسن صورة. قالت له إنها تفهم عليه وتحس في كل كلمة يقولها وأنها تتألم مثله، لكن عادة الناس بعد استشهاد شخص أن يقوموا بذلك، لذا من الخطأ حرمان الناس القيام بما يؤمنون به. «خليهم يعملوا اللي

82

بدهم إياه». هذا حقهم. شك للحظة بأن نصر تحدث إليها، فهي تستخدم بعض الكلمات التي ينثرها نصر في ثنايا حديثه. لكنها رغم ذلك تبدو مقتنعة بكل كلمة. هز رأسه وهو يغلق جهاز اللابتوب وكان الأمر حقاً انتهى، فقد خرج نصر ولم يأخذ الصور، كما أن أسئلة سمر واستنكارها في موضوع الصورة ليست إلا ردة فعل على المشاعر الجماعية الجياشة التي تحيط بها في غرفة الندب والنواح. وفي نهاية الأمر عليه أن يذهب إلى خيمة العزاء لتقبل التعازي خاصة أن الخيمة ستزدحم بعد المغرب.

شعور مؤلم بالذنب يتسلل إليه. نصر رفيق عمره، وُلدا في العام ذاته والتحقا بالمدرسة الابتدائية ذاتها ومن ثم المدرسة الإعدادية والثانوية. رشقا الجنود بالحجارة خلال الانتفاضة الأولى وقبلها، عرفا معنى الحياة والمعاناة أيضاً سوية. ترعرع فيهما الحس بضرورة البحث عن مستقبل أفضل من الواقع المر الذي وُلدا فيه، لكن كل منهما وجد طريقه الخاص في البحث عنه.

نصر عرف طريقه جيداً يوم التحق بمجموعات الشباب، وقام المسؤول الكبير بتكليفه بقيادة المجموعات في المخيم. كان لديه روح قيادية عالية وإحساس عالٍ بالمسؤولية الجماعية. كان يمكن أيضاً لتفاصيل الحياة في غزة أن تغير مسار المستقبل الذي رسمه سليم. فهو أيضاً انخرط مع مجموعات الشباب في بداية الانتفاضة ورشق الحجارة على الجيش وخرج ملثماً يكتب الشعارات التحريضية على جدران المخيم في الليل. وسجن لمدة عام وبصق في وجه المحقق. لكن القدر كان يحتفظ لسليم برواية خاصة عن حياته، أراد

له أن يكملها. نعيم الذي رأى كيف غيَّب السجن المؤبد ابنه البكر سالم، لم يدخر جهداً في وعظ ابنه سليم بعد خروجه من السجن بأن ينتبه لمدرسته حتى يلتحق بالجامعة. وهكذا افترق الطريق. رغم ذلك لم تنقطع علاقة الشابين. كان نصر حقاً أقرب الناس إلى سليم، حيث إن أعمام الأخير وأعمام والده في الشتات البعيد وهو لا يعرف أحداً منهم. لذا لم يكن نصر صديقاً ورفيقاً بل وأخاً وحافظاً للأسرار.

فتح جهاز اللابتوب وأخذ يقلب الرسائل التي كان يرسلها له نصر من السجن. كان نصر قد بعث لسليم قرابة ثلاثين رسالة، بعضها خرج عبر بريد السجن العادي وبعضها أرسلها مع السجناء الذين يطلق سراحهم. كانت رسائل مشبعة بالعاطفة والوطنية والأحلام الجميلة والإشارات المرهفة للذكريات، والحنين كان جمر الحياة الذي يتدفأ عليه الأسرى في عتمة السجن القارصة. قام سليم بإدخال الرسائل على الكمبيوتر عبر المسح الضوئي «السكانر» للحفاظ عليها من التلف. أخذ يقلب ملفات الرسائل، تسرقه الإشارات للتفاصيل الجميلة التي كان نصر بارعاً في توصيفها وفي بعث الحياة فيها، في العبارات الكبيرة التي كانت تملأ سطور الرسالة حول مستقبل أجمل وحياة أفضل، كان الشاب مستعداً لدفع حياته ثمناً لها. كانت الكلمات تبدو صادقة ومؤثرة، وكان سليم كلما قرأ تلك الرسائل شعر بوقع الحياة الحقيقية التي كان يحاول الهرب منها، حياة عليه أن يعاني من أجل تحسينها. في الليلة الأولى التي قابل نصر فيها بعد خروج الأخير من السجن، قال له سليم إن في الحياة طرق كثيرة للتضحية وليس بالضرورة أن تقترن التضحية بالمعاناة، فيمكن لها أن تكون عبر الجهد والإصرار. سحب سليم نفساً من الأرجيلة،

وهو يستذكر معه القصص «البطولية» عن حياة الشباب في المعتقل، والبرد القارص في الليل وحرارة الشمس في النهار وفحيح الفراق وعواء الألم في داخلهم، وهم يرون عمرهم يهرب منهم. بالطبع ليس هذا ما يتمنون، لكنهم يعرفون بأن هذا مفروض عليهم، وليس عليهم الهرب منه. «الواجب واجب» ثم سحب نفساً آخر. ما قصده سليم أن هناك طرق كثيرة تدفع الحياة إلى الأمام لتعديل صورتها وتحسين المستقبل. ذلك قد يكون عبر القلم مثلما هي عبر الريشة كما عبر الحجر والرصاصة. ضحك نصر وأدرك سليم أن الأمر ليس أكثر من نكتة بالنسبة لابن عمته.

غفت الشمس خلف شجرتي الكستناء حيث وقف سليم يعتصر ألماً، فيما «كريستيانا» تقدم له كأس القهوة السبريسو تساعده على التفكير في المحنة. أدرك أنه عائد إلى غزة لا محالة. في المهاتفة الأخيرة مع والده كانت أول عبارة قالها له الأب «شو طولت الغيبة». أحس بالمرارة التي تجري في الكلمات التي نطقها والده. في نهاية الحديث قال له إنه سيأتي في الصيف، بعد أن يكون قد رتب أموره هنا. بعد أن انتهى سليم من دراسة الدكتوراه حصل على عمل في الجامعة كباحث ومدرس مساعد، وهو حلم كبير بالنسبة له. ولم يعد إلى غزة خلال العامين الماضيين، وظل يرتب أموره هناك، وبدأت الحياة تضحك له، وجاءت وفق ما يشتهي. أحضرت «كريستيانا» كرسيين وجلست على أحدهما وجلس هو على الآخر. ذوت الشمس بشكل كامل، وبدأ نسيم الغروب شفافاً ورقيقاً عكس الأفكار الملتهبة التي تشتعل في عقله الآن. لم تعرف كريستيانا إذا ما كان عليها أن تقول شيئاً، ولو كان ذلك، ماذا ستقول. حدثته

عن جدها وجدتها الذين قتلا على يد القوات الفاشية، لأنهما خبأ الثوار في مزرعتهما في توسكانا. كان على والدها الذي لم يبلغ العاشرة أن يتدبر أمره وحيداً في الحياة. كان على الحياة أن تستمر كما خلصت كريستيانا. فبعد أن أحرق الفاشيون المزرعة ودمروا البيت وهرب الفتى بين الأدغال، عاد بعد أن هزم الثوار الفاشية، وبنى البيت وعمَّر المزرعة، وصار بعد ذلك نائباً في البرلمان. «الحياة حلوة». حدثها عن أحلام أبيه الكثيرة والبسيطة والتي مات قبل أن يحقق أياً منها. وُلد الرجل في الحرب ومات خلال الحرب. لم يعش لحظة سلام واحدة، كما أنه لم يبحث طوال حياته عن الحروب، بل كانت تداهمه وتعكنن عليه أي لحظة صفاء قد يجود بها الزمن عليه خطأ. لم يكن مثالياً ولم يكن صاحب أفكار كبيرة، كان ينتظر أحلاماً بسيطة مثل أن يعانق ابنه السجين ويضمه بين ذراعيه، أو أن تضمه جلسة واحدة ولو وحيدة مع إخوته الذين لم يرهم منذ أربعين عاماً، وصارت صورهم أطيافاً تعبر الذاكرة باهتة بلا تفاصيل من شدة الغياب. طوت «كريستيانا» أوراق المؤتمر الذي كان عليهما أن يسافرا إليه في باريس في صباح الغد، واقترحت أن يعود إلى البيت لترتيب أغراضه استعداداً للسفر إلى غزة. الرحلة إلى غزة قصة مؤلمة من شدة المعاناة لكنها هذه المرة واجبة حتى لو كان المعبر مغلقاً. غابت الشمس وحلّ الليل ولم يعد من أحد يسير في أروقة الجامعة وممراتها القديمة التي تعود للقرن السابع عشر. في الطريق إلى البيت، كانت تلال توسكانيا هادئة والظلام يلف النواحي بشغف ربيعي والجارة تنادي على الصغير «لوكا» الذي يلهو مع قطته خلف البيت. نجحت كريستيانا أن تحجز له على الطائرة المغادرة إلى القاهرة في

الليل، لذا كان عليه أن يسرع في ترتيب أغراضه والذهاب إلى المطار. هربت قطة «لوكا» باتجاه الدرج المفضي إلى شقة سليم، ومن هناك قفزت إلى الشرفة المطلة على الشارع، ووقفت على سور الشرفة معاندة كل توسلات الفتى بالخروج، فيما صوت أمه تستحثه العودة للبيت. تطلب الأمر مهمة إنقاذ حيث إن «سليم نسي مفتاح الباب المفضي إلى الشرفة في درج المكتب في الجامعة، اقتضت تلك المهمة قفز سليم للشرفة مستخدماً الدرج بذات الطريقة التي قفزت بها القطة. صفق «لوكا» ووالدته حين أتم سليم المهمة، وعادا لبيتهما في الجهة الخلفية يلهجان بالشكر وبأماني الليل الجميلة.

وصل سليم إلى المخيم قبل الظهر بقليل. أقلته السيارة التي كان يقودها نصر إلى غزة بعد عناقات طويلة ودموع حارة من رفح جنوباً. الرحلة صامتة والنظرات حائرة، والطريق تركض على جانبي السيارة ترمي مشاهد الحياة اليومية في صورة استعراضية، لا تترك انطباعاً إلا بالتوتر. في شارع الحارة في المخيم كان صوان العزاء ينتصب، يعج بالحركة والجلبة والبوسترات واللوحات الجلدية، فيما الجدران المطلة على الشارع تتزين بالشعارات الغاضبة والمتوعدة وأخرى مسترحمة خاشعة. حين وصلت السيارة كان الشيخ حسن يخطب في المعزين حول مغانم الشهيد. بدا الناس مشدودين للوصف العذب للشيخ عن الجنة والماء الرقراق والفاكهة التي لم تر مثلها عين ولا خطرت على بال بشر، ناهيك عن وصفه المطول لمفاتن الحور العين ورجائه لله أن يجعلهن من حظه. لم يلتفت أحد من الحضور إلى ابن الميت صاحب الحزن الأكبر الذي وجب عليهم تعزيته، بل شدهم حديث الشيخ المعسول عن اليوم الموعود. بخفة الظل انسل

نصر إلى بيت خاله، ساحباً سليم فيما بدا أنه إجراء روتيني في طقوس المواساة، العائلية، حيث تجتمع العائلة أولاً للتباكي ولململة الألم.

في الغرفة بدا نصر متماسكاً بشكل كبير، وهو يتحدث عن خاله البطل، الذي اغتاله الاحتلال، وأخذ يذكر سليم بسلسلة طويلة من أسماء الأصدقاء والرفاق والجيران الذين رحلوا شهداء. طغت على وجهه ابتسامة خفيفة تسللت خلسة وهو يقول إنهما، ربما ولولا صدفة الحياة، لكانا الآن في عداد هؤلاء. «الواحد مرات بعيش حياة فائضة، زيادة». كانت عينا سليم تزومان في الغرفة تقلبان الأيام الماضية التي كان فيها والده يملأ الدنيا حضوراً، يلفّهم بشغف الأب ورقة الصديق. كانت صور الأب تقفز أمام عينيه في حالات مختلفة، فهو تارة يكتب رسالة لأحد إخوته، وأخرى يقلب جمرات الفحم في كانون النار، وثالثة يسرد عليهم قصص يافا التي لم يحظ إلا بلمحة الضوء فيها، ورابعة عن الحروب المختلفة التي عاشها.

كانت سمر تجلس على الكرسي قبالة أخيها لا تقوى على النطق. تحنط الحزن على الوجه فبانت آثار أقدامه غائرة في الجلد لا تنمحي. فقط بعض النظرات التي تزيد سليم إرباكاً وحيرة، تحمل أسئلة مبكرة لكنها ملحة حول المستقبل والغد الذي لم يعد أحد يعرف كنهه. واصل نصر سرد مقدمته الطويلة حول الحياة والموت والبطولة والتضحية وأن تكون قادراً على الوقوف في وجه الزمن. عباراته تحمل عبء الميثولوجيا وثقل التاريخ، لكنها حالمة وجذابة في الكثير من الأحيان. فيها من الصدق ما يشفع لها. وهذا الصدق هو الذي جعل الإنصات لنصر في هذه الظروف تعزية لا تعوض.

وقف نصر فجأة، وهو يقول إننا بحاجة لصورة لخالي لعمل بوستر له يليق به. لم يكن بحاجة للمزيد من الشروحات فالفكرة واضحة، إذ إن هذا يعني ضمناً أن سليم لديه هذه الصورة المطلوبة.

لا يمكن للإنسان أن يتحول إلى مجرد بوستر أو صورة على جدار. هذا تبسيط لمفهوم الحياة، كما أنه تبسيط لفكرة الوفاء للذين نحبهم. «الحب في القلب وليس في الصورة». أدرك نصر بأنه سيخوض نقاشاً مختلفاً لم يكن يتوقعه. لم يكن هذا النقاش وهذا الجدل والتفسير في وارد الحسبان، فهو في مهمة محددة تقضي بأن ينتهي عزاء الشهيد على أكمل وجه، وهذا الكمال لن يتم دون أن يُعمل له بوستر ضخم يزين جدران المخيم وواجهات المحال التجارية فيه، على الأقل كما درجت العادة. رأى التنظيم أن نصر أفضل من يتولى إدارة الأمر لكون الشهيد خاله، وعليه فقد طُلب منه متابعة كل الأمور المتعلقة ببيت العزاء.

وحده بكى لم يره أحد.

بعد أن عاد من المستشفى، جلس مع الشباب يتدارسون الأمر وترتيبات الجنازة وصوان العزاء. كان يرد على كلمات التعزية بعبارت صلبة ومتماسكة. رأى الدمع في عيني أمه فهرب إلى الغرفة وانهار على السرير. كان نعيم أكثر من خال. كان أباً، صديقاً وناصحاً ومعلماً وملهماً. كان الولد يمضي الكثير من الوقت في مطبعة خاله يستمع لقصصه وتجاربه ونصائحه. وهي قصص وتجارب شكلت الجمرات التي أشعلت نيران الحياة عند الولد، الذي رأى فيها خلاصة لآهات الناس وعذاباتهم. يحترف الخال رواية هذه الآلام،

يعرف كيف يتحدث عنها ويجعل منها أنموذجاً مصغراً عن عالم كبير يعج بالصراخ ويمتلئ بالعذاب. كان يبدو الممثل الشرعي لهذا الألم والمعبر الأفصح عنه. يقف خلف إحدى الماكينات الأربعة التي تشكل مطبعته منشغلاً بعمله، فيما لسانه يروي بترو وتهدج، يعلو ويهبط، حكايات الحروب الكثيرة التي عاشها ووُلد فيها. ويبرع أكثر حين يصف عائشة، والدته الفتاة الجميلة التي تركت يافا في أبهى صباها ورحلت عبر البحر إلى خيام اللجوء... كما أحلامه المبعثرة وأمانيه التي يبخل الزمان في جعلها حقيقة. همس في أذن خاله ذات مرة: «راح أصير فدائي». ابتسم الخال وكانت تحديداً تلك الابتسامة النور الذي كلما تذكره نصر شعر أنه على صواب.

جفف دموعه بعد أن باغتته سمر ابنة خاله مرتبكة. قفز عن السرير يزيل آخر دمعة بكم قميصه. كانت عينا سمر مثل حبتي البندورة منهكتين من البكاء. أسرعت في الخروج فيما استيقظ نصر على حقيقة أن للحزن وقتاً آخر، إذ إن عليه متابعة كل شيء، فعما قليل سيحين وقت صلاة العصر وعليهم دفن الشهيد، وعليهم أيضاً نصب صوان العزاء. أشياء كثيرة، مرهقة لكنها واجبة، أما ما في القلب فهو في القلب. نفض نفسه من جديد كأنه يطرد أية بقايا لهذا الحزن الذي انغرس في وجهه فجأة وعاد إلى هيبته الأولى.

بدا أن ثمة نقاشاً حامي الوطيس يجري في الغرفة. سليم قال ببساطة إنه لا يرى ضرورة لفكرة البوستر، وأنه يمكن الاستغناء عنها. كانت لهجته متوسلة، غير راغب في خلق مشكلة. لكن لم يكن لهذه النار الهادئة إلا أن تشتعل وتشب فجأة، وتخرج عن نطاق السيطرة.

اسمع، الأمر بسيط مجرد بوستر

ليس بهذه البساطة.

بل هو كذلك. لا تعمل من الحبة قبة!

يحزنني أن أرى والدي صورة على جدار.

ويحزنني أنا أيضاً.

انس الأمر إذاً.

الأمر ليس بيدي، بل بيد الشباب.

الشباب؟

هم قرروا أن يعملوا بوستراً.

ونحن نرفض.

أنا لا أرفض.

أنا أرفض

ولكن ليس لنا قرار في ذلك صدقني.

ومن له القرار؟

الشهيد ملك الناس، فهو شهيدهم.

وهو والدي!!

وخالي!! لكن أيضاً هذا شيء آخر. القرابة شيء والشهيد شيء
آخر. الشباب، تعرف كيف تكرم شهداءها. نحن الأقرباء لا نكون

91

منتبهين لهذه التفاصيل... الجنازة والعزاء والشعارات والبوسترات لأننا مشغولون بحزننا لذا فإنهم يقومون بهذا نيابة عنا.

وما الحاجة لكل ذلك!! ألم يمت الآلاف خلال الحروب المختلفة ولم يكن موتهم يستدعي أكثر من دفنهم، بل إن بعضهم دُفن على عجل ودون طقوس.

بعضهم! وليس كلهم. والأمر منوط بالظروف.

صمت

اسمع، البوستر بوستر، لنتجاوز هذه المشكلة ونخرج للناس لنتقبل التعازي، أنت لا ترى الآلاف تأتي كل ساعة .. مهرجان.

أنا لا أريد بوستراً لوالدي.

الفصل الثالث

الجنازة

خرج سكان المخيم لاستقبال الجثمان. اصطفت النسوة في طابور على جانبي الطريق الترابي المفضي إلى التلة. ريح الخريف اقتلعت الأوراق عن أغصان شجرة التين خلف سور البيت، حيث كان كبار السن يقفون، يتقون أشعة الشمس الباهتة. العميد صبحي لم يحسن هندام سترته الزرقاء فيما جعبة مسدسه فارغة، ويده اليمنى تتحسس خصلات شعره المصبوغة ليتأكد من أنها تغطي جلدة رأسه. ناحت النسوة وهن يلوحن أيديهن في وجه السماء التي بدأت تتلبد بالغيوم، فيما جاء مئات التلاميذ يحملون حقائبهم المدرسية على ظهورهم. لم يبد على وجوههم الحزن، فهم لم يدركوا الموقف. لم يكن الأمر أكثر من مجرد فرصة لتعطيل الدراسة لنصف نهار آخر. بعد هنيهة جاء ناظر المدرسة محفوفاً بالمدرسين والعاملين في المدرسة، لا بد أن يمسح عرقه بمنديله الزهري اللامع حتى يلتفت الجميع للمجهود الذي بذله في الوصول إلى التلة حيث ستنطلق الجنازة. مال على عضو المجلس التشريعي سائلاً لماذا لم تقم مديرية التربية والتعليم بإخراج المدارس للمشاركة في الجنازة، فالمصاب جلل والفقيد ابن عزيز على المخيم وساكنيه.

اشتدت الريح قليلاً وتطايرت أوراق أشجار التين، حملت معها بعض الرمل، في عواصف صغيرة تسير على وجه الطريق مثل خربشات طفل بقلم الرصاص... دوائر دوائر دوائر. تدلى غصن الشجرة من فوق الجدار ومع اشتداد الريح صار يدور معها مثل يد تلوح بالوداع. أطلت يافا من نافذة الشباك خلف سور البيت. أمسكت بمنديلها الأبيض المطرز بزهرات حمراء وشدته على رأسها، إلا أن الريح أفلحت في اقتلاع المنديل عن رأسها فطار خارج السور، مثل طير خفق فوق غصن التينة قبل أن يعلق به. بدا شعرها الكستنائي أملساً ناعماً ينسدل خلف كتفيها حين باغتتها الريح. لم ينتبه أحد بعد للشعر الذي صار عليه لزاماً أن يقاوم الرغبة في الطيران أيضاً. وضعت يدها على شعرها ثم راقها أن أحداً لا ينظر إليها، فوضعت يدها على حافة النافذة وواصلت تأملها للمشهد.

كان الحزن يطلي الوجوه، يسكن الأعين، ينتشر عبر النظرات، يسيطر على رعشة الأيدي وهمهمة الشفاه، يدفع الأرجل للحركة المقيدة على طين التلة. ثم سكنت الريح واستقرت أوراق أشجار التين على الأرض، وسقط المنديل المعلق بأغصان الشجرة على وجوه الواقفين خلف السور، وطار من وجه إلى وجه مثل فرخ عصفور يتعلم الطيران. اشرأبت الأعناق إلى فوق، وجالت الأنظار في كل مكان بحثاً عن الشعر المكشوف «اللي بان سره» قبل قليل. كانت يافا قد ابتعدت عن النافذة بل وأغلقتها، وبان البيت من خلف المربعات الخشبية المصفوفة بعناية، مثل صندوق حكايا غريب، لا بد أن تخرج منه القصص مثل ماء يجري بين الأصابع. هرعت للحاق بالجنازة.

خرج الشباب يحملون الجثمان على دكة خشبية ملفوفاً بالأعلام والكوفيات، وجوههم صارمة تفصح عن غضب كبير داخلهم. هكذا كانت نهاية نعيم. صفقت الريح باب البيت فيما الموكب يسير ببطء تاركاً إياه لنهش الأخيلة والصور المكسرة التي ستموت مع الزمن. كان البيت الصغير المكون من غرفة وصالة صغيرة، مسقوفاً بالقرميد الرمادي، يجلس في حضن التلة الصغيرة، غير بعيد عنه يوجد بيت الحاج خليل. في الحقيقة لم يكن على التلة إلا خمسة بيوت، تبدو مثل عيون ماء في صحراء. وكان الضوء الخافت المشتعل داخل البيوت في ساعات الليل الأولى يجعلها تبدو مثل فوانيس رمضان ملقاة على الأرض. ثم سرعان -وبعد ساعات قليلة وفيما الليل في مطالعه- ما يخفت الضوء ويموت فتغطس البيوت في العتمة. ومن خلف الستائر الشفافة للنوافذ، كان يمكن أن يُرى ظلال الساكنين مشغولين في ترتيب أشيائهم قبل النوم، وقبل أن تهدأ الحركة بشكل نهائي. لم يكن يصدر عن التلة أي صوت إلا مواء القطة التي كان نعيم يعتني بها ويسكنها بجواره. أو ثغاء الماعز البيضاء المرقطة التي كان الحاج خليل يرى كل صباح جالساً على حجر صغير أمام البيت يحلبها ليشرب حليبها. أما الديك الهرم في حظيرة منزل أبو جورج، فلم يسبق له أن صاح، بل لم يكن يصدر عنه أي صوت، لدرجة أن الجميع ظن أنه أخرس.

«وهل تكون الحيوانات خرساء!!».

«يمكن».

سار الجثمان محمولاً على أكتاف الشبان وسط الهتاف والتكبير، التحق الواقفون بالمسيرة التي صارت تكبر وتكبر حتى ابتلعتها بوابة

المسجد الكبير وسط المخيم. وضع الجثمان أمام المحراب ووقف الشيخ حسن يلقي موعظة عن الجنة والحور العين ووعد الله بالنصر الذي لا يتأخر، وسرد قصصاً عن بطولات الصحابة والتابعين، واجتهد في توصيف الواقع الذي يحياه الناس على أنه محنة وابتلاء من الله وأن عليهم أن يصبروا مثل صبر السابقين. بدأ الناس يتثائبون ويتنحنحون فقد أطال في الحديث وأسهب في الشرح. لكنه لم يلتفت إلى هذا. في معمعة هذا الاحتفال البلاغي الذي كان يستعرضه ضاع الجثمان، لم يذكر عنه شيئاً، حتى وقف العم يوسف متكئاً على عكازه، وقال «يا شيخ حسن بكرا بتكمل خطبتك، خلينا نصلي على الشهيد وندفنه قبل ما تشتي الدنيا». ارتبك الشيخ، لملم أطراف عباءته التي اشتراها من مكة خلال حج السنة الماضية، وأراد أن يهم بالصلاة، فوقف العم يوسف مرة أخرى، هذه المرة حاملاً عكازه بيده مشيراً للشيخ «يا شيخ حسن أذكر مناقب الميت».

وقبل أن تدلف المسيرة الجنائزية إلى الطريق العام، الذي سيسيرون فيه مئات الأمتار، حيث سيدلفون منه إلى الطريق الطيني الذي تقع فيه المقبرة، ذهبت الأنظار فجأة صوب نهاية الطريق الترابي حيث ترقد التلة التي سكن فيها الفقيد طوال السنين الماضية، انثنت رقابهم للخلف حيث رمقت عيونهم المكان، كأن عيون المشيعين تودع التلة، وربما أعطوا الميت الفرصة ليلقي النظرة الأخيرة على عالمه الحقيقي في التلة.

تفصل التلة المخيم عن العالم الخارجي من جهة الشرق، حيث ترقد على حافة الطريق المسفلت العريض الذي يفد إلى المخيم

من جهة البيارات والحقول التي تفصل المخيم عن الحدود. ثمة مداخل كثيرة للمخيم واحد لجهة مدينة غزة وآخر لجهة طريق البحر وثالث لجهة الأحياء السكنية الجديدة التي تلف المخيم من جهة الشمال. في الحقيقة التلة ليست أكثر من مساحة مرتفعة من الأرض الطينية تكسوها أشجار السرو والكينيا وبعض الحمضيات، لكنها تبدو مثل أسد رابض يراقب الطريق. فيما مضى وقبل سنوات لم يكن ثمة شيء على التلة إلا البيت الطيني القديم الذي يسكنه الحاج خليل، حيث النوافذ مشرعة على المخيم، وباب البيت يقف شاهداً على المارة والعربات. الآن صار هناك خمسة بيوت وصارت الحركة أكثر ألفة فيها.

عموماً كل شيء كان يبدو هادئاً في جهة التلة مثل رسمة أنتيكا معلقة على جدار البيت، لا أحد يخربش عليها، هادئة ثابتة رزينة وربما مملة بعض الشيء، خاصة لسكان المخيم الذين اعتادوا الأكشن منذ أن سكنوا المخيم لاجئين من قراهم ومدنهم بعد حرب 1948، حيث لم تتوقف الحروب ولا هجمات الجيش عليهم. كانت حياتهم ترانزيت لا ينتهي. لا شيء في المخيم يقترح الاستقرار والاستدامة، فالبيوت غير منتظمة، الشوارع والأزقة تضيق وتتسع بدون أي تخطيط. وحده البيت على التلة كان يدعو إلى استقرار لا يتحقق.

في حقيقة الأمر لم يكن هناك تلة ولا ما يحزنون. على طرف المخيم الشرقي ثمة قطعة صغيرة من الأرض مرتفعة عشرين متراً ليس أكثر، أرضها طينية مع بعض التكلسات الجيرية في بعض أطرافها. كانت في الماضي وقبل أن يقام المخيم محطة للجيش البريطاني ومن

قبله التركي ينصبون الخيام ويفككونها ويذهبون، وكان الناس في الماضي يسمونها تلة الجيش. بعد احتلال إسرائيل للمخيم عام 1967 قام الجيش الإسرائيلي بما قام به سابقوه فنصب خيامه على التلة، بيد أن رصاصة، لا أحد يعرف حتى الآن من أين أطلقت، أصابت ضابط الدورية الإسرائيلية فأردته قتيلاً. يومها كان يراقب المخيم بمنظاره العسكري حين وقع مثل حجر ضخم من فوق التلة وتدحرج حتى قاع الشارع. اعتقل الجيش كل رجال المخيم فوق سن 18 سنة، وفتش البيوت بيتاً بيتاً، قلب عاليها واطيها، كسر الأثاث والزجاج، مزقوا فرشات الأسِرّة. لم يجدوا شيئاً. بدأوا بإطلاق سراح العشرات بعد شهر، وبقي عندهم أكثر من عشرين شاباً قيل أن لهم علاقة بالتنظيمات. لم يكن هذا بيت القصيد. المهم رحل الجيش عن التلة. في تلك الليلة التي رأى فيها الناس الجيش ينسل في عتمة الليل تاركاً التلة، ضحك المختار الكبير. ضحك ضحكة جلجلت المخيم. قال ساعتها لندمائه في حوش البيت وهو يمسك مبسم نرجيلته، التي سيعيد التأكيد على مسامع مجالسيه كل مرة أنها نرجيلته في شبابه حملها معه من دكانته في يافا عند النكبة «عزيزة وغالية». قال المختار الكبير: «هاي مش تلة، هاي جبل». أخذت النشوة الجميع وضحكوا، وقرقرت النرجيلة، وأعاد الليل ترديد صدى ضحكاتهم. وصار الناس يطلقون على التلة الصغيرة «الجبل». وصاروا ينظرون إليها بكثير من الكبرياء، فعلى سطحها قتل الضابط ومنها فر الجنود حاملين أمتعتهم في الليل. تستحق أن تكون جبلاً.

كانت تلك حكاية شكلت ذاكرة صلبة حول التلة، تعارضت مع ذاكرة سابقة سيطرت على نظرة الناس للتلة طوال الفترة السابقة

لقصة مقتل الضابط الإسرائيلي. أما الذاكرة السابقة فكانت قصة القصف المدفعي الذي تعرضت له الخيام التي نصبها بعض سكان المخيم أول أشهر لهم بعد النكبة على التلة، وأدى إلى احتراق بعض الخيام ومقتل عائلتين وإصابة عائلات أخرى. ظلت التلة مكاناً منحوساً لا يقترب منه أحد، فارتفاعها يجعلها أكثر عرضة من غيرها للقصف ولنيران القناصة، خاصة أن ما يفصلها عن الشريط الحدودي حزام عريض من بيارات البرتقال والليمون. يومها اشتعلت النيران في الخيام واستيقظ الناس مفزوعين وهم يرون خيامهم ألسنة لهب، ولم تكن ذاكرتهم قد جف منها حبر الأحداث المؤلمة التي طردتهم خارج بيوتهم الآمنة وحقولهم الخضراء. كانوا مثل الممسوسين يتلفتون كلما سمعوا صوتاً أو شكوا في شيء. النتيجة أن التلة لم تعد مكاناً آمناً بالنسبة لهم. حتى الصعود إلى التلة لم يكن مرغوباً. وصارت التلة جزءاً من الذكريات الأليمة. مع قصة مقتل الضابط الإسرائيلي وعبارة المختار «هاي مش تلة، هاي جبل» اختلف كل شيء. صارت التلة شيئاً أثيراً محبباً. لم تعد عدواً يخشى، بل صديقاً ينظر إليه بالرضا والمحبة. حتى حين تمدد المخيم وصارت الناس تبتني بيوتاً في الأراضي المجاورة للمخيم، لم يقترب أحد من حواف التلة. بل إن دعاوي ناظر المدرسة بتحويل التلة إلى متنزه مثلاً أو ملعب كرة قدم يلعب فيه الأطفال، بدل أن يغبروا ملابسهم وهم يلعبون في شوارع المخيم، كلها دعوات باءت بالفشل. لم يرد أحد أن يقترب من التلة. يجب أن تترك على حالها.

ولم تترك على حالها كثيراً، إذ بعد أقل من شهر من دعوة ناظر المدرسة، جاء الحاج خليل وسكن فيها. وصل فجأة، هبط من سيارة

البيجو «504» البيضاء وسار باتجاه الجبل. ألقى التحية على من يمر بهم. في الصباح كان العمال قد بدأوا في تشييد البيت الصغير، كان يراقبهم ممسكاً بمسبحته الفضية والفرحة واضحة على وجهه المستدير. وعلى عكس المتوقع لم تثر ثورة الناس في المخيم، ولم يصدر عنهم احتجاج كثير. بل إن المختار ذهب بعد يومين وعزم الوافد الجديد على الغداء.

لا أحد يعرف تحديداً القصة كاملة، فالحاج خليل قرر أن يبني بيتاً على التلة قبالة المخيم في ذلك النهار التموزي القائظ، قبل أكثر من عشرين سنة. هب كل رجال المخيم لمساعدة الحاج في بناء بيت من الطوب والطين يأويه وزوجته وطفلته التي بالكاد كانت قد بلغت الخامسة. وقف المختار وناظر المدرسة يشرفون على عملية البناء. جلس المختار على كرسي خشبي عريض وأخذ يقوم بدوره الاجتماعي يعطي التعليمات ويقدم المشورة، وكان على الجميع أن يسمع. مر الحاكم العسكري من الشارع الذي كان ترابياً في ذلك الوقت. نزل من الجيب ونظر إلى أعلى حيث الناس منهمكة في العمل، ثم صعد الممر الصغير المفضي إلى البيت الجديد وأشار للمختار وهو يقول إن الجيش سيحمّل المختار أي مسؤولية أمنية عن ذلك. وقف المختار وسار بعيداً باتجاه شجرات السرو، فيما نزل الحاكم العسكري الطريق، وأثار غباراً كثيفاً خلف عجلات جيبه المصفح.

في البداية كان الناس يسمونه الغريب، بعد ذلك عرفوا أن اسمه الحاج خليل. توافد الناس إلى بيت المختار يسألون عن سبب سكن الغريب على التلة، التي لم يجرؤ أحد على السكن فيها منذ

نشوء المخيم في أوائل الخمسينيات بعد النكبة. «يعني مين هو يا مختار؟» لم يملك المختار اجابات محددة، أو على الاقل لم يكن يرغب الخوض في التفاصيل. كان نعيم أول من قابل الغريب. كان ذلك في ساعات الظهر حيث كان الغريب يقف على مدخل الشارع المفضي إلى المخيم مع زوجته وطفلته. كانت الحيرة تشتعل في داخل الغريب، وكان لهيبها يمس من يمر بجواره. ابتسم نعيم وهو يلقي التحية ثم لم يصبر كثيراً حيث أدرك بأن الرجل غريب، عرض عليه أن يقيم عنده في البيت وخلال ذلك يفكر فيما سيفعل. أشار الغريب إلى التلة وقال انه سيبني بيتاً هناك. حرك نعيم حاجبيه في استغراب واضح وهو يقول إن أحداً لم يسبق أن سكن على التلة. سكان المخيم نصبوا عليها الخيام بعد النكبة مباشرة إلا أن الجيش الإسرائيلي قصفها بالمورتر فقتل عائلتين وحرق الخيام وتمزقت الجثث. منذ ذلك الوقت نزل الناس عن التلة وسكنوا في السهل الممتد الذي بات يعرف بالمخيم. ومنذ ذلك الوقت، التلة بالنسبة لهم شيء جميل لكنه غير مرغوب. في تلك الليلة التي بات فيها الغريب في بيت نعيم التقى الفتى سليم ابن الرابعة عشرة مع الطفلة ذات الجديلة الطويلة خلف ظهرها وعرف أن اسمها «يافا» ولعبا سوية قليلاً، قبل أن تغفو الطفلة في حضن أمها بعد يوم سفر مرهق. وفي الصباح صعد الجميع إلى التلة، وقبل أن ينتهي النهار كان البيت يقف على صدرها حارساً للمخيم.

مر الأمر بسهولة رغم الأسئلة الكثيرة التي دارت في مجالس الناس حول الغريب والتلة التي قرر أن يقطنها، وكيف لم تأت جرافات الجيش وتهدم البيت الجديد، ولماذا لا يسكن الغريب بينهم

في حارات المخيم؟ ولماذا سكت المختار وكبار المخيم عن الامر؟ لم تكن الاجابات شافية، ولم ترو ظمأ المستفسرين. وكانت آخر إجابة تلقوها «معلش الرجل طيب ومنا وفينا»، وهذه لم تكن كافية ووافية بالنسبة للناس، وهو ما دفعهم لتأليف القصص وابتداع الحكايات حول أصل وفصل الساكن الجديد، وهي قصص تأخذ شرعيتها النسبية من حادثة بسيطة، أو من تفسير غير منطقي لموقف صغير، أو من معلومة غير مؤكدة وردت إلى مسمع أحدهم. أما الحقيقة فلا أحد يعرف تحديداً ما هي، ولم يكن أحد حقاً منشغلاً بالبحث عنها، بل كان القصد كله هو أن يبلوا رمقهم وعطشهم وفضولهم في الحديث عن الرجل الذي صار واحداً منهم في ليلة وضحاها، دون أن يعرفوا الحقيقة.

قالوا إن الجيش قام بإبعاد الحاج خليل من الضفة الغربية بعد أن إتهم ابنه بإطلاق النار على الجيش في منطقة جنين. وفق هذه الحكاية فإن الحاج اعتقل لأكثر من ثلاثة أشهر هو وزوجته فيما تعهد الجيران برعاية الطفلة. تعرض الحاج لتعذيب قاس، بعدها أطلق الجيش سراحه وزوجته بعد أن تقرر إبعاد العائلة إلى غزة. ولم تنفع كل مطالب منظمات حقوق الإنسان بوقف قرار الإبعاد. حملت السيارة العسكرية الحاج من سجن نفحة الصحراوي إلى غزة معصوب العينين مكبل اليدين حيث ستصعد الزوجة والطفلة اللتين أقلتهما سيارة عسكرية أخرى، وعند الحاجز العسكري «إيرز»، قام الجندي بفك يدي وعيني الحاج. فرك عينيه ونظر إلى أشجار البرتقال المزروعة أمام الحاجز. قال له الجندي بلكنة عربية مسكرة «أهلاً بك في مملكة غزة». دفع الجندي الحاج والزوجة والطفلة خارج السيارة،

وطلب منهم أن يسيروا باتجاه الشارع حيث يقف بعض العمال ينتظرون سيارات تقلهم إلى وسط المدينة. كانت غزة قد بدأت بالاحتراق قبل وصول الحاج إليها بشهر من اندلاع الانتفاضة في كانون الأول 1987. وصارت الإطارات المشتعلة ومسيرات الغضب والجنود الذين يلاحقون الأطفال في الأزقة العلامة التجارية المميزة لمملكة الحاج التي وصل إليها حديثاً.

أما في رواية أخرى فإن الشيخ هارب من قصة ثأر عائليه كبرى لم يعرف أحد أين كانت أحداثها، لكن من المؤكد أن رأس الحاج كان مطلوباً للانتقام، ولم يكن أمامه إلا أن يهرب. اما ورعه وتقواه فليسا بأكثر من عتاب النفس ويقظة الروح بعد الجريمة التي لابد أن يكون قد ارتكبها. بل إن بعضهم حاول تقصي نسب الحاج والسؤال عنه للتأكد من الجريمة المزعومة، وإلا لماذا يفضل رجل شارف على الستين العيش وحيداً في تلة بجوار المخيم، ويكتفي بحلب عنزته والعناية ببعض الزهور والنزول إلى السوق يوم الجمعة قبل الصلاة. لم يكن الحاج يفعل أكثر من ذلك.

آخر ما قالوا إنه حقيقة الأمر: أن الحاج عاش طوال حياته في الخليج. خرج من يافا بعد حرب 1948 وذهب إلى الكويت، وعاش هناك مدرساً في المدارس الحكومية وتنقل في المواقع حتى صار مديراً للتفتيش في المدينة. لقد أنسته حمأة الحياة ووطأتها ومباهجها العودة إلى البلاد. وذهب طرف آخر إلى أن عائلة الشيخ قتلت في مذبحة صبرا وشاتيلا في جنوب لبنان، ولم يبق له أحد من العائلة فتزوج بسيدة نجت مثله من ويلات الحرب، ثم انتقل معها إلى سوريا،

ومن هناك إلى الأردن، ثم إلى مصر ثم تسلل إلى غزة عبر الحدود، وجاء إلى التلة. حاول المرور أكثر من مرة إلى يافا حيث يقولون إن له أقرباء بقوا بعد النكبة في بيوتهم، لكنه فشل فقرر أن يظل في غزة، لا شيء متاح أمامه من فلسطين إلا هي. وكانت ذكريات أطفاله وهم يلهون في المخيم قبل المذبحة تدمي قلبه، وحين يتذكر زوجته التي بقرت على عتبة البيت ترشح عيناه دمعاً مالحاً مثل جمرات تسقط على خده. رحلة قاسية من يافا إلى جنوب لبنان ثم سوريا فالأردن فمصر ثم غزة. المخيمات مثل خناجر تدمي ذاكرته. من كل تلك الروايات التي لم يتم التأكد من صحة واحدة منها، المؤكد أنه من يافا حيث أن المختار قال إن اسم عائلته حقاً يعود لعائلة في البلدة القديمة في يافا. بل إن الحاج قال إن والده كان يمتلك دكاناً للخضار في سوق اسكندر عوض.

لم يكن ذلك مهماً، إذ أن الحاج خليل سرعان ما صار واحداً منهم، وأصبح ساكناً أصيلاً من سكان المخيم وصار لرأيه وزن يعتد به في الأزمات وفي النقاشات، خاصة أن امتاراً قليلة تفصل التلة عن الحارة الشرقية في المخيم، كما أن نافذة البيت تراقب شارع الحارة وحركة الناس. مر الوقت سريعاً، وسريعاً صارت تلك الحكايات جزءاً من الماضي، ولم يعد الناس يولون اهتماماً كثيراً لها، إذ أن الايام أثبتت صحة بعضها وفندت الآخر. لكن حتى هذا لم يعد مهماً، حيث أن الشيخ صار واحداً من المخيم، وصار له ذكريات واسعة وخصبة مع الجميع. كان الحاج وعقب كل صلاة في المسجد وحين يهبط من التلة يمضي ساعة أو أكثر في المطبعة. يدفع الباب الحديدي ويدلف إلى الكرسي الخشبي قبالة طاولة المكتب، يجلس

ويتجاذب الحديث مع نعيم، فيما الأخير يواصل اشغاله قبل أن يجلس قبالته بعد أن يعد له اليانسون، مشروبه المفضل. يكاد يكون نعيم لا يشتري اليانسون إلا لضيافة الحاج.

توسعت التلة وكان أبو جورج أول من قرر بناء بيت بجوار بيت الحاج. جاء الحاكم العسكري محاطاً بالجنود وصرخ في وجه أبي جورج ان البناء ممنوع على التلة.

الناس تحدد المسموح. قال المختار.

ثم بعد سنة انتقل نعيم وأم فوزي والرجل العجوز وزوجته. صار عليها خمسة بيوت. هذه المرة قال الحاكم العسكري إنه لن يسمح بالمزيد من السكان على التلة، وهدد بإقامة موقع عسكري هناك. وهو تهديد لم يستغرقه شهر حتى نفذه. الموقع الجديد حوّل حياة العائلات الخمسة إلى جحيم لكن البقاء على التلة صار تحدياً لابد منه. وصار مجرد البقاء هناك كسراً لرغبة الحاكم العسكري.

في ذلك الصباح، كان الحاج يقطف حبات البندورة والخيار عن الشجيرات التي زرعها أمام البيت، ليحضر سلطة الخضار. يقول أحس بقلبه ينقبض ويسقط بين رجليه. استغفر الله وواصل التحديق في الخضار اليانعة المكللة بالندى. لم يصعد أحد إلى التلة لإخبار الحاج. فقط حين هبط وقت الظهر للمخيم عرف بالفاجعة. انضم إلى الجموع الواقفة أمام بيت المختار. بعد ساعة قالوا إن سيارة الأسعاف حملت نعيم في محاولة أخيرة لانقاذه لنقله إلى المستشفي. ثم عادت تحمل الجسد هامداً ليوارى الثرى.

مشى المركب في الشارع الترابي باتجاه الشرق. ثمة شارع مسفلت أسفل التلة يفصل عالم المخيم عن المنطقة الزراعية المحاذية لسكة الحديد. في الماضي كان خط سكة الحديد يمر بمحاذاة الشارع المسفلت يفصله عنه شريط رفيع من بيارات البرتقال، كان يكفي لصد ضجيج الشاحنات، التي تمخر عباب الشارع، من الوصول إلى المخيم. ولم يكن وصول القطار قادماً من الجنوب، بعد أن يكون قطع مئات الكيلومترات، إلا بشيراً ومصدراً لفرحة الكثيرين، الذين كانوا ينتظرون أحباءهم وأقاربهم العائدين من سفرات بعيدة، محملين بالذكريات والهدايا وبالأشواق والأحلام الجديدة. وكانت صافرة القطار شارة البهجة واندفاع الحنين. ولم يكن القطار يصل إلا من الجنوب أو يتجه إليه، يقطع غزة إلى رفح على الحدود، ثم يلتوي في قلب صحراء سيناء إلى دلتا مصر أو العكس. رحلة ثابتة مختصرة قصيرة، لكنها كانت تعني العالم المختلف للناس، الخروج من ضيق المكان، من الجغرافيا الخانقة، وربما من الحزن المدفون في عيونهم، والمنتشر في الأزقة مثل الظلال الساكنة لا يبرح الروح. وقتها لم تكن الأغلبية تملك ثمن تذكرة السفر إلى القاهرة مثلاً، ولم تكن تقوى على اللحاق بالجامعة، الطموح الكبير الذي كان يعني ضمن أشياء كثيرة التعويض الاجتماعي عن خسارة الأرض والمال بعد اللجوء. كان هذا أحد طموحات نعيم وأحلامه في صباه- أن يلتحق بجامعة القاهرة. ليس كل شيء يريده المرء يتحقق.

أما الطريق من الشمال إلى المخيم فلم يقطعها الناس إلا مرة واحدة، ويتيمة، حين لجأوا من مدنهم وقراهم بعد حرب 1948 إلى المخيم. كلهم جاءوا من الشمال، قلة جاءت من الشرق - من صحراء

النقب. كان أزيز الرصاص يلاحقهم، حتى في نومهم المتطقع تحت السماء العارية بين الأشجار. منذ تلك اللحظة لم يصل قطار من الشمال، وظلت سكة الحديد شمال المخيم معلقة في أفق الطريق المغلقة بالسواتر الأسمنتية وبحواجز الجنود الدوليين. وصار على القطار أن يتجه جنوباً، فيما عيون الناس تسافر شمالاً، حيث ذكرياتهم وأحلامهم وأرواحهم تسكن في البيوت التي تركوها خلفهم، وسكنوا في المخيم. كان اندفاع القطار نحو الجنوب رحلة كبيرة، يقف الناس على جانبي السكة جهة بيوت المخيم متأملين من يقدر عليها بالغيرة ربما. كلهم يحلم أن يقوم بها. أما شمالاً فثمة أحلام ميتة. وحدها التلة كانت تدرك عجز القطار عن اختراق حدوده الشمالية باتجاه البوابات والحواجز التي صارت تفصل المخيم عن الأرض التي تركها الناس. وكان الوقوف على رأس التلة يكفي ليجعل المرء يدرك هذه المفارقات العديدة والمؤلمة، حتى بالنسبة لعابر سبيل لا يرتبط بالمكان بالكثير من الذكريات، ولا يقدر على تفسير هذه المقاربات العصية على الهضم. ثمة قسوة لا تحتمل في المشهد، حيث ينبسط المخيم تحت حافة التلة وعلى امتداد سكة الحديد، تؤلمه عجلات القطار المسافر إلى عكس رغبة الناس، وتؤرق صدره سفوح التلة التي تحجب عنه النواحي الخضراء خلف الشارع المسفلت الذي تسير عليه أقدام المشيعين يحملون نعيم على دكة خشبية، أقدامهم تعيد حفر الخطوات ذاتها على وجه الطريق برتابة الحزن الذي يحسون به، وهم يستعيدون هذا الشعور الممزوج بنكهات عديدة متناقضة.

الآن لم تعد سكة الحديد، ولم يعد قطار يعبر عليها، ولا مسافرون ينتظرون هبوط من يحبون أو وداع من سيرحلون عنهم.

107

لا قطار يذهب شمالاً ولا جنوباً، ولا ذكريات تهفو إلى غير الإتجاه الذي يسير إليه القطار. فسكة الحديد ليست أكثر من قضبان حديدية ممددة على وجه الأرض، تقترح أن ثمة قطاراً لم يصل أو كأنه لن يصل. بعد حرب 1967 هجرت القطارات سكة الحديد، ولم يعد هناك قطارات تصل إلى غزة كلها. لكن السكة الحديد كعلامة ودلالة جغرافية لم تفقد مكانها بالنسبة لسكان المخيم، إذ ظلت تشكل الحدود الشرقية لمخيمهم. هجر المسافرون أيضاً السكة، كأنها فقدت وظيفتها في المجتمع، وظلت قضبانها تقاوم افتراس الأرض لها خلال السنوات العشرين الأولى بعد الحرب. تكنس الريح عن وجهها غبار الأرض، تزيح عنها الصخور الصغيرة التي تتراكم حول جانبيها مثل يدين تخنقان رقبة زرافة. ثم صارت السكة فراغاً يلعب فيه الأطفال ويجرون ويتلاحقون، غير آبهين بصفير قطار محتمل، وغير مكترثين بأيدي مودعين ينتظرون مسافراً لن يصل. كان التلاميذ بعد ما ينتهون من حصصهم المدرسية يركضون باتجاه السكة «اللي كانت»، يلهون قليلاً قبل أن يقفلوا عائدين إلى بيوتهم، بعد أن يكون الجوع قد نشب أظافره في معدتهم. الآن اختفى شريط البيارات الذي كان يفصل السكة عن الشارع المسفلت، وبدأت البيوت الأسمنتية تنغرس بدلاً من أشجار البرتقال والليمون، ولم يعد من شيء يشير إلى وجود السكة إلا شارع ترابي بعرض قضبان الحديد التي كانت تشكل عالم السكة الكبير.

تغيرات تراكمية من سرعتها وثباتها لم يعد الناس يحسون بها، إلا في اللحظات القاسية التي تفلح ذاكرتهم في النزف فيها وترش ملحاً على جراحهم غير المندملة أصلاً، مثلما تفعل الآن وهم

يقطعون نهاية الطريق الترابي مجتازين خطوط السكة التي لم تعد موجودة. كان قطار الذاكرة يصفر في أدمغتهم، يفر بهم من لحظتهم إلى سنوات عديدة هربت هي الأخرى خلف رتاج الزمن محكم الإغلاق. كانت التلة تشخص فيهم برتابة فيما الريح الخفيفة التي بدأت تهب، تحمل معها القليل من البرد. أبواب البيت ونوافذه غير محكمة الإغلاق، كأن من يقف خلفها ينظر في الجمع السائر نحو المقبرة. كما يمكن لمن ينظر إلى وجه الميت المحمول على الأكتاف أن يظن أنه يسترق النظرة الأخيرة إلى البيت قبل أن تنعطف الجنازة لتقطع الشارع المسفلت.

كان الشرطي قد أفلح في استباق الجميع ليقف وسط تقاطع الشارع، منظماً مرور السيارات من كل الاتجاهات. كان الأمر أكثر من مجرد وظيفة بالنسبة له. كان هواية مفضلة. كان منذ طفولته يحترف هذه اللعبة. ففيما يلعب الأطفال كان يرتجل دور شرطي المرور يحمل صافرته ويقوم بتأدية الدور على أكمل وجه. بعد انسحاب الجيش الإسرائيلي عام 1994 عقب توقيع اتفاق أوسلو اندفع الناس يحتفلون في الشوارع، دخلوا بالمئات إلى مقر الجيش في قلب المخيم. كانت الأسلاك الشائكة لما تزال تلف المكان، وبرج المراقبة ممدود على الأرض بعد أن نزل عنه الجيش. استيقظ الناس في الصباح الأول ولم يجدوا الجيش الذي كان قد انسل في قلب العتمة قبل أن تشرق الشمس. كان المقر يحمل الكثير من الذكريات للكثير من الناس، فهو المحطة الأولى في حياة كل معتقل في المخيم قبل أن تنقله السيارات العسكرية إلى السجن المركزي في غزة أو الصحراوي في النقب. كان الجنود يطوقون المقر ليل نهار، يخرجون منه بدوريات

تجوب شوارع وأزقة المخيم، كما كان المقر نقطة التقاء التظاهرات التي تخرج من مختلف المناطق في المخيم ملقية الحجارة على الجنود المدججين بالسلاح.

يوم خرج الجيش، وفد كل أهل المخيم إلى المقر مثل يوم القيامة. الناس من كل فج وصوب، يتنفسون الصعداء ويفتحون صفحات كتاب الحياة بأمل متجدد. ثمة لحظات يبدو فيها المستقبل أجمل رغم أننا لا نعرفه، كما ويبدو الماضي عادة أكثر قسوة لأن الواقع الذي نعيش فيه هو براءة اختراعه. صعد شاب إلى أعلى نقطة في المبني ورفع العلم في مشهد احتفالي. كانت الزحمة لا تطاق حيث بدأت سيارات تفد إلى المخيم من الطرف الجنوبي من جهة مدينة غزة. لم يكن ممكناً لها أن تتقدم سنتمتراً واحداً. كانت تلك اللحظة المناسبة ليمارس فيه هوايته المفضلة على أرض الواقع. لم تكن الصافرة لتغيب عن جيبه. كأنه كان يعرف أن هذا سيحدث. مد يده وأخرجها ووقف في المفترق، في وسطه تماماً بعد مدافعة ومناكفة مرهقة، وأخذ ينظم حركة السيارات والناس. وكان الأمر عسيراً. أفلح بعد جهد مضني في تنظيم مرور السيارات على الاقل، وصارت تقدر على دخول المخيم. اعجب المشهد الناس قليلاً إذ أحسوا بنظام ما يحاول أن يسرى في عروقهم. ظل هكذا طوال النهار حتى غابت الشمس. انهكه التعب. في الصباح دب فيه النشاط بصورة مفاجئة. كان ثمة دعوة وحافز من القدر يدفعانه للنهوض مبكراً، ليقف في وسط المفترق ينظم مرور السيارات. كان يلبس بنطاله الجينز الغامق ذاته وسترته الرمادية ذاتها. لم يتبدل عليه شيء طوال الأيام التالية التي كان يقف فيها على المفترق ينظم المرور. بصراحة صار هو علامة

العهد الجديد. صار جزءاً من التكوين الجديد للمخيم بعد انسحاب الجيش. حين يصل المرء إلى تقاطع المخيم الأساسي عند مقر الجيش يدرك أنه سيراه واقفاً بغض النظر عن درجة حرارة الشمس وقتها، شاهراً يده اليمني في اتجاه وعينه على اتجاه آخر وصافرته تصرخ في اتجاه ثالث. والأمر الذي بدا هواية صار عملاً رسمياً، فبعد أن استتبت الأمور واستلمت قوة الشرطة التابعة للسلطة الوطنية مهام تنظيم الحياة في المخيم، لم يكن من الممكن الاستغناء عنه. استدعاه مسئول الشرطة الجديد إلى مكتبه في مقر الجيش القديم. عانقه بحرارة وربت على كتفيه. اطرى عليه بجملة كبيرة من كلمات الوصف التى جعلت منه بطلاً قومياً على اقل تقدير، وقال إنه لا يمكن التفكير في شخص يتولى بصفة رسمية مهمة تنظيم المرور في شارع المخيم دون أن يكون هو. في المحصلة صار شرطياً رسمياً، موظفاً يتلقى راتباً. وصار في الصباح يلبس سترته الزرقاء فاتحة اللون، يتناول صفارته من صندوق خشبي مليء بالصافرات ويخرج إلى دوار المخيم، يقف ملوحاً للسيارات مثلما يفعل الآن. ولم يتغير عليه شيء حين تغيرت السلطة بعد انتخابات 2006. كان تنظيم المرور والحركة هو ما يهمه.

نجح الشرطي في مهمته، إذ اجتاز الموكب المفترق الشرقي للمخيم، وصار في الشارع العريض المسفلت الذي سيفضي عما قليل إلى شارع ترابي تقع المقبرة على جانبه الأيسر. وما أن دلف آخر شخص من المشيعين في الشارع، حتى سار بخطوات سريعة باتجاه الجنازة لاحقاً الميت إلى مثواه الأخير، فيما الصافرة تتدلي من رقبته من حبل مجدل رفيع. كان الوصول إلى المقبرة الشرقية صعباً خاصة

مع الطقس البارد والغيوم الكثيفة التي غطت السماء وأخفت الشمس الواهنة التي أطلت بحياء في ساعات الصباح.

امتلئت مقبرة المخيم التي تقع في الجهة الغربية الجنوبية منه، لكن الوصول لها كان سهلاً لجميع سكان المخيم إذ لا تبعد إلا مئات الامتار عن نواحي المخيم المختلفة. بعد ذلك صار الناس يدفنون موتاهم في المقبرة الشرقية. قال الشيخ حسن إنه يجب إغلاق مقبرة المخيم وعدم الدفن فيها. احتج البعض إنهم يرغبون بزيارة موتاهم. بعد تردد قال الشيخ يمكن ترك باب المقبرة مفتوحاً للزيارات فقط. «يعني نبلل القبر بالدمع» قال أحدهم. الشيخ يدرك أنه لا يستطيع الوقوف في وجه الناس خاصة حين يتعلق الأمر بالحزن والذكريات. الشيخ ذاته لا يملك حين يمر من جوار سور المقبرة، إلا أن يسترق النظر عبر الباب الموارب إلى قبر والده الشيخ الكبير، الشيخ رياض، الذي أورثه العلم والمكانة. وفي مرات تنزل الدمعة من عينه، لكن يحرص ألا تبلل ذقنه الملساء الملونة ببعض البياض. ثمة محبة لا يستطيع الورع خنقها، وثمة ذكريات لا يقدر الإيمان على نفيها. كان والده الشيخ الكبير أول إمام لمسجد المخيم بعد النكبة، حيث ابتنى الناس مصلي يؤدون فيه الصلاة، وتوسع مع الوقت على حساب البيوت المجاورة وصار مسجداً كبيراً يتسع لبضعة آلاف، ثم أنشأوا له قبة كبيرة يمكن رؤيتها من محيط المسجد بوضوح وطلوها باللون الأصفر الذهبي، أما مئذنة المسجد فكانت شاهقة بحيث ترى من كل زاوية في المخيم. في رمضان كان إضاءة اللمبات الخمسة في رأس القبة دليل رفع الآذان حيث يبدأ الأطفال بالتهليل والتكبير، وهم يجرون إلى بيوتهم معلنين حلول وقت الإفطار. كاد الناس

يسمون المسجد باسم الشيخ الكبير فهو من بني الحجر الأول ومن جاء بالمصحف الأول فيه، ولم ينقطع عن الخطبة فيه إلا في الجمع القليلة التي كان يؤدي خلالها الحج في مكة.

الشيخ رياض علامة من علامات المخيم، وقبره البسيط المتواضع لا يدل عليه إلا شاهد اسمنتي صغير عليه آية من القرآن وتاريخ ميلاد الشيخ عام 1886. الآن امتلأ المخيم بالمساجد التي صارت تنتشر في كل حارة وشارع، وصار يجب تمييز المسجد بإطلاق صفة الكبير عليه. كما كثر الشيوخ في المخيم وصار الأئمة ينتشرون في النواحي والحارات مبشرين ودعاة للدين، مطعمين دعوتهم بمواقف وتأويلات، كان الشيخ يقول إنها ليست لغايات دينية. حين يمر الشيخ من أمام قبر والده الشيخ الكبير يكاد يهمس له في قبره «إن الحياة تغيرت». ربما كان الشيخ الكبير محظوظاً أنه لم يلحظ فقدان المسجد الكبير لدوره في المخيم بعد انتشار المساجد في كل النواحي. كان سيحزن وسيغضب لأن القيام على أمور الدين صار موضة ومهمة سياسية وليست لورع وتقوى. ذات مرة لم يقو الشيخ حسن، ولم يصمد في وجه الحزن الذي أكل وجهه وهو يمر أمام باب المقبرة، فقادته قدماه بعد تردد إلى القبر. جلس ويده على الشاهد وبكى. بللت دمعه السطح الأملس للقبر. عاش الشيخ الكبير تسعين سنة. درس علوم الدين في الأزهر بمصر في عشرينيات القرن الماضي، وتفرغ للدين منذ صباه الأول في شوارع يافا. رأي شيخ شاب مر من باب المقبرة الشيخ يجلس بجوار القبر. كان ظله يغطي القبر وهو يقف خلف الشيخ معاتباً مثل شبح من قصص الخرافات: «هل تبكي على القبر!!! هل هذا من الدين بشيء؟!». في نفسه قال

113

الشيخ «شيوخ الموضة ... ماذا يفهمون في الدين .. الدين أخلاق ومحبة». عاب عليه أنه يبكي والده. هز الشيخ رأسه وقام في طريقه. لم ينبس ببنت شفه. ظل باب المقبرة مواربا يدعو الناس لتفقد موتاهم والبكاء عليهم. لم يكن من الممكن توسيع المقبرة إلا على حساب البيوت المتاخمة لها وهو ما رفضه سكان البيوت، الذين لم يجدوا مكاناً يسكنون فيه. قال الشيخ لنغلق المقبرة، وأغلقت المقبرة وصار الناس يدفنون موتاهم في المقبرة الشرقية خلف الشارع المسفلت، يقطعون مسافة طويلة للوصول إلى المقبرة الواسعة المحاطة بأسوار كبيرة. مع زيادة دفن من يقتلون في الاشتباكات مع الجيش الإسرائيلي في المقبرة الشرقية، صار الناس يطلقون عليها مقبرة الشهداء. كان مصير نعيم أن يدفن هناك قرب السلك الشائك الذي يفصل غزة عن باقي فلسطين. من أطراف المقبرة كان يمكن رؤية الأراضي الخضراء وأشجار الجميز التي تركها سكان القرى خلفهم عند الحرب ولجأوا إلى المخيم. كانت قسوة الذاكرة أكثر وطأة من الحزن الكبير على الميت، وكان الغبار الذي تثيره اقدامهم المنهكة في الشارع الرملي، الذي يربط المقبرة بالشارع المسفلت يُغبّر ذاكرة السائرين، حيث تنهض القصص والحكايات في رؤوسهم مثل أموات تنهض من القبور.

مرة أخرى أطال الشيخ حسن في خطبته على القبر. بدا أن الغيوم تتجهم في وجه السماء. انقضت غيمتان على الشمس فابتلعتاها في اندماجهما. لم ينته الشيخ من خطبته بعد حول هجرة الرسول من مكة إلى المدينة بحثاً عن مستقبل للدين الجديد. كانت تفاصيل الرحلة والاختباء في غار حراء متعة يستلذ الشيخ في سردها، دون

أن ينتبه للون السماء شديد القتامة كأنها تنزل على الصدر فتثقله. أخذ الناس برونق الكلام وبلاغة الوصف. العم يوسف تململ قليلاً وهو يتكئ على عكازه. كان يقاوم دموعاً تنهمر على خديه وهو يرى التراب يهال على نعيم، فيدرك أنه لن يراه بعد اليوم. تأمل وجوه الناس ثم رفع بصره للسماء. رائحة المطر تسللت إلى أنفه... الطريق من شارع اسكندر عوض حيث متجر أبيه إلى البيت في حي النزهة طويلة والمشي في الشوارع هواية يحبها الطفل ذو السنوات العشر الذي كانه. كانت الريح تهب من صوب البحر خفيفة لكنها مشبعة برائحة المطر. لم تكن السماء ملبدة بالغيوم، ولا احتجبت الشمس خلف غيمة فوق الماء. الجنود البريطانيون ينتشرون في الشارع، ينصبون الحواجز عند المفترقات. حمل الكيس الورقي الممتلئ ببكرات خيطان الحرير، الذي أرسله معه أخوه لوالدته لتمارس هوايتها البيتية في التطريز. فتح الجندي الكيس، فتشه جيداً. أزاح البكرات بكرة بكرة. أعادها للكيس وأشار له أن يواصل السير. كانت يافا مثل ركوة شاي تغلي على بابور الإضراب الشهير عام 1936، والطريق إلى البيت طويلة، لكن الطفل يحب تأمل الطرقات والمباني والبحر الخالي من سفن الصيد والأشجار المنتشرة في الطرقات تظللها، وتحمي المارة من الشمس اللاهبة في الصيف. تحسس المنشورات التي أجاد ثنيها وتخبئتها في جيب سحري واسع داخل سترته الجلدية. لم يخف حين اوقفه الجنود مرة ثانية. أخذ يلهو بالكيس الورقي وبكرات الحرير التي سيضحك الجنود وهم يعيدونها مرة ثانية للكيس. الكلمات الإنجليزية القليلة التي تعلمها في المدرسة أسعفته في الرد على أسئلة الجنود الذين سرهم تحدث الطفل

115

بلغتهم. «good boy» مر على المقهى التي كان يجلس عليها والده وكانت مغلقة وشعارات وطنية تزين وجه بابها الحديدي. كانت مكان والده الأثير، حيث يجلس مع أصدقائه والمعارف في أول كل مساء. قرأ الشعارات وأكمل السير. أدرك أن عليه أن يحث الخطا مسرعاً قبل أن يندلق المطر من السماء. مر عنه الأستاذ هشام مدرس اللغة العربية في المدرسة بسيارته. وقف قبالته، عرض عليه أن يوصله في الطريق. قال إنه ذاهب لمكان قريب ويفضل السير. قال الأستاذ هشام أنها ستمطر عما قليل. قال إنه سيصل قبل المطر. لكن حدسه خانه، إذ أن السماء بدأت بسكب المطر بقوة. اختبأ تحت عِلِيُّة أحد البيوت. بعد دقائق وقفت سيارة الأستاذ هشام وأقلته إلى البيت.

وما أن انتهوا من إهالة التراب على القبر، وانهي الشيخ حسن خطبته امام المشيعيين، حتى انفجرت السماء بالمطر.

* * *

كانت نيفين ابنة العميد صبحي قد ساعدت نصر في احضار المواد الإعلامية، من رايات ويافطات وأعلام، من غزة للمخيم في الجيب الشروكي الذي تملكه. وصل الجيب الشروكي على مقربة من مدخل الشارع الترابي الخلفي المفضي إلى التلة. قفز نصر من الجيب. أسند ظهره على جذع جميزة هرمة. كل الجميز هرم على ما يذكر، فهو لم يشاهد شجرة جميز شابة، شيخوخة ارتبطت بطفولته في شوارع المخيم. قدماه ترسمان خطوطاً على الأرض تقول إنه متوتر. أخرج علبة السجائر من جيب قميصه المرقط، أشعل سيجارة ونفث دخانها إلى فوق ليتسلل من بين جذوع الشجرة الهرمة.

كانت نيفين النسمة الخفيفة الرقيقة التي تتسلل إلى روحه مثل شعاع الشمس في نهار بارد، أو لعلها الشيء الأجمل الذي حدث له بعد سنوات الشقاء المريرة التي أمضاها في مطالع شبابه. لو طلب منه تلخيص حياته في سطر واحد، يمكن له القول أنه عاش في زنزانة. حياة كلها عذاب ومعاناة حتى صار الفرح شيئاً غريباً. كانت أمه إذا أخذها الضحك أكثر من مرة في النهار يجثم التشاؤم على صدرها مستغربة هذا الضحك،، الذي لابد أن يكون مقدمة لحزن كبير لا تعرفه. هكذا كانت حياته. أمضى سنوات الانتفاضة إما مسجوناً أو مطارداً لقوات الجيش. كانت أمه تراه بالصدفة وتغرقه بالدموع وتبلله بالتنهدات وهي تحتضنه، تتفقد يديه ورأسه وساقيه، تتأكد أنه لم يتغير فيه شيء. كان الشيء الوحيد الذي خرجت به من الدنيا، وهي لا تبرح تذكره بهذه الحقيقة التي يدركها، لكنه كان يتألم من إعادتها على مسامعه.

لم يكن قد مضى على زواجها شهران حين قتل الجيش زوجها عام 1971 في ليلة شتاء قارص، كان المطر فيها يدك أسطح البيت الصفيحية في لحن قاس مرعب. ليلتها خرج مع أول الليل. قال إنه عائد بعد أقل من ساعة بعد أن ينهي امراً ضرورياً. ارتشف كأس الشاي الذي أعدته له على عجل. تناول عرق الميرامية من قاع الكأس كعادته وأخذ يمضغه. طبع قبلة على خدها وخرج. كانت الريح تعوي في الأزقة مثل وحش يلاحق فريسة.

لم يعد بعدها. ظلت صورته وهو يمضغ عرق الميرامية لاصقة في ذاكرتها مثل صورة معلقة على جدار البيت، لا تغيب.

سمعت أزيز الرصاص ينهمر بين حبات المطر. كان مشوشاً وخافتاً لكنه نجح في الوصول عبر فتحات النافذة الخشبية المغلقة، تسلل عبر شرائحها الخشبية غير محكمة التثبيت. قسوة آذار لا تحتمل. بدأ القلق يأكلها حين بدأت تهاليل الفجر، ولم يعد. عند الصباح كان الخبر يملأ النواحي، والغضب يرتسم على وجوه الشباب، وهم يطرقون الباب الصفيحي دون أن ينبسوا بكلمة. كان يكفي وقوفهم الصلب عند جدار البيوت في الزقاق لتدرك الفاجعة. جاء المختار الكبير يدك الأرض بعكازه المطعم بالخرز من رأسه. كان يرفع رأسه للسماء في غضب واضح، كل خطوة تظن أنه سينفجر. مسح شفتيه بطرف لسانه. كاد أن يقول شيئاً لكن الكلمات خانته. نزلت دمعة من عينيه مثل صاعق القنبلة، فانفجرت هي بالبكاء وهي ترتمي على كتفه العريض مثل جبل.

لم يكن نصر قد رأي النور بعد، كان حلماً جميلاً في لحظة حب شتائية. انفجرت مثل غيمة وارتمت على الأرض مثل حمامة أردتها بندقية صياد. ظل الحزن يعشش في نواحي البيت، في زقاق الحارة، في المخيم على الشبان الثلاثة الذين اشتبكوا مع الجيش لأكثر من أربع ساعات في بطولة منقطعة، كما سيقول الرواة بعد ذلك. كان ذلك في بداية العمل المسلح في السبعينيات، حيث بعد ذلك سيصبح الاشتباك مع الجيش ظاهرة يومية في المخيم لسنوات عديدة، قبل أن تبطش الدبابات والبلدوزرات بالناس وبالشجر والحجر. كان نصر فكرة في عقل والديه في تلك الليلة الشتائية الدافئة، حيث موقد الكايروسين يشع حرارة ووهج قبل أن يخرج والده ليلقى مصيره النهائي. لكنه فكرة سيشاء لها أن تتحقق رغم كل شيء، إذ

ستكتشف أمه بعد استشهاد والده بشهر أنها حامل، وأن الله قرر أن يعوضها الخسارة الكبيرة. بكت مثل عادتها. بللت ثوبها بالدموع وهي تتخيل فرحته لو كان حياً وعرف أنها حامل. ما أقسى الذاكرة وما أبشع الحلم حين يزورنا في الليل. في لحظات يود المرء لو يتخلص من عقله، من رأسه، يرفعه مثلما يرفع وصلة جهاز التلفاز من الكهرباء فلا يعود يعمل. كان منظر الجنازة مهيباً. جاء به الشباب محمولاً على دكة خشبية ملفوفاً بالكوفية السمراء والغضب يسري من أجسادهم إلى الأرض. لم تمطر، لحظتها توقف الغيم عن النزف. وقفوا به أمام البيت. أطلقت إحدى النسوة ترويدة مست شغاف القلب وأدمت عيون المشيعين. ساروا به ببطء وتثاقل، يجرون الحزن والغضب. كان الجيش يقف إلى جانب الطريق شاهرين بنادقهم، صابين نظراتهم مثل رصاصات على الناس. قال الضابط للمختار، حين زاره في ذلك الصباح، أنه لن يسمح بأي مسيرة عند دفن الشباب وأنه سيستخدم كل قوة ممكنة لتفريق أي تجمع. واصل المختار سحب النفس من أرجيلته وهو جالس على كرسيه، فيما الضابط واقف يحدق به. نفث الدخان من المبسم الخشبي، رفع راسه وقال للضابط «بالطول، بالعرض، راح الناس تشارك بالدفن. انا ما بقدر أمنع الناس». «أنت المختار!!». «عشاني المختار ما بقدر أعمل شيء ضد الناس». خرج الضابط ليعود بعد أقل من ساعة محذراً ولكن بلهجة أقل حدة بأنه سيتساهل في خروج الناس في الدفن، لكنه لن يسمح بأي أعمال مخالفة للأمن، وأن جنوده سيحاصرون المخيم من كل جهة. أصرت على تسمية المولود كما كان سيسميه والده لو كان حياً: نصر.

كانت تلك الحكايات مثل قصص النوم تسردها عليه في الصباح عند الفطور، وفي المساء بعد ان ينهي حل واجباته المدرسية. شربها من ثديها وهو طفل، حين كانت تهدهده وترمي على وجهه بها دون أن يفهم. كان كل شيء فيما تقوله مألوفاً: وصف الجنازة والحزن الذي صاحب اللحظة، وصف لحظة خروجه وهو يمضغ عرق الميرامية، أخبار الاشتباك لساعات أربعة، مداهمات الجيش للبيت بعد ذلك كل ليلة لأكثر من سنة بحثاً عن سلاح مخبأ، اعتقالها أكثر من مرة واستجوابها عن نشاطات زوجها. كل تلك القصص كانت غنية بالمفاجآت وبلحظات الألم والتنهد والحسرة. أما كيف كان يحبها، وكيف كان يدللها، وكيف التقطت عيناه عينيها في طريق السوق ثم جاء لخطبتها، فتلك قصة تفرح، تسردها بلذة وشوق منقطع النظير يطفح على وجهها، تراه في اختلاج الكلام، في نظرات العين، في رجفة الشفتين والزبد الذي يغطيهما. لم تتزوج بعده رغم ضغوطات الأهل، فهي صبية لم تتجاوز العشرين والحياة أمامها، ولا يمكن لها أن توقف عمرها عند لحظة انتهت. كانت ترفض وتقول إنها ستعيش لتربي ابنها الوحيد، وانها ستكون سعيدة بذلك. لا زواج ولا رجل جديد. المختار جاء في صفها. قال لهم هي حرة فيما تختار، المهم أن تكون مقتنعة. هز رأسه وهو يدرك الصعاب التي ستواجهها في الحياة، ودون أن يقول لها ذلك، أكمل بصوت عال «راح نظل دائماً جنبك». كان طفلها كل شيء في حياتها، عالمها الواسع الذي تسافر فيه عبر الحكايا وقصص الماضي، النوستالجيا التي تتدفئ بها في ليالي الشتاء، تسرى بها عن نفسها عند حرارة الصيف.

كان نصر الطفل يكبر مع هذه القصص وينمو في هذه الحكايات. تراقبه يوماً وراء آخر، شهراً وراء شهر، سنة وراء سنة،

وكان عالمها يصبح أكثر سعادة كلما رأته كبر واقترب من أن يكون رجلاً تعتمد عليه، يخفف عنها قسوة الحياة، وشظف العيش. أرادت له كل شيء: أن يكون طبيباً، أن يكون مهندساً، أن يكون مدرساً، بل ناظر المدرسة الثانوية في المخيم، أن يكون محامياً. كانت ترسم له المستقبل كل لحظة، لا تنسى التفاصيل، كيف ستغسله عند زواجه، وماذا ستقول وتغني وهو مصمود على اللوج مع عروسه، وكيف شكل العروس. كانت تتسلى بالمستقبل الذي تود أن تراه، وكل يوم كان هناك مستقبل مختلف تريده له. والشيء الوحيد الذي ربما لم ترده له في قرارة نفسها هي أن يسير على نفس الدرب الذي ساره والده. لكنها ولمفارقة القدر، لم تكن تفعل شيئاً إلا ويدفعه لهذا الاتجاه. فالقصص والبطولة ووصف الاشتباك المسلح، والحديث عن المقاومة والثورة، وصورة ياسر عرفات الصغيرة التي كان يحملها الوالد في محفظته، لم تكن إلا جملة من الدوافع التي لا تقود إلا إلى طريق يريد فيه أن يكون بطلاً مثل والده. ولم يكن خوفها من هذا الدرب الذي لم تختره له إلا خشية أن تفقده. لم ترد له أن يرحل مبكراً مثلما فعل والده، ان يذهب بلا رجعة، أن يمضغ عرق الميرامية ليظل الشيء الأخير الذي علق بذاكرتها منه. تريد أكثر من عرق الميرامية. وبغير قصد، ربما، كانت كل قصصها تدفعه في الإتجاه الذي لا ترغب.

رأته أول مرة محمولاً على الأكتاف في شارع المدارس يقود الهتافات، ويملأ مئات التلاميذ بالغضب، يحمل علماً بيده اليمنى ويده اليسرى تلوح بالهواء، تدفع غضب المتظاهرين إلى الأمام. خالجها شعوران متناقضان. سرها أن طفلها صار رجلاً، وانقبض قلبها لأنها تعرف أن هذه المسيرة ستقوده إلى نهاية تخشاها. كان

صوته جهورياً والكلمات تخرج من فمه بقوة تهز البيوت على الجانبين، ولم يكن الطريق يقود إلا إلى مركز الجيش في قلب المخيم قبل أن تشتبك الحجارة الصغيرة، التي سيلتقطها المتظاهرون، مع الجنود الواقفين على بوابات المركز والمتمترسين خلف أكياس الخيش المحشوة بالرمل. ظلت واقفة على طرف أحد الأزقة تراقبه، يقفز قلبها كلما أطلق الجنود النيران، ثم أخذت تدور بين الأزقة علها تمسك به. لم ترد أن تفقده. ليس في الفقد من جمال ولا فرحة. «بكفي اللي صار». في آخر النهار أوقدت كانون النار ورمت حبات الكستناء بين الجمرات، وأخذت تسرد عليه مسيرة العذاب التي عاشتها بدون والده، ترعاه لتجعل منه رجلاً يكون سنداً لها في المستقبل. لم تكن تعلم أنها بهذه السيرة المرهقة تزيد من اندفاعه في قلب العاصفة. حديثها مثل جمرة كبيرة ترقد على حبة كستناء فتطقطق أكثر فأكثر. داهم الجيش البيت انتزعوه من حضنها ثم أطاحوا به أرضاً. ركضت خلف الجيب العسكري، لم تمسك منه إلا الغبار المتصاعد من دوران عجلاته على الرمل. أمضت شهوراً ست تتقلب على وجع الزيارات القليلة، التي كان يسمح لها خلالها برؤيته، تسلي نفسها بالحكايات الصغيرة التي ستسردها على مسامعه أو بالأماني التي ستفرشها له في المستقبل بعد أن يخرج. في الطريق إلى سجن النقب الصحراوي، تفر منها الحكايات وتهرب الأماني ولا تظل إلا الدمعة حبيسة مقلتيها على هذا «الحظ العاثر». خرج بعد ستة شهور، ثم عاد الجنود بعد أقل من شهرين في عتمة الليل، أخذوه، ولم يخرج من السجن إلا بعد عشر سنوات. كان ذلك من صيف 1989 إلى صيف 1999. كانت ثلاثة آلاف وستمائة وخمسون يوماً

وسبعة وثمانون ألف وستمائة ساعة. كم خفقة قلب ورمشة عين ورجفة شفة باكية في ذلك. أبهجها الحدث الجميل والكبير عن السلام وخرجت مع مئات النسوة أمام مقر الصليب الأحمر في شارع الجلاء يطالبن بإطلاق سراح أبنائهن. مضت سنوات السلام الأولى وظلت يدها تلوح في الهواء لابنها، والجنود يسحبونه خلف الشائك بعد انتهاء فترة الزيارة. لو أن الزمن كان أكثر رأفة بها وأخرجه في الدفعة الأولى التي خرجت بعد توقيع اتفاق أسلو!!. لكن حظها العاثر أو لعله السلام الميت جعل ابنها يمضي محكوميته كاملة باليوم والثانية، وكانه قدر لقلبها أن يدق حتى دفقة الدم الأخيرة في عمر سجن ابنها. حين رأته هبط قلبها في قاع سحيق، كأن جموع المهنئين قد داسته، وانفجرت مقلتاها ببكاء عاصف بلل خديها. يا الله ما أجمل الزمن حين يضحك. وضحك الزمن أخيراً، فرأته أمامها بشحمه ولحمه، بكامل هيئته. تحسسته، لقد كبر وصار رجلاً.

عمل نصر في البداية ضابطاً في جهاز الأمن في أحد المباني الجديدة، التي ألحقت حديثاً بمقر الجيش الذي صار مقراً للشرطة وللأجهزة الأمنية. كان أكثر حظاً من الكثير من زملائه ورفاقه في السجن، إذ أن بعضهم عمل مرافقاً لشخصية مهمة أو ناطوراً امام إحدى البنايات وربما مساكن كبار الضباط. ليس هذا ما كانوا يحلمون به ولا حتى في أسوأ كوابيسهم، لكن ضرورات العيش. اما هو فضابط يذهب إلى مكتبه صباحاً ويعود في المساء. لا شيء آخر. صدف بعد عودة العميد صبحي لغزة عام 2005، وتعيينه مسؤولاً في جهاز الشرطة، أن عمل نصر معه في نفس الإدارة.

قال لياسر وهو يكتب ريبورتاجاً عن تكييف الأسرى السابقين مع المجتمع، خاصة من ذوي الأحكام العالية، إنه لا يتصور نفسه بواباً أو حارساً شخصياً بعد سنوات النضال تلك. كانت الليالي الطوال، التي يمضيها مع رفاقه في عتمة الزنازين تتوهج وتضيء بالأحلام الكبيرة التي كانت تراود كل منهم عن المستقبل الجميل الذي ينتظرهم. كان كل شيء في المستقبل يبدو جميلاً، ولم تكن لحظات العذاب والتحقيق المرير الذي تعرض له إلا من آلام الطريق الضرورية. رغم ذلك كانت الأيام كفيلة بتغليف أفكاره بورقة شفافة من النسيان. كان على الحياة أن تستمر، وعليه أن يجد في تفاصيله الجديدة ما يجعل المستقبل ممكناً والغد واعداً. فالشمس حين تشرق في خد السماء تحمل معها بشائر نهار جميل رائق صاف، لا تشوبه غيمات النكد والحزن. كذلك كان وجهها حين رآها أول مرة وقد انشق باب المصعد الكهربائي، وخرجت تتدلى حقيبتها الزهرية من كتفها. كان يقف في بهو البناية ينتظر العميد صبحي في أمر هام. رمته بصباح الخير وسارت.

تفتحت زهرة الحب في قلبيهما، وجلبت النظرات المسروقة وقفات طويلة من الحديث في بهو العمارة، كانت تحدث صدفة كلما مر على العميد صبحي لحاجة ما. ثم أثمرت تلك الصدف صدف اخرى مفتعلة ولقاءات متكررة وأحاديث أطول وأطول. أحاديث عن الحياة والماضي المختلف لكل منهما. كانت أكثر جرأة منه. بعد شهر من نظرة العين الأولى، رأته واقفاً أمام العمارة ينتظر سيارة تقله إلى البيت وقت المغرب. فتحت باب الجيب الشروكي واقترحت أن توصله. بعد تردد، كان يجلس بجوارها وأضواء الجيب الكبيرة تنير الطريق.

طلب من نيفين أن تنزله قبل مدخل الشارع كي لا يراه الناس ينزل من سيارة تقودها فتاة. «الناس هي الناس من الصعب أن تتغير .. لن يستوعبوا الأمر». السنوات لا تغير الناس كما لا يغير العمر شكل الحياة، ما يتغير هو مقاربتنا لهذه الحياة. ثمة نضوج متوازي يخلق فجوات تبدو هي التغير الذي نحسه، لكن الأمر ليس كذلك. ضحكت وهي تداعب خصلات شعرها الكستنائي. وقبل أن يتم إغلاق، باب الجيب، قالت إنها ستنتظره عند التاسعة صباحاً غداً في مقهى ومطعم الديرة. في الصباح، كما طوال الليل، لم يتوقف عن التفكير في الموعد الذي رمت به دون أن تناقشه. هل يذهب؟ لعلها كانت تمزح أو لعلها لا تقصد ما قالت. عند التاسعة قادته قدماه المترددة نحو الموعد. نظر في الشارع، لم يكن ثمة جيب واقف ولا شيء. حاول أن يسترق النظر إلى داخل المقهي من الممر الطويل المفضي إلى الطاولات المصفوفة قبالة البحر، لم يفلح في التقاط وجهها. ربتت يد على كتفه، وقالت «نحن هنا». كانت قد وصلت لتوها. قضمت ما تبقى من الكوارسون وهي تسأله عن السجن، عن الماضي المرير، عن الحياة التي لا تمحى من الذاكرة. طال الحديث أكثر هذه المرة. وكأسا الكابتشينو جر ورائهما كؤوساً كثيرة.

نيفين ابنة العميد صبحي الوحيدة التي تعيش معه في غزة. فولداه درسا في الخارج وبقيا هناك. الأكبر درس في «بطرسبورغ» وتزوج من فتاة روسية يعيش معها ويعمل هناك. أما الولد الأصغير فدرس في «توبينجن» بألمانيا ويعمل في الجامعة هناك. زاراه في غزة مرة واحدة، لكنهما قررا أن يعيشا حيث وجدا مستقبليهما. عاد مع زوجته وابنته التي كانت قد أنهت الثانوية العامة في تونس والتحقت

بجامعة الأزهر بغزة. خرج صبحي من غزة عام 1968 بعد ملاحقة الجيش له، والتحق بقوات الثورة في الأردن وخرج معها إلى لبنان. من لبنان خرج بعد حرب 1982 إلى اليمن فتونس فالقاهرة حيث مستقره، قبل أن يرجع بعد توقيع اتفاق أوسلو بإثنتي عشر سنة إلى غزة، أي عام 2005 حيث سيعمل عميداً في الشرطة. فلم يعد في العمر الكثير ليمضيه في أوطان الآخرين.

في البداية أراد صبحي أن يعيد تعمير بيت والده في المخيم، لكنه وامام ضغط زوجته قرر أن يشتري شقة في أحد الأبراج التي صارت تمتد نحو السماء في حي تل الهوى. المخيم لم يعد يناسب الوضع الاجتماعي الجديد كما قالت الزوجة. لم يناقش ووافق على الفكرة، وظلت الغصة في داخله. وظل يربطه بالمخيم زياراته غير المنتظمة لأخته التي انتقلت للعيش في بيت العائلة. كانت نيفين تشعر بهذا الرابط الواهن في حكايات نصر عن طفولته في المخيم، فهي لو قدر لوالدها أن يظل في غزة ولم يخرج لكانت تشارك نصر ذات الذكريات ربما. لكنها لم تعش في غزة إلا قبل سنوات قليلة حيث جابت حواضر المنفى المختلفة من دمشق إلى بيروت إلى تونس فالقاهرة. تحبه لا شك في ذلك، وهو يحبها ولا شك في ذلك أيضاً، لكن ثمة عجلة بطيئة تدور في الحياة. لم يكن نصر راضياً عن هذا الواقع الذي يعيشه. كان كل شيء فيه يثور ويغضب، تحسه يحمل فلسطين في صدره، ولا أحد له الحق بالحديث عنها إلا هو. وكانت تحسه صادقاً. حديثه عن سنوات السجن وعن الرصاصات في جسده وعن بطولة ابيه وعن وصايا أمه... يضفي شيئاً من القداسة

التي لا ترقي للشك على كل ما يقول. يصعب أن يظن أنك لا تصدقه ولو لوهلة، او لكثرة ما تصدقه تستغرب.

الآن تغيرت الحياة كثيراً. فالعميد صبحي أصبح مسؤلاً كبيراً في الحكومة الجديدة بعد انتخابات 2006 والأحداث الدموية عام 2007، بل وأطلق لحية خفيفة تمشياً مع الوضع. قال لنصر حين ناقشه في ذلك، إن تلك قناعاته وأنه لا يتساوق مع الوضع، بل إن ما حدث استجابة لشيء في داخله. عرض على نصر أن يعمل ضابطاً كبيراً لديه في جهاز الشرطة الجديد الذي يقيمه للحكومة الجديدة. رفض وقال إن لديه أشياء كثيرة ليعملها. قال العميد صبحي فرصة ذهبية لكي ترتقي بعملك. رد نصر أن عمله من الأساس كان خاطئاً. عاد نصر إلى حياته الجديدة بكثير من النشاط والحيوية. أما العميد صبحي فواصل تحولاته بشكل ثابت، وفرض على ابنته نيفين أن تضع على رأسها منديلاً بعد أن عجز على إجبارها على لبس الجلباب. في البداية حرمها من استخدام الجيب ومن ثم منعها من الخروج من البيت. نجحت نضالاتها البسيطة ومقاومتها الأبسط والمبدئية في دفعه للتراجع، حيث قبل بالحل الوسط أن تضع منديلاً يغطي شعرها وتواصل لبس البنطال والقميص لكن ليس الجينز. في الجينز شيء شهواني كما قال لها. وافقت الفتاة. بعد فترة طلب منها التوقف عن ملاقاة نصر. قالت إنهما سيتزوجان. قال:

نصر شاب غير ملتزم.

شو يعني ملتزم. هو لازم يكون زيك عشان يكون ملتزم.

خلص لما يجي يخطبك وقتها فرج.

ومضي يتوسط حراسه الجدد بلحاهم وأسلحتهم الرشاشة. في داخله لم يعد صبحي يريد لابنته أن ترتبط بنصر، وكان فعلاً يريد لها أن تقلع عن عاداتها القديمة كلها، وتتحول إلى فتاة آخرى. كانت ساعات المساء القليلة التي يمضيها في البيت تشهد صراعاً مريراً بينه وبين زوجته وابنته، وصار في مرات قاسياً في مواقفه وصلباً في الدفاع عنها.

قلّت لقاءات نصر بنيفين في الفترة الأخيرة، حيث تضافرت جملة من الأسباب التي قادت إلى ذلك، أهمها بالطبع ضغط العميد صبحي وتقييد حركة الفتاة، بجانب التحول الكبير الذي حدث في المجتمع خلال السنوات الأربع الماضية. لم يتوقفا عن اللقاء، ولكن هذا اللقاء صار عزيزاً، وحين تسنح الفرصة. كانت تبكي وتقول إن الحياة لم تعد تحتمل. قالت له إنها تفكر في الخروج من غزة واللحاق بأحد أخويها في الخارج. هناك تستطيع أن تبدأ حياتها. المشكلة بأن والدها بالطبع لن يفوته ذلك، لذا لن يسمح لها ضباط الأمن بمغادرة معبر رفح دون إذن والدها. سجن له بوابة يصعب الخروج منها.

- الهروب ليس حلاً
- الموت هنا هو الحل!!!
- لا أحد يموت ناقص عمر.
- مش فاهمني.
- فاهمك ....

- لم يعد أمامي إلا أن ألبس الجلباب والقناع، وادفن نفسي في منظومة والدي الجديدة.

- قاومي.

- أي مقاومة ... أنت لا تحس بي. انت حملت سلاح وتقاوم الاحتلال، وانا احمل سلاح ضد والدي؟.

- لأ، ولكن اقنعيه.

- انت ما بتعرف العميد صبحي يا نصر.

- الحياة في غزة.

- زهقت هذا الحديث. الكل يقول الحياة في غزة هيك . الحياة في غزة هيك. من يصنع الحياة؟

رن هاتفه الخلوي ليخبره جارهم بأن خاله نعيم أصيب وأنهم نقلوا الجثة إلى مستشفى الشفاء. نزلت الدمعة من خده ثم انهار يبكي مثل عنقود عنب انفرط. أسئلة كثيرة يجب على سيف الوقت أن يقطعها. بعد أن أتم اجراءات المستشفي والترتيبات اللازمة للجنازة، طلب من نيفين أن تساعده في نقل المواد الإعلامية. قالت إنها ستشارك في الجنازة قال إن ذلك ممكناً فقط إذا كان هناك مسيرة للنسوة خلف الرجال. زمت شفتيها وهي تدوس على البنزين وانطلقا. ركنت الجيب بعيداً في طريق فرعي، ولحقت بالنسوة النائحات في غيمة الحزن التي تظللها غيوم كثيفة قاتمة في السماء.

كان ناظر المدرسة الاعدادية يسير جنباً إلى جنب بجوار عضو المجلس التشريعي، يتهامسان بين الفينة والأخرى، وقد بدا التعب

على الناظر وهو يمسح جبينه بمنديله. هذه أيامه الأخيرة في المدرسة، وسيتقاعد بعد عمل استمر لقرابة خمسين عاماً كان طوال العقود الثلاثة منها مديراً للمدرسة الأعدادية في المخيم. مر على يديه آلاف التلاميذ الذين صاروا رجالاً وانتشروا في الحياة وعمروا فيها. أحدهم عضو المجلس التشريعي الذي يجيد رسم دور المسؤول بشكل كبير، حتى في جنازة مؤلمة. لم يكن أحد يناديه إلا بـ«يا استاذ». كان حقاً استاذ الجميع. بدأ عمله في مدارس وكالة الغوث وهو في الثامنة عشرة من عمره. كان ذلك عام 1960 وكان قد أنهى دراسته الثانوية. لم ينه عامه الأول في المدرسة في يافا، حتى حدثت النكبة وترك يافا مع الأسرة، ومشى الطريق الطويل إلى غزة. لم يصدق. حمل حقيبته المدرسية معه وظلت تلك الحقيبة لسنوات مصدر بكاء وحزن، وهي تذكره بمستقبل زاهر كان ينتظره، فتدمع عيناه، وتتنهد أمه على عمر لم يكتمل كما يجب. في المدرسة العامرية هناك في يافا كانت الحياة تبدو أحلى والمستقبل أكثر نضارة وإشراقاً. تعلم في المدارس المتوفرة في غزة وقتها وصار مدرساً، وترقى حتى صار ناظراً للمدرسة الإعدادية. لذا كان التعليم شيئاً كبيراً بالنسبة له. كان كل شيء. وكان مخلصاً في عمله وشديد الحرص عليه. كان الحلم الذي لم يكتمل في المدرسة، حيث لم يكمل الصف الأول في يافا دافعاً نحو بناء أحلام أصغر، لكنها تفي لوقف المزيد من الإنكسارات. الشعور المخبوء في داخله، يشير إلى لحظة تجمد عندها الزمن، كفيل بأن يقتل طعم الحياة ويعمي الأبصار عن ملذاتها. لكنه كان دافعاً آخر للاستمرار. كان شديد القسوة على الطلاب، يريد لهم أن يتعلموا، أن يكونوا أحسن طلاب في العالم. جلب له هذا

الحرص صورة انطبعت في أذهان الناس، تتسم بالقسوة والشدة على الطلاب وعلى المعلمين حين أصبح ناظراً عليهم. وكان إذ يسير في الشارع يلقى عليه التحيات والسلامات كل من مر عليه. ونظراً لهذه المكانة فقد تم تمديد سن التقاعد له استثنائياً. نجح في تعليم أبنائه بشكل جيد، فأحدهم أنهي الدكتوراه في جراحة القلب، ويعمل في مستشفيات غزة، وآخر يُدُّرس في جامعة الأزهر آداب اللغة الإنجليزية، وثالثة طبيبة أسنان، ورابع مديراً لأحد فروع بنك فلسطين. لم يرغب أي منهم أن يرث مهنة أبيه. كان يتمنى أن يكون أحدهم مدرساً، لكنهم رغبوا في بناء حياة مختلفة. كان يقول لهم إن المدرس شيء هام في الحياة، وكانوا يعرفون، على الأقل حب أبيهم يجعلهم يدركون ذلك.

عاد المختار وصفي من الجنازة منهكاً. كانت بداية الروماتزم قد بدأت تؤثر عليه. قال له الطبيب يجب التعايش مع المرض. في الطريق سقطت الدمعات من عينيه، وهو يدرك أن نعيم لم يعد بينهم. حتى حين كان يمشي خلف النعش المحمول على الاكتاف، كان لا يزال يحس أنهما يسيران معاً، كان ثمة شعور بوجود نعيم، حتى لو كان جثة هامدة. أما حين عاد فإنه من المؤكد أدرك بأنهم تركوا نعيم خلفهم هناك في رقاده الأبدي.

نعيم يكبر وصفي بقرابة خمس سنوات، لكن الصداقة التي نشأت بينهما طوت حاجز السن. ليس فقط أنهما نشأا في بيتين متلاصقين، وليس لأن والديهما كانا صديقين حميمين منذ الطفولة في يافا، وليس لأنه المختار وكبير الحارة، أو لأنه صاحب البقالة

الأشهر في الحارة، وليس أيضاً بسبب طاولة الشطرنج التي تجمعهما في أيام الجمع قبل الصلاة. لكل ذلك وأشياء كثيرة.

دلف وصفي إلى البيت، فيما كانت زوجته تشعل مصباح الكيروسين المعلق قرب الباب الخارجي. صارت الكهرباء ضيفاً عزيزاً لا تكاد تُرى في اليوم، إلا لبضع ساعات ثم تختفي لساعات أطول. لا أحد تحديداً يمكن أن يقدم تفسيراً مقنعاً لهذا الانقطاع المتواصل، فالأسباب عديدة ومتنوعة، لكنها لا تغني من جوع، ولا تعيد الضوء إلى العتمة التي تلف البيوت. «لو أنه يشترى لنا مولداً مثل بقية الناس» كانت تقول لنفسها، وهي تقدح عود الثقاب وترفعه إلى فتيلة المصباح. ليس من الحكمة إعادة النقاش معه مرة أخرى حول ذلك، كما ليس من الفائدة خض قربة مثقوبة. انتشر الضوء خافتاً في نواحي حوش الدار. كان ممداً على الفرشة الاسفنجية قبالة الشباك الغربي، كانت الريح تعوي خلف النافذة المغلقة، لكنه كان يبحث عن فكرة تجلب له الاستقرار. تسكن آلام التفكير الذي لم يجد إجابة له. تناول كأس الشاي وهو يمج سيجارته. بدا شارد الذهن مشغول البال. لم يكن من السهل حسم الأمر واتخاذ قرار، فهو قد عمل في هذه البقالة منذ طفولته حين كان والده المختار الكبير حياً. كانت البقالة الأولى في الحارة، وقتها كانت تساوي في أهميتها أكبر سوبرماركت هذه الأيام. بل إن خيرها ودخلها هو من مكّن والده من تعليم أخويه الأصغرين. دائماً ثمة من يقع عليه واجب التضحية من بين الجميع كلهم. كان ذلك هو.

كان عليه أن يعمل مع والده ليتمكن إخوته من إكمال تعليمهم في الجامعات. كانت القسمة سهلة، لم تحتج لاجتهاد، فهو

الأكبر وهو الأكثر خبرة في الحياة. وهكذا وجد نفسه مرمياً في سوق العمل منذ طفولته. كان والده المختار الكبير شيخاً تجاوز الستين عاماً، رزق بالأطفال متأخراً بعد منتصف عقده الخامس. تبدو هذه الآن قصة مثيرة حين يرويها لأطفاله، لكنها تاريخ العائلة رغم ذلك. فوالده، المختار الكبير، تزوج في يافا ورزق هناك بطفلين وطفلة. قتلوا حين كان يقضى مصلحة له في الميناء مع بداية المناوشات وهجمات اليهود من جهة تل أبيب على سكان يافا. سقطت قذيفة مورتر على البيت وأحرقته بالكامل وماتت زوجته وأطفاله الثلاثة. كان شبح الموت يسكن شوراع يافا، وكانت الطريق من الميناء إلى البيت محفوفة بالمخاطر، وأزيز الرصاص ودوي الإنفجارات يخطف الأرواح، ونذر الرحيل تعصف بالمدينة الجاثمة على صدر البحر فاتحة له ذراعيها. لكنه هذه المرة سيفتح ذراعيه ليحمل ساكنيها إلى المنافي البعيدة، تاركين ملح أيامهم في مائه. ظل في المخيم ثلاث سنوات لم يتزوج. كان مجرد التفكير في أطفاله وزوجته يوقد فيه ألماً يأكل سكينته طوال الليل. بعد ضغط شديد ركن إلى ضرورة أن يتزوج لعله ينسي. وفعل. لكنه لم ينس. قالوا له أنت المختار ويجب أن تنجب مختاراً صغيراً يحمل اسمك ويحمل المخترة من بعدك. «تقاليد العيلة». تقاليد حكمت ان تكون المخترة بالوراثة.

رزق من زوجته الجديدة التي كانت بعمر طفلته التي قتلت في يافا، أربعة أطفال، كان وصفي ثانيهم لكنه أكبر الذكور. أخواه التحقا بالجامعات المصرية ولم يعودا إلى غزة. أحدهم تزوج زميلته المصرية ويعيش معها في الاسكندرية، والثاني وجد عملاً مغرياً كما يقول في شركة مقاولات في دبي، ولم يزل هناك. البنت تزوجت

وتعيش في الطرف الآخر للمخيم. تبدو له القسمة الآن غير عادلة. مات المختار الكبير في نهاية السبعينيات من القرن العشرين بعد أن كاد أن يغلق عقده الثامن. وورث عنه ابنه وصفي المخترة، وهو لم يكن قد اجتاز الخامسة والعشرين. كان المختار الكبير مهاب الجناب قوى الشكيمة. دكانته الصغيرة في الحارة ديوان تفض فيه نزاعات وتحل فيه أزمات. وكان الحاكم العسكري كلما توتر المخيم يقفز من جيبه المصفح أمام الدكانة غاضباً ملقياً اللوم على المختار، لأنه لا يتدخل في تهدئة الناس. ذات نهار طفح الغضب بالمختار الكبير، فقال للحاكم «لما أبوك كان بعده ببولندا كنت مختار يافا كلها». الحياة لا تجود علينا بما نرغب. مات المختار ووجد وصفي نفسه بالضرورة مختار الحارة، وكان عليه أن يكون كذلك.

كان يمكن لوصفي أن يتعلم، وكان يمكن للحدود أن تفتح امامه. قرابة خمسين عاماً لم يخرج خلالها من غزة، لم يعرف طريقاً خارج الشريط الساحلي، الذي لا يزيد طوله عن اثنين وأربعين كيلومتراً وعرضه عن عشرة كيلومترات في متوسطه. كان المكان بالنسبة له الدكانة الصغيرة والبيت ذا النوافذ الثلاثة والحوش الصغير، حيث يجلس يقلب حياته على مرجل يغلي، محاولاً اكتشاف العمر الذي مضى بحثاً عن إجابة مناسبة للحظة الراهنة. لم تعن له البقالة مجرد مصدر للرزق، رغم أنها كذلك. كان يقول لنفسه لو عرف أخوتي قيمة الدكانة لوضعوا لها صورة في صدر بيوتهم المرفهة في الاسكندرية ودبي، فلحم أكتافهم من خيراتها. لكنها بالنسبة له أبعد من ذلك، فهي عالمه بكليته. كان كل صباح يرش الماء على عتبة الدكانة بعناية فائقة، يمسح زجاج ثلاجة العرض . أمام الباب يضع

كرسيه القش الذي لم يتغير رغم عشرات السنين، والطاولة الخشبية المنخفضة، ويضع عليها غلاية الشاي وكأسين: واحدة له والأخرى لعابر سبيل أو صديق قديم قد يأتي فجأة، ويجلس في انتظار اندفاع النهار داخل الأزقة، فيما الشمس تنهض، تنزع عن جلدها عتمة الليل. واليافطة القديمة لم تتغير منذ عهد أبيه، تقول إنها دكانة الحاج «أبو عطا وأولاده». عطا اسم أخيه الأكبر الذي قتلته قذيفة المورتر التي أطلقت من أطراف تل أبيب على بيتهم في يافا. وظل والده يُنادي باسم ابنه الراحل، وفق العادة رغم ذلك. يوم الجمعة يجهز طاولة الشطرنج، حيث المباراة الأسبوعية بينه وبين نعيم التي تبدأ في ساعات الصباح وتنتهي حين يبدأ مؤذن الجامع الكبير في النحنحة، قبل أن يطلق ابتهالاته التي تدعو الناس لذكر الله والقيام بواجباته. عندها سيطويان الطاولة الخشبية ويغلق وصفي الدكانة ويسيران معاً نحو الجامع.

هذه الجمعة لن يلعب الشطرنج، ولا الجمعة التي تليها، ولا في أية جمعة في المستقبل. انتهت عادته تلك برحيل نعيم. في المرة الأخيرة فاز وصفي عليه، وضحك وهما في الطريق إلى الجامع على الخديعة التي أوقعه فيها، وقادت إلى انهيار قلاعه. ضحك نعيم هو الآخر فهو بالكاد كان يهزم على يد وصفي. لكنها لعبة، ولكل لعبة فائز وخاسر. انتهى من شرب الشاي، وأنهى تدخين ثلاث سجائر وعقله مثل فراشة تدور حول ضوء المصباح بحثاً عن الراحة. ابنه الكبير يريد أن يقيم محلاً لبيع اللابتوبات والجوالات والأجهزة الإلكترونية، بدلاً من الدكانة التي لم تعد تدر عليهم ما يكفيهم. الولد اتفق مع عمه في دبي أن يرسل له كل ما يحتاج إليه ليقف

معرض الالكترونيات على رجيله، بل إنه قال له إنه سيرسل له عشرة آلاف دولار التكلفة الأولية لإقامة المحل الجديد. لم تعد الدكانة تدر دخلاً معقولاً، بعد ان انتشرت السوبرماركتات في شوارع الحارة المختلفة. بعض هذه السوبرماركتات تقام على مساحات أضعاف مضاعفة لمساحة الدكانة، وتحتوي على كل شيء. كما أنه من جريمة استمرار الدكانة المتواضعة بلا فائدة وهي تقع على رأس شارع الحارة المركزي. إن دراسة جدوى بسيطة ستكشف كل ذلك. وصفي لا يفهم هذا الكلام الذي يشرحه له ابنه. كل ما يفهمه أن هذه الدكانة هي من أقامت العائلة، وسهرت على قوت عيشها. كما أنه يفهم أن هذه البقالة من رائحة والده. يكفي أنها تحمل اسم أخيه الذي قتل حين احترق البيت في يافا. فيافطتها القديمة التي وضعت عليها منذ ستينيات القرن الماضي تتذكر بشكل جيد ما حدث، وتذّكره للناس.

في لعبة الشطرنج الأخيرة، قال لنعيم إن الولد يريد أن يقلب الدكانة إلى محلٍ للأجهزة الإلكترونية، وأنه يمارس عليه ضغطاً شديداً. «اولاد اليوم لا يفهمون قيمة الأشياء». تنهد نعيم وهو ينقل أحد جنوده في ساحة المعركة، وتذكر ابنه سليم الذي لا يفهم هو الآخر حاجة والده له، يبحث عن أحلامه ولا يلتفت لأحلام الآخرين. وجهة نظر نعيم رَغم ذلك أن الدكانة مهمة ويمكن تحويلها لسوبرماركت.

القصة ليست في الدكانة أو سوبرماركت، بل في أن الولد يريد محلاً لبيع الجوالات واللابتوبات وأشياء مشابهة.

الموضة هذه الأيام هي تلك المعارض التي تجلب ذهباً، خاصة أن الولد لديه عم في دبي مستعد لإرسال الأجهزة الحديثة والصرعات الجديدة من دبي بسعر بسيط، يقوم الولد ببيعه بسعر يعود عليه بالربح الكبير. في عملية حسابية بسيطة، يمكن للمحل الجديد أن يدخل أكثر من ألفي دولار في الشهر؛ الدكانة بالكاد تدخل سبعمائة دولار. «لكنها علمتك، وعلمت إخوتك، وعلمت أعمامك قبل ذلك في الجاسات». التحق ابن وصفي بالجامعة في غزة، حيث درس تكنولوجيا المعلومات، وتخرج بتقدير جيد جداً ولم يجد له عملاً في سوق الأعمال الميت. باءت كل محاولات السفر إلى دبي للعمل في وظيفة يدبرها له عمه بالفشل بسبب إغلاق المعبر المستمر. مرت سنوات ثلاثة والولد لا يجد عملاً، إلا ضمن برامج التشغيل المؤقت المعروفة ببرامج «البطالة» التي تنفذها المؤسسات الدولية. في مرات كان يكنس الشوارع مع عشرات الملتحقين الآخرين في هذه البرامج، وبالطبع كانت الاتربة والأوساخ تعود لتملأ الشارع، بعد أن يديروا ظهورهم قافلين إلى بيوتهم.

في الطريق إلى الجامع، أعاد نعيم سرد آلامه بسبب عدم عودة ابنه للعيش معه في غزة، ليصل إلى كلمة أقلقت وصفي أكثر مما أراحته. قال من الصعب معاندة أولادنا حين يكبرون. قال إنه حين أدرك أن ابنه يجد حياته في إيطاليا أكثر مما يجدها في غزة، أيقن أنه من العصي تغيير مسار حياته. «لا تقول للمغني غني إلا لما يجيه الكيف».

ما لم يعرفه نعيم أن هذا الكيف سيكون وفاته، حيث سيضطر سليم للقدوم إلى غزة. أحس وصفي بالمرارة وهو يفكر في هذا

137

القدر. لم يكن أحد يتوقع موت نعيم. حين كان الرجل يفكر بعائلته تنزل الحكاية من بين شفتيه مريرة. إحساسه بالفقد والأشواق غير المشبعة والعناقات التي لم تحدث، كل ذلك كان معتاداً في حواراته مع أصدقائه. لم يعد الحديث في الطريق إلى الجامع حول مشكلة وصفي وطلب ابنه تحويل الدكانة إلى محل الكترونيات، بل تركز على حياة نعيم. بعباراته البسيطة والأنين المتسرب مع جمله ينجح في سرقة قلب مستمعيه. الآلم الذي تعبر عنه الحكاية دون أن تجرح رقة العبارات، تجعل من نعيم لاعب سيرك ماهر يقفز بين الأحزان والآلام، ثم يعود عند انتهاء القص إلى بشاشته.

هذه قصة نعيم، التي يقررها ابنه وليس هو. شاع أن ابن نعيم سيعود إلى غزة وسيصل بعد دفن والده بيوم. بعضهم اقترح أن ينتظروا حتى يأتي ابنه يودعه. الوداع جزء من الحياة، اللحظة الأخيرة التي يلتقي فيها ما تبقى من ضوء الحياة بوجه من أحب. اللحظة الخالدة التي تدوم رغم ظلمة القبر، تظل مع الميت حتى البعث. لكن ذلك لم يكن ممكناً، إذ أن إكرام الميت دفنه.

وقضي الأمر.

الفصل الرابع
الرحلة خارج الإطار

لم يتأخر سليم. جاء عند التاسعة. كان المقهى شبه فارغ إلا
من بعض الرجال كبار السن، يلعبون الورق بنشوة تليق بأعمارهم
الجميلة الذي يتذكرونها، فيما تصدر عنهم ضحكات خافتة يمنع كبر
السن انفجارها، فيهتز سطح المقهى الخشبي. كان «يورو» ينفخ
كومة الفحم في الموقد الضخم، وهو يعيد تجميعها مرة أخرى بملقط
حديدي طويل، قبل أن يخرج كومة جديدة من الكيس الورقي الكبير،
ويرميها فوق النار الشابة التي أخذت ألسنتها تنبعث من الموقد. ثم
استدار وتناول نرجيلة عن الرف الجانبي حيث تصطف عشرات
النراجيل. أعاد تثبيت خرطوم النرجيلة. رفعها فوق عينيه . تأمل
الماء في القارورة. دلق بعضاً منه على الأرض بجوار الحائط، ثم أعاد
سحب الهواء عبر الخرطوم. رسم ابتسامة على وجهه تقول إن كل
شيء تمام. حمل النرجيلة وسار بها إلى طاولة يجلس إليها شابان
يبدوان طالبي جامعة، حيث ثلاثة كتب متوسطة الحجم أمام كل
منهما وهما يتراشقان حديثاً قلقاً عن الامتحانات والمقرر. وضع
«يورو» النرجيلة ثم مسح الطاولة، وبخطوات بطيئة ذهب نحو
مطبخ المقهى الداخلي حين التفت فجأة إلى الطاولة الجانبية قرب

الباب الزجاجي. توقف وأعاد خطواته قليلاً للوراء. كان بنطاله الجينز الأزرق الباهت مطبّعاً ببعض القهوة التي اندلقت عليه خلال يوم عمله الذي يبدأ مع السابعة صباحاً وحتى العاشرة ليلاً. بعض بقع القهوة تناثرت على حذائه الأسود المشدود برباط بني على قدميه. كل شيء في «يورو» يقترح أنه يعمل في هذا المقهى، حتى نظرات عينيه اليقظة وهي تدور في أرجاء المقهى تتفرس وجوه الزبائن، تفهم رغباتهم دون أن يتحدثوا أو يطلبوا. كان يحفظ كل رواد المقهى الدائمين، ويحفظ «طلب» كل واحد منهم. ولما كان الأمر كذلك، فهو عادة ما يأتي إليهم بطلباتهم بعد فترة من جلوسهم دون أن يسألهم، ويوزع عليهم ابتساماته الهادئة بتفاوت، تستطيع خبراته في المقهى أن تزنه حسب ارتباط الزبون بالمقهي وتردده عليه. فهو لا يخفي هذا الشيء الشخصي في علاقته بالزبائن، فهو أيضاً يضيف على خدمته شيئاً شخصياً يرتبط بتقديره وموقفه من الزبون. هذه اللمسة الشخصية هي ما يضفي الحيوية على حركة قدميه وعلامات وجهه، وهو يتنقل بين الطاولات داخل المقهي أو في الممرات الجانبية خارج الأبواب الزجاجية. فهو قد يكتفى بالابتسام حين يرى أحدهم، وقد يرفع يده بالتحية فيما هو منشغل بتجهيز النرجيلة أو نفخ الفحم، لكنه قد يرفع صوته مرحباً عند دخول البعض، أو ورغم معرفته شبه الأكيدة بطلبات الزبائن قد يسأل عن مشربهم للتأكد ولكن بصوت خافت، وطبيعة السؤال تقول إنه يعرف. وإذا أراد «يورو» أن يغدق على أحدهم بالمحبة، فإنه سرعان ما يسأل بصوت جهوري «شيشة يا فلان»، وهذا يعني أن فلاناً صاحب حظوة عند «يورو». وربما نادي أحد الزبائن «عمي فلان»، رغم أن هذا قد يكون أصغر

منه سناً، لكن ليورو مقاييس خاصة في تقييم الأشياء والتفاعل مع الزبائن. فقط في حالات نادرة يكون مزاجه سيئاً وتتعطل عنده كل رامات الذاكرة ومعالجات الحيوية، فيتصرف بحيادية مملة حتى بالنسبة له. ملل يلاحظه كل رواد المقهي فينزل عليهم ويصابون بالعدوى. وهي أيام تثقل فيها مطالب الحياة كاهله، خاصة حين تكون أمه وقبل أن يخرج، وفيما هما يجلسان حول طبلية الطعام قبل شروق الشمس، قد أثقلت أذنيه بقائمة طويلة من المطالب، التي لا يكفي راتبه الذي لا يزيد عن ألف شيقل لتغطية نصفها. يحس بثقل الحياة ووقعها عليه. لكنه رغم ذلك سرعان ما يعود إلى «يورو» الأصلي المليء بالحيوية والنشاط، فهو يعرف أنه لا يستطيع أن يغير شيئاً، لذا لا داعي للنكد. عندها يضع نرجيلة خاصة به، قالبها نحاسي وقارورتها من الزجاج المعشق، على طاولة حديدية صغيرة قرب رف النراجيل، ويسحب أنفاساً تطرد من روحه سأم الحياة وكدر مطالب البيت.

وقوف يورو فجأة حين رأي سليم يقترح أن الأخير ربما كان صاحب حظوة خاصة عنده. رفع يديه وهو يقول بصوت ممدود «ميييييييييين؟ معقووووووووووووول». ثم خطا باتجاه الطاولة وهو يقول «وين هالغيبة؟»، ثم بمهنية عالية ودون أن ينتظر إجابة قال «نعنع بالشاي». كان يورو مازال يتذكر أن هذا مشروب سليم المفضل، حيث يقوم «يورو» بزيادة أوراق النعناع على كأس الشاي. ضحك سليم حيث أدرك أن يورو مازال يذكر طلبه الخاص. مد «يورو» يده وصافح سليم، وهو ينظر إليه بحيرة مفتعلة.

وين كنت؟

برا.

بعرف، قالوا في أوروبا.

صحيح.

وليش رجعت؟

كل غائب مصيره يرجع يا يورو.

يبدو أن «يورو» لم يعرف قصة وفاة والد سليم. مط شفتيه، وبدا الاحباط على وجهه كأنه لم يكن يريد لسليم أن يرجع. استدار فجأة وهو يلوح بيده لثلاثة رجال يلبسون عباءات سوداء. وفيما يعتمر أحدهم كوفية مثبتة بعقال على رأسه، فإن الأخرين يلبسان بدلة برباط عنق تحت العباءة التقليدية.

«أحلى لجنة إصلاح في غزة».

سار «يورو» نحو المطبخ الصغير. تناول بعض المشاريب التي وضعها على صينية نحاسية كبيرة، وأخذ يوزعها على الطاولات المختلفة. كان سليم لم يزل ينظر إلى «يورو» يتأمل حركته الدؤوبة ونظراته المتفرسة للمكان خاصة نفخه للنار بين الفينة والأخرى كي لا تهمد. كان منظر النراجيل على الرف الجانبي بألوانها المختلفة يقول أن يورو يقوم بواجبه على أكمل وجه، فهي كلها معبأة بالماء ومجهز فوقها رؤوس التبغ المحشوة والملفوفة بالسلفان. هذه المرة جاء يورو بكأس الشاي المليئ باورواق النعناع مثل كل مرة قبل سبع سنين. كأن شيئاً لم يتغير. كأنها نفس الكأس الزجاجية الشفافة، وكأن النعناع مقطوع من ذات النبتة. حبات السكر العالقة حول حواف

الكأس ذاتها، مثلما كانت تعلق قبل سبع سنين، والملعقة الصغيرة في قلب الكأس تنتظر من يحركها ليذوب السكر المتكوم في القاع.

وما أن استدار «يورو» حتى ابتسم وهو ينظر إلى الباب الخارجي، حيث دخل ياسر والكاميرا الكانون تتدلى بشريطها الأسود من رقبته. وعلى كتفه تتشعبط حقيبة سوداء. سترته الرمادية ذات الجيوب المتعددة المليئة بقطع ومعدات متنوعة، تعطي إنطباعاً بأن الرجل قادم من أرض المعركة. كان يحب مهنته، وكان يحب ان يرى الآخرون ذلك. فهو قد يبالغ في حمل الكاميرا على الطلعة وعلى النزلة حتى في اللحظات التي لا يكون هناك قصف او اجتياح للقطاع، وهي لحظات باتت في السنوات العشر الماضية نادرة. حتى في تلك اللحظات فإن ياسر كان يحمل كاميرته ويلتقط الصورة لسيارة واقفة، لمجمع القمامة، لبناية جديدة قيد الإنشاء أو لأخرى تهاوت بعد أن دكتها طائرة الإف 16، ولم يبق منها إلا أعمدة أسمنت جرداء تدل على حياة كانت، لأطفال يغذون السير إلى المدرسة، لإمرأة عجوز بثوبها الفلاحي القديم المطرز، لوجه «يورو» وهو يقف متأملاً المقهى والزبائن. ولم يكن من الصعب الظن أن ياسر يبالغ في مرات كثيرة، خاصة إذا كان المرء لا يعرف إلا القليل عن الصحافة، أو ربما لا تروقه الصحافة التي تصنع من حياة الناس ومعاناتهم مادة تأكل منها أشهى وجباتها. وهو شيء يدركه ياسر، ويعرف أن الناس تتضايق في مرات عديدة أن أحزانهم تصبح سلعة تتسابق على اقتنائها الكاميرات. ويعرف أنهم، أي الناس، محقون في ذلك. ذات مرة صرخ فيه رجل دمرت الجرافات بيته ذا الطوابق الثلاثة، واقتلعت أشجار النخيل حول البيت، وسوت كل شيء

بالأرض، وصار عمره وشقاه الذي أدخره بعد عشرين سنة من الغربة في الكويت كومة من الركام. كان ياسر منهمكاً بالتقاط الصور المختلفة لتفاصيل كومة الاحلام تلك. تجمعت بعض حبات العرق على جبيبنه وهو يقترب ويبتعد عن الركام ليتيح لعدسته التقاط الصورة الأفضل من الزاوية الأفضل. صاح الرجل «شو بتصور مارلين مولرو». لم يجادل ياسر. فهم. اعتذر وهو يغلق فوهة كاميرته.

وقف «يورو» قرب الباب الزجاجي. تناول كأس الشاي وصينية نحاسية عن الطاولة الأقرب له، في استعراض واضح وفي دعوة لكاميرا ياسر أن تلتقط له صورة. كان ياسر في كل مرة يأتي فيها للمقهى يأخذ صوراً مختلفة ليورو، الذي كان يتفنن في تقديم عروض تلبى توقعات الكاميرا من صبي المقهى المحترف. مرة يمسك النرجيلة بيده اليمنى ويضع خرطومها في فمه، وبالطبع لن ينسى أن يسحب نفساً عميقاً حتى تلتقط الكاميرا الدخان يفور فوق الماء في قارورة النرجيلة، والجمرات فوق التبغ تلتهب مثل نجمات صغيرة في صحن خزفي. ومرة يحمل الصينية النحاسية وفوقها كأسين من القهوة والشاي، ويسير ببطء وبثقة بعد أن يحاول لملمة ملابسه ليبدو أكثر أناقة. وربما وقف بجوار رف النراجيل ووضع يده على خاصرته ورسم ابتسامة عريضة، تقول إن هذه النراجيل لصاحب الصورة. لكن الثابت أن «يورو» لن يفّوت فرصة دون أن يأخذ ياسر له صورة، أو لعل الحقيقة أن ياسر ما كان ليتردد في التقاط الصور ليورو حتى في اللحظات النادرة التي ينشغل فيها الأخير. فقد يحدث أن يدخل ياسر دون أن يلتفت له يورو الذي يكون منهكاً ومتعباً في أول الليل. يذهب مباشرة نحوه بعد أن يجهز

كاميرته وتصبح عدستها على أهبة الاستعداد لتخزين صورة يورو في ذاكرتها. يلتقط له صورة مهما كان يفعل. و«يورو» الذي لن تبدو عليه علامات الدهشة عندها سيواصل ما يقوم به، ولكن هذه المرة ليعطى الكاميرا فرصة أخرى في تواطؤ يصبح متفقاً عليه. فقط في تلك الصورة يبدو يورو في وضع حركة وتبدو على وجهه ملامح العمل وشوائب التعب. وإذا ما أضيفت تلك الصورة إلى الصور الأخرى التي يقوم فيها يورو استعراضاً للكاميرا، فإن ألبوم الصور الذي يحتفظ به ياسر في لاب توبه ليورو، يسجل حياة الرجل الحافلة في المقهى. ومهما كان الأمر فإن ثمة لحظة في حياة يورو لابد لكاميرا ياسر أن تلتقطها، وهي لحظة تتم بالاتفاق والتراضي.

رفع ياسر الكاميرا، وأخذ يداعب ازرارها، وهو يبتسم ليورو قبل أن يضعها على عينيه، ويلمع ضوء خفيف ضاع بين حزمة الضوء التي ترسلها الشمس عبر فتحة في لوح الصفيح الذي يغطي ممر المقهى، ثم صدر عن الكاميرا صوت يقول إن الصورة قد التقطت. لم يهتم «يورو» يوماً أن يطلب من ياسر أن يريه الصورة أو الصور التي التقطها له، وهي لابد أن تكون بالمئات. كان الأمر عادياً بالنسبة له. ربما للمتعة. لم يعر الأمر الكثير من الاهتمام، ولم يحاول أن يذهب به أبعد من حدود اللحظة التي تصدر الكاميرا فيها لمعتها التي تجمد اللحظة في ذاكرتها. كما أن ياسر لم يخطر بباله أن يُري «يورو» الصور، ولم يستغرب أنه لم يسأله. ثمة اتفاق من نوع ما غير معلن ومقبول من الطرفين. سار يورو باتجاه ياسر. سحب الكرسي من حول أقرب طاولة، وكأنه يعرض على ياسر أن يجلس وهو يقول «أجيبلك شيشة!!». كان ياسر يتفحص المقهى بحثاً عن شيء ما.

سأل «يورو» باهتمام « بتدور على حد؟». عندها وقعت عينا ياسر على سليم، يجلس حول طاولة داخل المقهى، يرتشف كأس النعناع مع الشاي. نظر إلى «يورو» وأشار بيده إلى سليم. فهم «يورو» الأمر، فسأله مرة أخرى «أجيبلك شيشة هناك!!». هز ياسر رأسه وهو يسير باتجاه سليم، وقبل أن يصل وقف قبالة الطاولة. أمسك كاميرته وأخذ يلتقط الصور السريعة لسليم. كانت صور الشهداء وبوسترات من رحلوا خلف سليم كثيرة بحيث بالكاد يظهر أي أثر لجدار المقهى السراميكي الأبيض جهة المطبخ، وكانت الساعة القديمة على الجدار خلف طاولة صاحب المقهى تقول إنها التاسعة وخمسة دقائق. أشار ياسر للساعة وقال «على الميعاد. بج بن. تسعة يعني تسعة، مش تسعة وخمسة، أو تسعة وعشرة». انتبه إلى انها فعلاً تسعة وخمس دقائق. وبذات النبرة أستطرد أن ساعة المقهي ليست صحيحة. سحب كرسياً وجلس بعد أن وضع كاميرته وحقيبته على كرسي مجاور.

تغيرت الدنيا مع ياسر وجاءت على هواه. تبدلت الأحوال وأصبح الآن صحفياً محترفاً دائم العمل، سواء مع الوفود الأجنبية التي تزور غزة لتغطية الأخبار والحوادث والاجتياحات أو من مكتبه الصغير الذي تأجره في إحدى بنايات شارع عمر المختار بالقرب من المقهى. في البداية لم يفهم ياسر اللعبة. ظن أنه مضطر للعمل مترجماً بسبب حصوله على بكالوريوس اللغة الإنجليزية. الترجمة مملة، فبعد أن أنهى عمله مع أول صحفي رافقه بوصفه مترجماً كان ذلك في عام 2000 بعد بضعة أيام من اندلاع الانتفاضة الثانية، وفيما كان الصحفي الاسترالي يناوله أتعابه، سأله إن كان

يستطيع أن يكتب لهم قصة إخبارية لصالح الصحيفة التي يعمل بها في «ملبون». وقبل أن يجيب ياسر طمأنه الصحفي، وطلب منه أن لا يقلق بشأن اللغة، فسيهتم هو بتحرير القصة لغوياً. طبعاً لم يعرف الصحفي أن ياسر ما كان ليرفض هذا العرض لو كان بلا مقابل حتى، فما بالك لو كان يأتي لياسر بمائتين وخمسين دولاراً مقابل كل قصة لا تتعدي الألف كلمة. كان الصحفي الأسترالي ألبيرت أول من علم ياسر الدرس، الدرس الأول في المهنة، وهو أول من فتح عينيه على الكنز الإخباري الذي تشكله معاناة الناس في غزة. وهو ذاته استخدم هذه الكلمة. قال له ليلتها أشياء كثيرة، فيما هما يتمشيان في شارع البحر مقابل فنادق آدم وفلسطين والبيتش. أشياء ستظل تلازم ياسر في مهنته التي اكتشفها بالصدفة.

ليست صدفة تماماً، فياسر أدرك منذ البداية أنه يستطيع أن يقوم بشيء. شيء يكسبه لقمة عيشه، ويجد في نفس الوقت فيه نفسه. قال له الصحفي إن غزة مخبز أخبار. كل دقيقة يخرج من هذا الفرن رغيف جديد. ارغفة من أخبار طازجة وشهية لوسائل الإعلام. كانت الصورة قاسية في البداية لياسر، شديدة وبشعة، لكنها معقولة. كان ياسر ينظر إلى البحر فيما أضواء سفن الصيادين تصطف داخل الماء مثل شارع مضاء بمصابيح كهربائية. فجأة بدأت سفينة كبيرة تقترب، بكشاف ضوئها القوى يشق عتمة البحر، من صف السفن، ثم صدر عنها إطلاق نار كثيف. ضحك ألبرت وهو يشير للبحر ويقول «أترى هذا ما أعنيه». هذا يحدث دائماً في غزة. كانت الصدمة على وجه ياسر كفيلة بأن تدفع ألبرت للإسترسال، بأن ما يحدث لا يد لنا فيه، لكنه يحدث. هل نتركه دون أن نتحدث عنه. نحن كنا

نسير بجوار البحر نستمتع بنسيمه العليل، لم نظن أن الطراد الإسرائيلي سيطلق النار على سفن الصيد لكنه فعل. حين أرسل الصور الليلة للصحيفة، وتكون هذه الجريمة على وسائل الإعلام في كل مدينة وقرية في العالم، فإننا نفضح هذه الممارسات.

عموماً لم يكن ياسر ليرفض بأي حال، فهو بحاجة لعمل. ما لم يعرفه ياسر وقتها أن هذا الحوار وهذا العرض سيكون له تأثير كبير في تغير مسار حياته، حيث لن يتوقف الأمر على مجرد قصة شهرية بمئتين وخمسين دولاراً. بعد أسبوع من مغادرة ألبرت، رن هاتف ياسر المحمول الذي اشتراه قبل أقل من شهرين. كان المتصل صحفية ألمانية، قالت إنها في تل أبيب وإنها ستصل إلى غزة غداً، وان صحفياً استرالياً قابلته في العراق أعطاها رقمه. طلبت من ياسر أن يرافقها في رحلتها التي ستستغرق خمسة أيام. وهكذا تدحرجت الكرة.

الحكاية كلها صدفة بصدفة. فعمل ياسر مع الصحفي الأسترالي كان صدفة. في ذلك النهار من شهر أكتوبر، كان ياسر يخرج من المقهى لا يعرف أين يقصد، حين أوقفه صحفي أجنبي وسأله عن «المنتدى». قال له ياسر إنه بحاجة لأخذ سيارة أجرة للوصول لهناك، فهو بعيد قليلاً. «يعني بحاجة لخمسة وعشرين دقيقة من المشي». فسأل الصحفي إن كان بإمكانه مرافقته. لم يكن عند ياسر ما يمنع، فهو أصلاً لا يعرف أين سيذهب عندما طلب من «يورو» أن يرفع النرجيلة وانقده ثمن المشروب والنرجيلة وخرج من المقهى. في الطريق تجادل مع الصحفي حول أشياء كثيرة، كلها تتعلق بالوضع الجديد الذي تفجر بعد فشل مفاوضات كامب ديفيد

وزيارة شارون للحرم القدسي الشريف. سأل الصحفي إذا كان عرفات قد أخطأ حين رفض العرض المتعلق بالتسوية. كان المنتدى مكتب ياسر عرفات على شاطئ البحر أشهر مكان في القطاع بعد انشاء السلطة الفلسطينية عام 1994. وما أن وصلوا حتى كان التعب قد أخذ من ياسر، فاقترح ألبرت أن ينتظره نصف ساعة ثم سيدعوه للعشاء. هز ياسر رأسه، وقال: نصف ساعة نصف ساعة فهي فرصة يمارس خلالها اللغة الإنجليزية التي كادت تضيع من فمه بعد أربع سنوات من التخرج والعمل في مهن مختلفة من البناء إلى النجارة. في مطعم الديرة على البحر اقترح ألبرت أن يرافقه ياسر غداً في تغطية الاحداث قرب مستوطنة نتساريم، وعرض مقابل يوم العمل والترجمة مائة دولار. وهكذا بدأ الأمر، صدفة لكنها صدفة جميلة. في مرات كثيرة ترمي بنا الدنيا في متاهات نظن أننا سنضيع فيها، لكننا نفلح في اكتشاف أن هناك طريقاً مضاء بمصابيح باهرة، وفي آخر الطريق استراحة جميلة نجلس فيها، فنستذكر آلامنا في الماضي. لا أحد يحب الحزن لكننا كثيراً ما نتذكر هذا الحزن في لحظات السعادة، لأن هذه السعادة ما كانت لتتحقق أو ما كنا لنحس بها بشكل كامل لولا لسعات الحزن على أجسادنا. لهذا دائماً يبدو الماضي شفافاً نافذاً في الروح قادراً على المساس بالحاضر حتى لو افترق عنه. هذا بالضبط ما أحس به ياسر وهو يعود أدراجه في ذلك اليوم التشريني إلى المخيم، وسيارات الإسعاف تبتلع شارع الجلاء وهي تنقل ضحايا الاشتباكات، التي صارت تندلع في كل نقطة تماس مع الجيش الإسرائيلي، وصارت وقتها الجنازات حدثاً مألوفاً، والغضب يرتسم على وجوه الناس، وقبضات أيديهم في

149

الهواء تعلن أن ثمة لحظة جديدة في طور التشكيل، هي ذات اللحظة التي جعلت ياسر صحفياً، وصحفياً محترماً بلغة الناس.

تطورت الانتفاضة وانتقلت من مرحلة إلى مرحلة، وتوسعت أشكالها وأساليبها، وتغيرت معها أحوال الناس ومعيشتهم، وكذلك فعلت لياسر، فمن وفد صحفي لآخر ومن عمل لآخر حتى تحسن الوضع واستطاع أن يشترى شقة في تل الهوى جنوبي المدينة، ويفتتح مكتباً خاصاً به في إحدى بنايات شارع عمر المختار بجوار برج الشروق، أحد أهم مخابز الصحافة في غزة. في غزة هناك بنايات تقع فيها مكاتب عمل الوكالات الدولية المصورة والمكتوبة: برج «الشوا - الحصري» في شارع الوحدة وبرج الشروق في شارع عمر المختار وبرج الجوهرة على تقاطع الوحدة مع الجلاء. المسافة بين هذه الأبراج لا تتجاوز الدقيقة والنصف سيراً على الأقدام. في برج الشوا الحصري ولدت صناعة أخبار الانتفاضة بشكلها الكبير والأكثر انتشاراً على يد شركة رامتان. بدأت رامتان شركة صغيرة بشقة متواضعة، لتتطور مع تطور الانتفاضة وتوسع أعمال الشركة والتغطيات الحصرية التي صارت تبثها من غزة إلى شركة ضخمة تحتل أكثر من طابقين في العمارة، وتتأجر بنايات أخرى حول ذات البرج. في ذات البناية كان يقع مقر الجزيرة والـ«بي بي سي»، أما الـ«سي أن أن» فكانت تستأجر خدمات رامتان. كان المربع بين شارعي عمر المختار والوحدة الذي يحدد ضلعه الشرقي شارع الجلاء بين تقاطعي ضبيط والسرايا، ويحدد ضلعه الغربي شارع فلسطين من الجهة المقابلة، يشكل قلب الحركة الإخبارية في غزة، حيث مكاتب الصحافة والمؤتمرات الصحفية أسفل البنايات.

وستحرص المسيرات والتظاهرات أن تمر من هناك لعلها تحظي بنعمة التغطية. لم يقتصر الأمر على الأبراج الثلاثة، بل تعداها إلى بنايات أخرى في الجوار. في واحدة من تلك البنايات استأجر ياسر مكتباً صغيراً مكوناً من غرفة وصالة صغيرة، ووضع يافطة على واجهة البناية مقابل نافذة المكتب تحمل اسم «مركز غزة للخدمات الإعلامية». صار تأسيس شركات إعلان ومكاتب صحافة موضة غزة الجديدة. طبعاً أنشأ ياسر موقعاً إلكترونياً للمركز ترويجاً لخدماته. والجديد أنه صار عند ياسر موظفة تقوم بتنسيق العمل له ومصورين وثلاث كاميرات بتاكام وواحدة ديجيتل. وصار يستقبل متدربين من أقسام الصحافة في الجامعات المحلية. هكذا سارت الدنيا بياسر، بحيث صار جزءاً من ماكينة الحياة الجديدة في غزة.

كان يدرك أن هذا القدر، الذي جعل الأمور تسير في هذا الاتجاه، هو ذاته القدر الذي سحق المئات غيره، خاصة حين ينظر إلى رفاق طفولته في المخيم الذين لم يفلحوا في التعلم والالتحاق بالجامعات، أو حتى بعضهم الذي أنهى الجامعة ولم يتمكن من إيجاد وظيفة، إما بسبب البطالة، أو بسبب عدم وجود واسطة تمكنه من اقحام نفسه في مؤسسة أو وزارة، أو لأنه لم تأته الفرصة مثل ياسر ليقابل أحدهم ويغير حياته. الكثير منهم لم يعمل منذ سنوات، بل حتى بعضهم اقترب من العشر سنوات بدون عمل. أحدهم باع مصاغ زوجته ليشتري خمسة أجهزة كمبيوتر ويفتتح محلاً للإنترنت وألعاب الكمبيوتر، حيث صارت محلات الانترنت موضة جديدة في قلب المخيم، حتى يظن المار بأن كل أهل المخيم «ينتتون». والحقيقة أن الجميع يفتح مثل هذه المحال في محاولة لايجاد لقمة

عيش. من يسأل عن هؤلاء!! بالطبع ياسر لا يفعل. ليس لقصور منه فهو يرغب في ذلك، على الأقل هذا ما قاله لسليم وهو يمج نفساً عميقاً من الأرجيلة التي وضعها أمامه «يورو». لم يقدم أحد دولاراً واحداً لجيش العاطلين عن العمل هذا... عشرات الآلاف الذين كانوا يعملون داخل الخط الأخضر في يافا وتل أبيب وأسدود والمجدل، و يعودون لأطفالهم بالمال الذي يقيهم العوز والفقر. يخرجون بعد منتصف الليل بقليل، ويصطفون طوابير أمام حاجز إيرز، ويتعرضون لأبشع أنواع التفتيش والتدقيق، قبل أن يسمح لهم بالمرور إلى مواقع أعمالهم، ويعودون بعد أن تكون الشمس قد أطفأت شعلتها في قلب البحر. من يفكر في هؤلاء؟ الصحافة لا تحب هذه القصص. الصحافة تريد موت، قصف، دمار. الخبر السيء خبر جيد. أما الناس البسطاء فليس لهم إلا أن يزاحموا بين أدغال الحياة. ذات مرة كتب ياسر قصة اخبارية عن عائلة فقيرة (كل الناس فقراء في المخيم)، كيف تمضي وقتها وتتدبر مصروفها اليومي، حيث تمر أيام لا تتناول فيها إلا وجبة واحدة في اليوم. المرأة الخمسينية تمضي الوقت تبحث عن أبواب المؤسسات، تطرقها مؤسسة مؤسسة بحثاً عن كابونة، والرجل يقف طوال النهار خلف عربته الخشبية يبيع الترمس والنابت. «قصة مؤثرة» هكذا قال ياسر. عنونها بـ«كابونة حرية». كانت العبارة الختامية في القصة هي ما أثارت المحرر في الصحيفة الأسترالية التي بات ياسر يعمل معها. «إن ما تحتاجه هذه الأسرة ليست كابونة إعاشة وطعام، بل كابونة حقوق سياسية»، هكذا كتب ياسر. اقترح المحرر حذف هذه العبارة. تغير العنوان إلى شيء يتحدث عن الفقر. اقترح المحرر

عبارة وردت في داخل القصة : «كل الناس فقراء في المخيم». قال لياسر على الهاتف شيء محزن يمسك قلوب الناس ويؤثر فيها. رفض ياسر أي اقتراح، وأصر على الإبقاء على القصة بعبارتها الختامية وعنوانها الأصلي. النهاية أن القصة لم تنشر. صديقه مصور لدى إحدى وكالات الصحافة العالمية - لن يفوت ياسر التأكيد لسليم أنه فاز بجوائز عالمية كثيرة، معظمها عن أفضل صورة عن الحروب المتكررة على غزة. كان ياسر ذات نهار يقف معه فوق سطح برج «الشو - الحصري»، ينظرون إلى غزة . تبدو غزة جميلة من فوق، هادئة ونشطة ومنظمة. السيارات تسير في الشوارع مثلما تسير في أي مدينة في العالم، والناس تتحرك بطبيعية وعادية. من الصعب إدارك الحزن الكامن فيها أو الغضب المرسوم على وجوههم، لأنك من فوق لا ترى وجوههم. كل شيء تمام بالنسبة لمن يقف فوق، هكذا قال ياسر لصديقه الذي أخذ يداعب كاميرا الفيديو الحديثة ويوجهها في اتجاهات عديدة. قال فجأة وهو يشير باتجاه بناية عالية في وسط بنايات منخفضة: «تخيل لو يسقط الآن صاروخ من طائرة أف 16 على تلك البناية، وأكون الوحيد الذي يلتقط المشهد... واو... » وصرخ «اكسكلوسف». كان الاقتراح بشعاً وقاسياً. المصور يريد أن يموت العشرات، بل ربما المئات ليتمكن من أخذ صورة حصرية. لم تند عنه أية إشارة لمعاناة الناس والموت الكثير الذي سيحدث. بل إن فكرة سقوط الصاروخ أثارت فيه النشوة والفرحة، اما معاناة الناس فشيء آخر. شيء لا يهمه أو كأنه لم يخطر له على بال. تماماً يشبه هذا تعليق الصحفي الأسترالي ألبرت على إطلاق الطراد العسكري الإسرائيلي النيران على سفن الصيد الصغيرة في شهر

أكتوبر قبل سنوات. لم يفكر في الصيادين الذين ربما قفزت جثثهم في البحر بعد أن أماتتها رصاصات الطراد، ولا في السفن التي ربما تكون قد غرقت وفقد معها العشرات مصدر رزقهم. هكذا فقط تكون غزة مخبز الأخبار، فرن دائم الاشتعال تخرج منه المعجنات الساخنة والشهية للكاميرا ولنشرات الاخبار.

بدأ المقهى يمتلئ بالزبائن، وصار صعباً أن يجد سليم «يورو» ليضع له الفحم على رأس النرجلية الخافت إلا بعد محاولات حثيثة. كان ياسر يسرد عليه قصصه في الصحافة وكيف يصبح الإنسان مادة، سلعة للصورة أو للخبر، في محاولة لتبرئة نفسه امام غضب سليم من تواطؤه في تصميم البوستر الذي يحمل صورة ابيه. وهو غضب ليس لياسر يد فيه، ولا يجب أن يكون موجهاً ضده. «الناس كلها هيك». قال وهو يسحب نفساً عميقاً من مبسم النرجيلة. «ليس ذنبي ... أنت تتحدث هكذا لأنك كنت خارج البلاد. بعد شهرين راقب نفسك كيف تتكيف، وتصير جزءاً من الماكينة». فهم سليم قصد ياسر، لكنه لم يزل غير قادر على استعياب كيف يتحول والده الضحية لبطل، فهو لم يرغب في الموت على الاقل، كما أنه لم يكن سعيداً عند موته بالمعنى المجازي، فهو أكيد لم يضحك حين باغتته الرصاصة، بل تأوه. فلماذا لا يقولون إنه ضحية، وليس بطلاً. «كلنا أبطال» ضحك ياسر. البطولة شيء زائف، خاصة حين لا يكون للمرء خيار في تقرير مصيره، حتى لو كان الموت. فاختيار الإنسان لقدره ليس قدرا، كما أن موت رجل فوق الستين من عمره امام باب محله حين باغتته رصاصة ليس قدراً، بل هو نتيجة لماكينة موت كبيرة تلتهم الناس وتأخذ أعمارهم، وتسافر بها إلى أماكن

مجهولة، قد تكون الفردوس، وقد تكون السماء، وقد تكون أحلاماً مرغوبة، وقد تكون عالماً آخر. لكن المؤكد أن الناس ليسو أحراراً في اختيار ذلك. حتى سليم نفسه ليس متاكداً أن والده كان ليقبل أن يموت فجأة هكذا مقابل أن يصبح أعظم بطل في المخيم. ما نفع البطولة حين لا تجعلنا نعيش سعداء. من يصدق أن أماً تزغرد على موت ابنها. ربما ما كانت لتفعل ذلك لو تركها الناس وحدها، وهي لن تفعل، ولكنها وبوصفها جزءاً من الماكينة التى ترسم لها دوراً خاصاً عن البطولة، يجب أن تزغرد أمام الكاميرا. بذلك فياسر مدان مرة اخرى من وجهة نظر سليم لأن الكاميرا تهوى فقط تصوير عذابات الناس، بل هي تحرضهم على المزيد من العذاب ، بمعنى ان الناس تصبح قادرة على توقع ما تتوقعه منهم الكاميرا، وهو نفس الشيء الذي سيفعله «يورو» مثلاً حين تناديه كاميرا ياسر... سيقف مستعرضاً مهاراته في حمل الشيشة أو صينية الشاي. ببساطة أيضاً «يورو» يفهم الدور المطلوب منه أو الذي تتوقعه منه الكاميرا – ان يكون صبي المقهي النموذجي. من هنا يميل الناس إلى تحويل توقع الآخرين إلى شيء داخلي نابع من نسيج تصرفهم الطبيعي. «يعني البطولة قد تكون ادعاءً». مشكلة ياسر (هكذا يظن سليم) أنه يدرك هذه المعادلة لكنه يصر على أن يكون جزءاً من الماكينة، وهو رغم اصراره على أنه يقوم بدوره على أفضل وجه إلا أنه مثل الترس الجيد في ماكينة خربانة، ما نفعه!! بل هو يحاول أن يقدم صورة جميلة بريئة لماكينة قاسية لا ترحم. بذلك فهو يشارك في ديمومتها. حتى لو لم يكن الأمر كذلك، فإن البطولة ليست ادعاء بل هي توصيف خارجي لفعل ما. توصيف يحاول أن يؤسطر الحدث ليجعل منه

نسقاً يجب اتباعه. من هنا يصبح الشهيد بطلاً حتى لو كان طفلاً رضيعاً، أو تصبح الطفلة التي فقدت عائلتها على شاطئ البحر بطلة، رغم أن هذه البطولة أفقدتها أبويها وإخوتها وأخواتها.

- تخيل لو أن قذيفة سقطت الآن على المقهي ومتنا!!

- لكن الناس تحتاج هذه البطولة لتستمر.

أياً كان الحال، فإن غضب سليم كان زائداً ومبالغاً فيه كما يعتقد ياسر. أثار الدنيا ولم يقعدها بسبب بوستر «بطولي» كما يسميه، عمله الشباب لوالده. هو غير قادر على استيعاب الأمر بعد سبع سنوات في أوروبا. عاد فجأة ليجد أن الأرض تغير وجهها والسماء قد تبدل لونها والناس ليسو الناس. «هيك طبيعة الحياة». أكثر من مرة حاول أن يشرح له ذلك، لكنه في كل مرة كان يواجه بمنطق وتحليل صارمين. فجأة بعد أن قام «يورو» بتغير فحم النرجيلة، فتح ياسر كاميرته وأخذ يقلب في ذاكرتها وضغط على صورة وهو يقول «بس البوستر بيجنن. كيف عمي أبو سالم طالع فيه!! شيء خرافي»، وضحك ضحكة أثارت انتباه رواد المقهي. ثم أخذ يحدق في الصورة. أيضاً مثل عادته كان ياسر يلتقط الصور الكثيرة للعم نعيم داخل المطبعة وخارجها وفي الحارة. غير أن الفرق بين نعيم و«يورو» مثلاً -وهذا أمر يدركه ياسر- أن العم نعيم لم يقم يوماً بالاستعراض امام الكاميرا، ولم يعرها يوماً انتباهاً. كان يرى ياسر وهو يصوره، ينتقل من زاوية إلى أخرى، يقرب العدسة ويبعدها ، لكنه لم يكن يشغل باله بالطريقة التي سيبدو فيها في الصورة. كان يظل منشغلاً في عمله، وإذا أحس أن حركة ياسر تعطل عمله يقول

له بشيء من الأبوة «روح أعملنا قهوة». وكان ياسر يدرك أن كل زيارة لمطبعة نعيم ستكلفه غلوة قهوة. «عندي أكثر من سبعمائة صورة لأبيك». مد سليم يده نحو الكاميرا ببطء. أزاحها نحوه وأخذ يداعب الصور في ذاكرتها: صور طبيعية تصور والده في لحظات العمل. ثمة صورة استوقفت سليم وأخذ يحدق فيها ملياً. كان نعيم يمسك بقفل المطبعة والباب مغلق كأنه يفتحه. بدا نعيم في الصورة مثلما كان في لحظاته الأخيرة، حيث كان يضع المفتاح في القفل حين باغتته رصاصة. لكن حقيقة الأمر أن هذه الصورة لم تكن ذاتها لحظة مقتل نعيم. فوفق ما سيرويه ياسر فإن الصورة التقطها له في ذروة الانتفاضة. كان وقتها منهكاً بعد أكثر من عشرين ساعة عمل متتالية. يومها قام بإعداد أكثر من عشرة بوسترات لعشرة شهداء سقطوا في اجتياح أطراف المخيم. بكى مثل طفل، وكانت دموعه تتساقط على ماكينات المطبعة. هدّه البكاء وهو ينظر إلى الشباب الذين أكل الموت حياتهم، وقد خبرهم أطفالاً نموا حوله مثل زهرات بستان البيت. يومها لم يمر ياسر صدفة على المطبعة، بل جاء برفقة وفد صحفي أجنبي ليصوروا الجنازات التي خرجت تجوب المخيم، تحمل نعوش القتلى. كانت النعوش فوق الأيادي كأنها تصعد إلى السماء على بساط ريح غير مرئي. تطير بخفة ودعة، تهرول إلى منتهاها. والشباب والصوت الأجش من داخل عربة الإذاعة يصرخ ويهدد ويتوعد، والنسوة في مؤخرة الجنازات يذرفن الدموع، وتند عنهن الآهات، فيما الشباب تحيط النعوش بالأعلام والرايات وصيحات الغضب. وكعادة الجنازات، في طريقها إلى المقبرة، يجب أن تمر من الشارع الكبير الذي يتفرع منه الشارع المفضي للمطبعة.

وكعادته سيقف نعيم أمام باب المطبعة يتأمل الجنازات واجماً. كان ياسر والصحفيون الاجانب يسيرون إلى جانب المسيرات يلتقطون الصور حين انتبه للعم نعيم عند باب المطبعة. سلم عليه، وسلم عليه أفراد الفريق الصحفي. قال له ياسر إنه سيمر بعد عملية الدفن لشرب القهوة عنده. ولم ينس ياسر أن يضيف «أنا راح أعملها». في ذلك اليوم جلس عنده ياسر والصحفيون لأكثر من ساعتين، حدثهم خلالها عن عمله في المطبعة، وعن الشباب الذين تحولوا إلى بوسترات وصور يحملها الناس، وعن الحزن الذي يخلخل قلبه كلما عمل بوستراً لطفل أو شاب، حيث يتحول العمر إلى صورة. يتخلخل قلبه مثل قفل صديء، يطقطق وتتفكك مفاصله. غير أنه أصر ألا يقوم الصحفيون بالكتابة عنه والاقتباس من حديثه. رغم احتجاجهم ومحاولاتهم اقناعه بغير ذلك، إلا أن نعيم أصر وقال «خلي الحكي للسياسيين». بإمكان ياسر أن يحاول مرة، لكنه يعرف أن ليس للامر علاقة بالمحاولة، فالعم نعيم لن يغير موقفه. الفتاة التي راقها الحديث الجميل والبليغ الذي صدر عن نعيم لم تقتنع بالمطلق، وحاولت أن تقول له إن ما يقوله السياسيون غير جوهري لأنه يعبر عن موقف سياسي، أما ما قاله فهو الذي يعبر عن حقيقة الأمر.

حقيقة الأمر أن لا يحدث كل ذلك.

ولكنه حدث. ماذا نستطيع أن نفعل غير أن نتحدث عنه.

أنا لا أحب الحديث عنه، أقوم بعملي جيداً ولا أكثر. فأنا أعرف أنني لا استطيع وقف عجلة الأحداث.

أريد فقط أن أكتب عن عملك.

ليس مهماً.

لا تقرر! دع الناس تقول إذا كان الذي تقوم به مهماً أم لا.

وما أهمية ذلك!!

خلال هذه المحاورة كان منهمكاً في لصق صور البوسترات العشرة التي أنجزها اليوم على جدران المطبعة الداخلية. كانت البوسترات في كل مكان، ملصقة على كل زاوية وعلى كل جدار وعامود. كانت المطبعة من الداخل كأنها سجل للذين قضوا خلال الربع قرن الماضي منذ انطلاقة الانتفاضة الأولى في ديسمبر 1987. صور لنساء ورجال، شبان وشابات، شيوخ وأطفال. «كل هذه بوسترات عملتها» قالت الفتاة. هز رأسه وهو يمسح يديه من الصمغ الذي علق بهما.

مطبعتك متحف، سيرة حياة ناس

تقصدين سيرة موتهم.

شيء من هذا القبيل، لكنه جميل.

الموت ليس جميلاً .. محزن.

صحيح، ما أقصده أن ما تقوم به جميل، أنت تفهم أهمية ما تقوم به.

عندها لم يفهم نعيم ماذا تقصد، فلم يجب. أما الفتاة فكأنها فهمت أنه لم يفهم، فاستطردت: «أقصد أن ما تقوم به بالاحتفاظ بالبوسترات القديمة شيء له أهمية، فهذه صارت جزءاً من التاريخ».

لم أقصد كل ذلك، فقط أريد أن أتذكر هؤلاء، انا أعرفهم.

وأنا أتذكرهم من خلالك الآن.

وكانت تشير لبوستر يحمل صورة شاب وأسفل الصورة تاريخ عام 1988. في الحقيقة كان أسفل الصورة تاريخان واحد يؤرخ لميلاده والثاني لوفاته.

تخيل لا أحد يتذكر هذا الشاب إلا من خلال الصورة.

امه وأهله يتذكرون، وربما يبكون عليه الآن، مثلما بكوا عليه لحظة سماع وفاته.

أعرف، لكن ما أقصده أنه باستثناء أهله من يتذكره.

انا.

صحيح.

وأصدقاؤه بالتأكيد.

ولكن ها أنا فتاة من أوروبا أتحدث عنه الآن.

لأن هذه مهنتك.

ليس تماماً، بل لأن هذه الصورة حافظت على وجوده

صمت نعيم، ثم قال فجأة: هذا كلام جميل، لكنه لا يغير من حقيقة الأمر شيئاً.

ليس مطلوباً من كل ما نقوم به أن يغير شيئاً.

يعني هل يعود الشاب حياً حين نتحدث عنه، هل يكفكف حديثنا دموع أمه أو يخفف من حزنها!!!

أكيد لا.

إذاً؟

160

اسقط في يد الفتاة التي كانت في تلك اللحظة تلعب في قوابض إحدى الماكينات. سألت فجأة وهي تنظر لياسر: «هل تعرف بيت هذا الشاب؟»

كان نعيم قد فهم ما دار في ذهنها، فقال «امه مازالت على قيد الحياة». سألت وهي تنظر إلى نعيم «هل تأتي معنا؟» هز رأسه بالنفي. «سأنتهي من تنظيف المطبعة ثم أذهب إلى البيت. عملت كثيراً اليوم». وقف ياسر في إحدى زاويا المطبعة، وكان يجري مجموعة من المكالمات عبر الجوال. جاء بعد خمس دقائق ليقول للفتاة الأسبانية إنه قد حدد موعداً مع ام الشاب. ابتسمت وهي تقول «دائماً ياسر يعرف عمله». انتهى نعيم من تنظيف المطبعة، وخرج الثلاثة فيما كانت الشمس في آخر لحظاتها، تمعن في الذهاب غرباً جهة البحر. بدا الشارع فارغاً بعد الجلبة الكبيرة التي أحدثتها جنازة الشهداء. ثمة أطفال في آخر الزقاق يلعبون الكرة ونسوة قادمات من جهة المقبرة. سحب نعيم أبواب المطبعة وطبقها سوية. أخرج المفتاح من جيبه. كان يضع المفتاح في القفل حين التقط له ياسر هذه الصورة.

ما لم يدركه ياسر أن كل هذه القصص التي يرويها لسليم عن والده، والنقاش الذي دار بينه وبين الصحفية الأسبانية يعزز وجهة نظر سليم وموقفه، لكن ياسر يدرك أنه مهما كان الأمر فإن سليم بالغ في الأمر. فمن حق والده، العم نعيم الذي ساعد خلال قرابة ثلاثة عقود في العمل الوطني وخاطر خلال ذلك، ان يعمل له بوستر وجنازة، فهو بطل رغم كل أطروحات سليم عن البطولة والضحية، ومحاولاته تفريغ الكلمات من محتواها وإعادة صياغة المفاهيم.

هذا لا يهم، ما يهم هو موقف الناس.

لكنه ضحية.

كلنا ضحايا الوضع. شو يعني!!

لا شيء ولكن لا تحاول أن تؤطر الواقع. فقط صفه كما هو.

تريد أن تقول للناس أن من يقتلون ضحايا وليسوا شهداء!!

مش هيك.

إذا كان ربنا في القرآن قال عنهم شهداء وأحياء ويرزقون.

كان «يورو» عند هذه اللحظة يضع شاياً لعجوزين جلسا
على طاولة مجاورة لطاولة الشابين. تدخل «يورو» عندها ليقول
«متعصبش يا استاذ ياسر». فقط تدخل «يورو» كان سبباً لوقف
الحديث والبحث عن حديث آخر. نظر ياسر إلى ساعة يده، كانت
تشير إلى الحادية عشرة وكان عليه أن يلتقي بمجموعة من
الصحفيين في مكتبه.

نصف ساعة. ماذا ستفعل؟ هل ستظل هنا؟

لم يجب سليم.

ما رأيك أن نمشي في الشارع قليلاً.

نادى ياسر على «يورو». أنقده ثمن المشروبين والنراجيل، ثم
وقف الإثنان وسارا باتجاه الشارع. شارع عمر المختار هو قلب
مدينة غزة. يربط المدنية من أطرافها الشرقية حتى البحر. وهو
الشارع التجاري في المدينة، حيث تقع على جانبيه المحال التجارية
من رأسه حتى أخمص قدميه. لكن الجزء الذي يبدأ من تقاطع
الشارع مع شارع الجلاء عند مفرق السرايا وحتى المجلس التشريعي

يشكل المنطقة الحديثة فيه التي تمتليء بالمحال الجديدة للملابس والزينة والمجوهرات والحلويات وبالطبع المصارف ومحال الصرافة وبعض المطاعم والمقاهي. والشارع بين هذين التقاطعين يكون مزدحماً بشكل مستمر حتى ساعات الليل. سار الشابان بين هذين التقاطعين يتبادلان الحديث عن العمل وعن المستقبل وعن غزة والحرب والناس. سأل سليم فجأة «ألا تفكر بالهجرة!!». هز ياسر رأسه بالنفي. استمر سليم في قلقه «بالمطلق!».

كل غزة بتفكر تهاجر.

بعرف.

وانت؟

ليش أهاجر. كل اللي بدي اياه عندي.

صمت ياسر ثم استطرد وهو يتامل خطوات سليم القلقة على الأسفلت.

بعدين الدنيا زي موج البحر، مرة فوق ومرة تحت. مصيرها تعمر.

يقصد غزة. سيبدو هذا الحديث متفائلاً كثيراً بالنسبة لكثيرين في غزة، بل مفرطاً في التفاؤل، وقد يثير الغضب والحنق عند بعضهم لأنه يتجاهل واقع حالهم. وكما سيقول سليم في نفسه ماذا يريد ياسر من غزة، إلا أن تكون كذلك ... تقدم له وجبات دسمة من المواد الإخبارية كي تستمر مهنته. فإذا توقف الحال وتحسن، تراجعت صناعة الأخبار التي يحترفها. في ذلك بعض الافتراء الذي يحس به ياسر مبطناً في استغراب سليم من عدم رغبته

163

بالهجرة. ففي حقيقة الأمر فإن ياسر، كما سيعترف لمحدثه، لا يقول هذا الكلام لأصدقائه في المخيم وحتى للناس الذين يقابلهم في العمل او الشارع. بالطبع هو يتساوق مع كل أحاديثهم عن «قرف» الوضع وصعوبته، ويشارك الشباب أحلامهم بالهجرة، وعند المسؤولين وقادة الفصائل يتحدث عن الصمود والبطولة.

أنت لا تستطيع أن تفعل غير ذلك. لا يمكن أن تغرد خارج السرب. يجب أن تكون جزءاً من المجموع .. مع هؤلاء تشاركهم أحلامهم وتفكر بآلامهم.

قال سليم لنفسه «إنها ماكينة»

ساد صمت قطعه صوت سيارة الشرطة. سأل ياسر «شو صرت تفكر بالسفر!! يا دوب إللك أسبوعين بالبلد».

ابتسم سليم «كل غزة تفكر بالسفر حتى يورو».

في الحقيقة لم يكن ياسر وفياً بشكل كامل لكل ما قال، فهو مثلاً سجل حواراً طويلاً لنعيم مع الصحفية الأسبانية دون علمه. في مكتب ياسر جلس سليم على الكنبة خمرية اللون، ينتظر انتهاء لقاء ياسر مع خمسة صحفين وثلاث صحفيات حول انتخابات نقابة الصحافين. طلب منه ياسر أن يشاركهم رأيه إن رغب. قال إنه يفضل الجلوس في الصالة. كانت كاميرا الفيديو موضوعة على الطاولة الخشبية القصيرة أمام الكنبة الخمرية. أرجل الطاولة الخشبية العريضة مطعمة بمربعات واسعة من الجرانيت الأبيض مؤطرة بحواف من المعدن الأسود. بدت الأرجل مثل أشرطة تصوير نيجاتيف مدلاة من سطح الخشب الزان. وكذلك كان صوت نعيم

ينساب من شاشة الكاميرا، يطير حول سليم في اصطياد حقيقي للحظة حنين لم تكن عابرة. نسي سليم غضبه المفترض من قيام ياسر بتصوير والده مع الصحفية دون علمه. في التسجيل ثمة حياة تبعث مرة أخرى، تعيد التقاط اللحظة. وجد نفسه منساقاً وراء الحوار الرشيق والعفوي الذي يجريه والده. بالطبع لم يكن نعيم يعرف أن ثمة كاميرا تخلّد ما يقول إلى الأبد، وان لحظة ما ستأتي في المستقبل يمكن فيها بعث هذا الحوار من رقاد النسيان الأبدي. يجد المرء نفسه أكثر طلاقة وحرية في الحديث بعيداً عن عدسة الكاميرا. فكرة أن يشاهدك أحد، أو ان تعرف أنه يسجل ما تقول، تحد من عفويتك وطبيعيتك، تجعلك تفكر فيما ستقول وماذا ستفعل، تجعلك أكثر وعياً فيما تفعل. وعندها تتحول أكثر لمثل من يعرف أن ثمة من يشاهده وأن عليه أن يقول شيئاً ما. نعيم لم يدر بخلده كل ذلك. هو فعلاً يكره الكاميرا، يكره الصور. لأنها هي ذات الصور التي تعذبه كلما نظر إلى البوسترات المعلقة على جدران مطبعته، لشبان وفتيان قضوا أمام عينيه. كان يؤلمه ان ينظر إليهم، لكنه لم يكن يملك إلا أن يلقي عليهم التحية كل صباح حين يفتح باب مطبعته، والشمس تحاول النفاذ من شقوق السقف الأسبستي. امتد الحوار لقرابة نصف ساعة كانت خلالها الصورة ثابتة لا تتحرك، يبدو فيها وجه نعيم كاملاً، وقليلاً ما يظهر جزء من جسم الصحفية، ربما خصلة شعر متطايرة، وربما انثناءة كتف حين تميل عليه بالسؤال. كعادته فإن حديث نعيم سلس وهاديء، لكنه مشبع بالوجع. ما أن أطلت صورة والده في الكاميرا، وبدأ عباراته القليلة عن عمله في المطبعة وتعبه من ثقل الصور حوله، حتى كانت كاميرا أخرى تعيد بكرتها

165

للخلف في ذاكرة سليم، حيث كان نعيم يقف على طرف الزقاق ينظر إلى سليم يحمل حقائبه يرمي بها فوق سيارة المرسيدس التي ستقله إلى معبر رفح البرى. كان ثمة مسافرون آخرون في السيارة، ولم يكن النهار قد شقشق بعد. الريح مثقلة بالندي في ذلك الصباح التشريني، ونعيم يتكأ على جدار احد البيوت يتأمل ولده الذي يصر على الشقاء. بالنسبة له كل سفر شقاء فهو ذات السفر الذي حمله بين يدي أمه، وهو لم يكمل يومه الأول من يافا إلى الخيمة في سوافي غزة. لكن ثمة مشهد شبيه ومؤلم لا يود نعيم أن يعيده في ذاكرته. إلا أن بكرة الذاكرة وتروسها بدأا تقهرانه وتعودان للوراء. كان صوت ارتطام المشاهد وتزاحمها وهي تتسابق كي تقفز على شاشة الذاكرة، يؤلمه ويزيد من الصداع الثقيل الذي يشعر به، فهو لم ينم طوال الليلة الماضية، وهو يفكر في سفر ابنه. حديث العم يوسف كان مثل المخدر، حبة اسبرين، أكامول، لكنه لم يكن قاتلاً للألم. نجح المشهد في القفز من بين أسلاك الماضي، قفز إلى السطح. ثمة كاميرا أخرى تدور صورها الرقمية في ذاكرته. هو ذات المشهد الحزيراني القاتم عام 1967، حين حمل المئات من سكان المخيم حقائب أمتعتهم فوق سيارات البيجو الطويلة إلى خارج غزة. كانت نظراته الدامعة وهو لم يبلغ العشرين بعد وقتها تراقب الرحيل المبكر من المنفى إلى المنفى. كان مشهد الخروج الأول من يافا مجرد حكايات متناثرة ترويها والدته له، وكان أمتع ما في تلك الحكايات أنه جزء منها. طفل لم يبلغ يومه الاول لكنه جزء من حدث تراجيدي كبير بحجم النكبة.

تحدث نعيم عن ذلك في الحوار مع الصحفية.. عن الرحلة المسجلة في ذاكرته بكلمات والدته. عن الشيء الجميل هناك الذي لم

يعشه. عندما كان يشكو لأمه من مدرسة المخيم حين يعود من الغبار والشمس في الصيف والطريق الطويلة التي عليه أن يسلكها، كانت وعود الأم أن ثمة عالماً أجمل ينتظر هناك في يافا، حيث المدرسة بها ألعاب وملاعب، والطريق مسفلت مظلل بالأشجار. أو حين كان يشكو سوء الطعام، فثمة مطبخ كبير ينتظرهم مليء بما تجود به البيارات والمزارع من لحوم وفواكه وخضار. حياة مؤجلة لم يقدر لنعيم أن يعيشها لكنها ظلت تعيش فيه. كان يسرد هذا على مسامع الصحفية الأسبانية، وهو يقلب أوراقاً كثيرة تتكوم أمامه. لم يتمكن سليم من معرفة تلك الأوراق، وهو سؤال سيحمله معه إلى البيت في المساء.

يمكن للمشاهد الاعتقاد بان نعيم يتحدث لنفسه حيث قلما يند عن الصحفية، محاورته المفترضة، أية كلمة. فقط قد تتدخل بين الفينة والأخرى بسؤال تمزج فيه بين العربية والإنجليزية، بطريقة تنجح فيها على ما يبدو في إيصال فكرتها لمحاورها، الذي سيواصل حديثه رغم كل شيء. أسئلتها من باب «كيف» أو «معقول» او التعجب «واااااو» أو «نو واي». أشياء من هذا القبيل، لكنها كانت مفيدة في اعطاء حيوية للحوار.

مشهد يضم اثنين: نعيم المسترسل في حديث شجي، والصحفية التي لا يبدو منها إلا يدها وربما أطراف شعرها تتطاير من جوانب الكادر، وهي تتحرك بين فينة وأخرى. سليم منسجم منهمك في مشاهدة التسجيل، تحسه قفز إلى داخل الشاشة، صار ثالثهما. لم ينتبه لياسر الذي خرج نحو المطبخ، وعاد يحمل صينية بها فناجين القهوة. التفت إليه ياسر، وواصل سيره نحو ضيوفه في

الداخل. سألت الصحفية، بلغة عربية مكسرة، سؤالاً مفاجئاً وهي تخرج من الكادر بالكامل:

- مش بساعدك اولادك في شغل.

أطرق نعيم مفكراً. من المؤكد أن نعيم والصحفية لا يعرفان أن ثمة كاميرا تسرق اللحظة من عفويتها.

- أولادي! واحد في السجن والثاني برات البلاد.

- والله

- سليم لا يرى إلا مستقبله. يظن مستقبله في الدراسة. مش مشكلة. الدراسة مهمة. كان أنا نفسي اتعلم. بس الدنيا فيها امور أخرى غير احلامنا الشخصية. كان نفسي يظل جنبي. لا اعرف، شكله لا يحب غزة!! يحب السفر. يحب الغربة. انا لا احب الغربة ولا احب ان اعيش برات البلاد. مش عارف كيف يرضي هو بذلك. الولد البكر في السجن لا حول له ولا قوة. (صمت طويل، يفرك خلاله نعيم أصابع يديه ببعضها) كان لازم سليم يظل عندي على الاقل عشان ما اظل وحدي. مش قادر يفهم. مش قادر يفكر ابعد من احلامه.

- انت عندك أحلام

- مين ما عنده. بس يعني مش كل حلم بتحقق. نفسي يطلع ابني واضمه. مسكين زهق السجن. اخوه ما زهق الغربة. شايفة الفرق. (يضحك) بدك ولادي يساعدوني في الشغل!! كيف؟ بس اقدر اشوفهم...

غرق سليم في قسوة الاكتشاف، في البوح غير المقصود، في الأفكار الثقيلة التي كانت تؤلم والده. كان يعرف أن والده لم يكن

يرغب في غربته، في ابتعاده المتواصل، في السنوات المتلاحقة التي تهرب من العائلة، في الفراق المؤلم. لكنه لم يكن يعرف كيف يمكن له أن يعض على كل هذا الجراح ويتماسك. كيف يمكن للمرء أن يقاوم انهيار الكون حوله ويظل واقفاً وهو ينزف من الداخل! خيل لسليم أن والده لم ينعم بلحظة سعادة واحدة، إلا ربما تلك التي قبضت عيناه فيها على وجه آمنة وهي عائدة من المدرسة. فرح لازمه طوال حياته، وظل يتذكره كلما قست عليه هذه الحياة. لكن لا شيء آخر. حتى سليم لم يفلح في أن يخفف من هذه القسوة. خالجه أنه كان جزءاً منها. أنه ساهم في تفاقمها. هاله مقدرة والده في التحمل، في عدم الشكوى. لم يكن يتظاهر، كان يتصرف على سجيته. لكنه كان يتألم.

قام نعيم وهو يقول لياسر: اعملنا قهوة كمان مرة.

وبحركة خفيفة ضغط ياسر على زر الكاميرا، حتى لا يتم القبض عليه وهو يسجل الحوار، ووقف ليحضر القهوة. في تلك اللحظة التي انتهى فيها التسجيل، كان ياسر يقف بجوار سليم وقد شاهد المقطع الأخير من الحوار. كان سليم مأخوذاً مما سمع. التفت إلى صديقه ولم ينبس ببنت شفة.

بدت الصحفية مهتمة بشكل لافت بحياة نعيم، فأسئلتها وردة فعلها على الاجابات تفضح الاهتمام الزائد غير المصطنع. لفت هذا انتباه سليم، فسأل ياسر عنها «شو معني أبوي!!». لم يعرف ياسر، كيف يجد الاجابة المناسبة، لأنه لا يعرفها. كل ما في الأمر أنه هو ومجموعة الصحفيين الأجانب مروا صدفة من الشارع، فقابلا العم نعيم أمام مطبعته، فدخلوا وتبادلوا حديثاً طويلاً. الصحفية منذ البداية قالت انها مهتمة بالذهاب للمخيم، وسألت بعض

الأسئلة التي تشي بمعرفة غير بسيطة بالمكان. لم يكن هذا ليلفت انتباه ياسر فهذه مهنته، فقلة من الصحفيين الذين قابلهم تكون هذه زيارتهم الأولى لغزة، فغزة نقطة جذب متسمر لصناعة الأخبار، والصحفيون دائمو التردد عليها. وعليه فهو لم يعرف كيف يجيب على سؤال سليم عن اهتمام الصحفية بوالده. بل إنه ذهب للظن أنها قامت بعد ذلك بأكثر من زيارة منفردة للعم نعيم كما عرف منها. لكنها مثل بقية الزيارات التي يقوم بها الصحفيون الأجانب. «تعرف هذه شغلتهم». أما لماذا لم يكن معها خلال تلك الزيارات، فلأن ياسر ببساطة كان لديه الكثير من الوفود ولم يتمكن من مرافقتها، واقترح عليها أن تأخذ سيارة أجرة للمخيم، وتنزل مباشرة أمام المطبعة. لم تجادل كثيراً واستحسنت الفكرة. العم نعيم لم يأت على ذكر زيارات الصحفية إلا مرة واحدة حين سأل ياسر «شو سافرت صاحبتك الصحفية!». هز رأسه وهو يحرك القهوة في الركوة قبل أن تفور، فتطفئ النار المنبعثة من قرص الغاز.

وهما يدلفان خارج المكتب يهبطان درجات السلم والظلام يلف البناية، بعد أن انقطع التيار الكهربي، قال ياسر برتابة «بتعرف العم نعيم كان يعرف قيمة الصحافة أكثر منك». وما أن أتم الجملة حتى كانا في قلب الضجيج والضوضاء اللتين يعج بهما شارع عمر المختار، دون أن يلتفت الشرطي لحادث الطريق قرب بنك فلسطين.

170

الفصل الخامس

رائحة الياسمين الفواحة

يا الله!! يافا لم تتغير!

مرت السنوات العشرة عليها مثل نسمة ريح فوق موج بحر. في ذلك المساء قبل إحدى عشرة سنة، كانت لم تزل طالبة في سنتها الأولى في الجامعة، تضم كتبها إلى صدرها وهي تدلف إلى القاعة الصغيرة حيث الندوة التي أصر ياسر على حضوره لها حول الشعر. كان قدراً، كانت صدفة، لا أحد يعرف، لكن قاعة كافتيريا المركز الثقافي، التي لا تتسع لأكثر من خمسين كرسياً، لم يكن فيها كرسي فارغ إلا ذلك الكرسي المكسور بجوار الكرسي الذي يجلس عليه سليم. وقفت بجوار الكرسي، أرادت أن تجلس فانتبهت انه مكسور. أدارت ظهرها حين جاءها صوت يعرض عليها أن تجلس. قام سليم عن الكرسي وجلست يافا. لم يكن بمقدوره أن يجازف ويجلس على الكرسي المكسور. ظل واقفاً وربما لحسن الحظ أو لأجل تلك الصدفة الجميلة فإن كرسيهما يقعان في آخر صف في القاعة، لذا فإن وقوفه لن يؤثر على استمتاع الآخرين بمشاهدة المشاركين في الندوة.

كانت بين الفينة والأخرى تسرق النظر إليه، وهو واقف مشبك يديه، وحين يسرق النظر إليها، ويسقط عينيه على ساقيها الذين

يحتويهما بنطال جينز أزرق، لن يفوته أن يتظاهر بتمعن عناوين الكتب الممدة عليهما. بعد فترة أصبحت هذه النظرات لعبة متفق عليها. فحين تنظر إليه يتجاهل نظراتها حتى يعطيها فرصة النظر خلسة. وحين تحس هي نظراته تسقط عليها من فوق، تتلهى بتأمل القصائد التي يلقيها الشعراء من خلف الطاولة المغطاة بالشرشف الأحمر.

خلف الطاولة كان ثلاثة شعراء وشاعرة شابة يقرأون قصائد مختلفة عن قضايا متنوعة. كان صوت أحدهم يقرأ قصيدة غاضبة تنفجر منها الكلمات وتخرج منها الرصاصات والصواريخ. كان يقرأ والغضب يأكل وجهه وينطلق للحضور، قبل أن يدق الطاولة بقبضة يده اليمنى فيندلق الماء من الزجاجات البلاستيكية الصغيرة المصفوفة أمامهم. انفجر بعضهم ضاحكين، فيما صفق البعض الآخر للبطولة التي تجشأتها القصيدة. عندها التقت نظراتهما. كان سليم يقوم بدوره في اللعبة في النظر إلى ساقيها فيما رفعت هي عينيها نحوه. المؤكد أن ثمة تواطؤ في كشف أسرار اللعبة. للحظة ارتبك سليم إذ أن عينيه كانتا مسلطتين على فخذيها، وتبين أنها أمسكت به متلبساً. قال بقليل من التلعثم «كتبك حلوة!!». ردت بخبث كأنها أرادت أن تترك له ممراً للهرب والتملص «آه بحب رواية القرن التاسع عشر». هز رأسه «آه الرواية». طبعاً لو نظر سليم جيداً إلى الكتب، لكان أدرك أن ثمة ثلاث روايات لثوماس هاردي الإنجليزي واحدة بالعربية واثنتان بالإنجليزية. لكن حقيقة الأمر أنه حتى لو فعل ذلك، فهو لن يدرك أن هاردي روائي فمعرفته بالرواية لا تتعدى بعض القراءات العامة وقتها، إلا إذا انتبه لكلمة رواية الموضوعة في زاوية الغلاف ذي اللوحة الفيكتورية.

قالت له بعد ذلك في مقهى ديليس إنها تحب الشعر رغم أنها تقرأ الرواية. في الشعر شيء منها. وعلى خجل اعترفت أنها تكتب بين الفينة والاخرى. «مش كثير». لكنها تحس نفسها في الكتابة. تشعر أنها تستطيع التعبير عن نفسها. سأل «وشو عرفك إنه اللي بتكتبيه شعر». لم يكن قرأ لها، لذا فإن سؤاله لم يحمل أي معني شخصي. هزت رأسها ولم تشعر أيضاً أنها في مأزق للإجابة فهو حتى لم يقرأ القصائد، قالت لنفسها. كأنه شعر أن ثمة شيء خطأ، فأردف «يعني قصدي عرضتيه على نقاد وقالولك إنه شعر؟» «مش عارفة بس بحس إنه شعر». وبطفولة وبمرح قالت «بدك تسمع!». هز رأسه. فتشت في حقيبتها البنية، أخذت تحدق في كل زواياها. أخرجت المحفظة والمرآة الصغيرة وأحمر الشفاه. أخرجت كومة من الاوراق غير المنظمة. أزاحتها عن بعضها البعض. تفرستها، قرأت بعضاً مما فيها. الفوضى العارمة التي خلقتها على الطاولة، فيما كان النادل يضع كأسي الكابتشينو وكأس الماء أثارت انتباهها أنها لم تجد الأورواق التي تبحث عنها حيث قصائدها. أعادت كل شيء إلى داخل الحقيبة واعتذرت عن الفوضى وعن الشعر الذي لم تجده. ابتسم وقال المرة القادمة.

لم يكن الأمر مخططاً. بعد انتهاء الندوة، انشغل ياسر عنه بالحديث مع بعض الأصدقاء. ظل واقفاً على باب المركز الثقافي وحيداً ينتظر ياسر. خرجت يافا تضم كتبها إلى صدرها. بدت أجمل مما كانت عليه قبل لحظات، أو ربما لأنه تأملها جيداً هذه المرة. كان شعرها الكستنائي يتدلى خلف ظهرها برشاقة الربيع، ويسقط بعضه

على خدها الأيمن. نظرت إليه وتشاغلت باعادة ترتيب كتبها بين يديها. كان عليه أن يقوم بالخطوة الاولى. سأل بفضول فيما هي تخطو نازلة درجات باب المركز: «كيف الشعر؟» استدارت وهي تقول «يعني». ردد خلفها «يعني، يعني. يعني لم أفهم». كانت تقف على الدرجات فيما هو يسند جذعه على عامود الرخام امام الباب الكبير. في الداخل كان الحضور قد بدأوا بتناول القهوة والشاي والمشروبات الغازية، وهم يتبادلون أحاديث متنوعة وشتي حول المفاوضات الجارية في واشنطن وحول الشعر الحداثي وغزة والاقتصاد. كوكتيل متنافر من الموضوعات التي تفرض نفسها على أحاديث الناس. سألت «هل أحببت الشعر؟» «بعضه». «بالضبط هذا ما أقصده حيت قلت يعني». تبادلا المزيد من العبارات العامة عن الشعر. انتبها بعد عشرين دقيقة من الحديث إلى أنهما يقفان على الباب، على الدرجات الأمامية. قالت إنها ستذهب باتجاه «الرمال». فهم أنها تسأله عن وجهته. لم يكن لديه وجهة يذهب إليها إلا انتظار ياسر. قال إنه لا يفكر في شيء. قالت «وياسر!!». فغر فاه فهي تعرف ياسر وتعرف أنه يعرفه. نزلا باتجاه البحر، سارا قليلاً قبل أن يبدأا السير في شارع عمر المختار من فمه امام البحر باتجاه الشرق. كان الليل قد بدأ يرخي سدوله على المدينة، والحركة رتيبة في الشارع، والشرطي الجالس في الغرفة الاسمنتية عند تقاطع العباس يلعب بصافرته المدلاة من رقبته، فيما العربة التي يجرها حمار متعب تقطع الشارع على أقل من مهلها.

- عندي اقتراح

نظرت نحوه مستفسرة بتردد ....

- يعني إذا مش مستعجلة، شو رأيك نشرب قهوة في ديليس!!

وقبل أن يدلفا إلى «ديليس»، عاوده السؤال الذي أحجم عنه طوال مشوارهما الذي استمر لخمس عشرة دقيقة. قال إنه لم يكن يعرف أن ياسر مشهور للدرجة التي تعرفه فيها. سألت بقليل من الدلع «شو بتغار!» وضحكت. «الفضول!». سحبت الكرسي وهي ترمي كتبها على الطاولة بقليل من الغضب، وسألت إذا كان حقاً لا يعرف كيف تعرف ياسر. هز رأسه باستغراب أكثر، إذ أنها تقترح أنه لابد أن يعرف. ازدادت حيرته، وهو ما دفعها للسؤال هذه المرة بخبث « انت ما بتعرف مين انا». وقع في الحيرة أكثر. عليه أن يجد إجابة لائقة، فهو لا يعرف. أقرب إجابة على طرف لسانه «اخت ياسر». ضحكت عالياً، فلفتت انتباه العاملين خلف بار المقهي، ناهيك عن الرواد الذين تأفف بعضهم وابتسم البعض الآخر. لم تكن أخت ياسر بالطبع فياسر ليس لديه أخوات كما أوضحت يافا. المزيد من الأسئلة سيضعه في حرج اكثر. ادركت أن عليها أن تقدم الإجابات فثمة أزمنة للأسئلة وثمة أوقات لتقديم الحلول. صمتت فيما كان هو يقلب أورواق رواية «هاردي»، وقد بدا عليه الإحراج وربما القليل من الغضب. قالت إنها جارة ياسر ... «يعني جارتك». طوي الكتاب ورفع رأسه ونظر إلى وجهها جيداً. سألت «بتحاول تعرف بنت مين! حزر فزر». بدا من اجابتها أن معرفته يجب أن تكون بديهية. لم يعرف وبدا أنه لن يعرف حتى لو قضي العمر يفكر، وهي لم تتركه كثيراً في حيرته إذ قالت «انا بنت الحاج».

غريبة الحياة بشكل يباغتنا ويقلقنا، فنحن نكتشف أشياء لم نكن نحسها من قبل رغم أنها تكون حولنا. كان للحاج ابنة واحدة. باغتته الذاكرة واكتشف أن النسيان نقمة في بعض الأحيان. حقاً للحاج بنت اسمها يافا.

– نعم يا سيدي انا يافا.

– واو. احلى من يافا في قصص ستي.

– شو! (بخجل)

– ولا شي. دنيا صغيرة.

– اصغر من خرم الإبرة.

وصلت يافا مع والدها وأمها إلى التلة وهي لم تغلق السنوات السبعة عام 1988. تذكر الطفلة الشقية التي كانت تلعب معهم في الحارة، كانت سريعة البكاء إذا ضايقها احدهم تركض باتجاه التلة والدموع تبلل وجهها كما لو أنه سقط عليه مطر. ثم تعود في اليوم التالي كأن شيئاً لم يكن. الفتاة الناهدة التي كانت تحمر خجلاً وهي تمر من امام شارع الحارة في طريقها إلى المدرسة الإعدادية. لم يرها بعد ذلك إذ أن سليم التحق بجامعة بيرزيت وهي الفترة التي انتقلت فيها يافا من طور الطفولة ومراحل البلوغ المبكر إلى فترة الشباب. خلال تلك الفترة يتحول المرء بشكل كبير وتتغير هيئته بشكل أكبر. صارت الآن فتاة طويلة ممشوقة القوام، وجهها نضر وصدرها مكتنز وشعرها الكستنائي مرتب بعناية. وصارت طالبة جامعية أيضاً. لم تخطر بباله كثيراً خلال السنوات الماضية من ذهابه

للدراسة في بيرزيت وبعد ذلك عمله في مؤسسة حقوقية. لم يقابلها في الطريق أو في سيارة الأجرة... أين سيقابلها إذا!!... فحتى ذلك اللقاء، لم يكن نعيم قد أتم بناء بيته الجديد على التلة، إذ كان بيت العائلة في طرف الحارة فيما بيت يافا على التلة، لذا لم يكن ثمة فرصة لصدفة عابرة.

إذاً تلك يافا. عالم صغير.

كثيراً ما تقابل شخصاً فتدرك منذ رمشة العين الاولى بأنه لن يكون عابراً في حياتك. شعور لا أساس مادي له، سوى الرجفة التي قد تسري في داخلك، أو رعشة اليد حين تمتد للمصافحة، او التردد الذي يسيطر عليك قبل أن تندفع بالحديث، وربما أيضاً عدم رغبتك في أن تنتهي اللحظة.

هذا ما شعر به سليم فيما كانت يافا تلملم أغراضها عن الطاولة وتعيدها للحقيبة، عندها فقط شعر برغبة عارمة في أن يكون هناك لقاء آخر. ابتسمت وهي ترفع خصلات شعرها إلى خلف كتفها. اخذت تقلب رواية هاردي، ثم أخذت تحدثه عن الأماكن المتخيلة وكيف يمكن أن تكون أكثر سحراً من الواقع حيث يصبح الخيال أكثر إغراءً، والخيال عادة ما يكون أكثر سحراً رغم إغواء الواقع وماديته المقنعة، لكننا نتنازل عن الواقع لصالح عالم افتراضي نتمناه. لذلك يميل الروائيون، وهكذا يصبح هاردي مادة الحديث بينهما، إلى خلق عوالم من بنات خيالهم، يضعون فيها الأشخاص والذين يريدون، يسعدون بعضهم ويوقعون الشقاء على البعض الآخر، فهم الخالقون أصحاب الهيمنة على خلائقهم.

فالوهم قد يتحول في مرات إلى معول ينهش قدرات الواقع، يحولها إلى انقاض. من انفع للمرء، أو على الأقل ما الأسهل له، أن يكون أسير الواقع أم أسير الخيال!! معادلة صعبة ليس من السهل التغلب عليها، والقفز عن الحيرة عند التفكير بها. في بعض المرات من الأسهل أن تكون حراً وقد يكون نموذجياً أن لا تفكر في ذلك، لأن مجرد التفكير بالحرية يعني أنك أسير لشيء ما، لغيابها أو نقصانها. أما أن تكون أسيراً للواقع، فأنت تفقد القدرة على التفكير في التغيير أو على البحث عن واقع أفضل. كما أنه ليس من السهل التفكير في أن تكون أسيراً للخيال لأنك ستفقد لذة الحياة نفسها، وعليه فنحن عادة أسرى ومقيدين لفكرة ما. سألت فجأة:

- كيف أخوك اللي في السجن؟

- منيح.

- بتزوروه؟

- من فترة منعوا عنه الزيارات.

كانت يافا تقول كل ذلك وهي تقلب الروايات، ولم تكن تقرأ فيها، كما لم تكن تفكر في السطور المكتوبة، بقدر ما كانت تنشغل بها عن النظر إليه. هي أيضاً شعرت بوخزة العين وبسطوة النظرات. باغتها فجأة بسؤال، كان لابد أن يكون منطقياً في ظل هذا النقاش «وانت أسيرة أي فكرة». هربت. كان يجب أن تهرب. فتحت رواية هاردي «تيبس من داربرفيلد» وطلبت منه أن يستمع لما يقوله هاردي. قرأت سطراً من آخر الرواية «تم العدل وأنهى رئيس

الخالدين (بعبارة أسخيلوس) لعبته مع تيس. وغفا فرسان ديبرفيل وسيداتها في قبورهم المجهولة» ... كانت تيس فتاة حالمة في رواية هاردي، وقعت ضحية الحياة. كثيراً ما نقع ضحايا للحياة، وضحايا لأحلامنا وضحايا لطموحنا. نظرت إلى ساعتها وقالت إنها يجب أن تذهب لتلاقي صديقاتها. «إذا حابب بنتمشى في الرمال!». قبل أن يفترقا في وسط الرمال عند آخر حدائق الجندي المجهول، اتفقا أن يلتقيا بعد يومين في ذات المقهى. وسار كل في اتجاه.

ثمة نهارات سعيدة تحدث فجأة، وثمة أوقات لا تشعر فيها بالزمن ولا بوقع دقات الساعة. هذه كانت من اللحظات القليلة، التي أدرك فيها سليم بأنها ستكون ذات أثر في حياته. لن تكون مجرد لحظة عابرة. فيما كان يسير في شارع الجلاء من عند مفرق السرايا باتجاه الشمال، كان سليم يقول لنفسه أن يافا تتحدث عن نفسها وهي تشير إلى الواقع والخيال. تبدو فتاة طموحة ولكنها تخاف من طموحها، وكثيراً ما حاولت تبرير ذلك خلال حديثها أن الطموح أمر ضروري، ولكنها في جملة تالية ستتحدث عن قسوة الواقع. وإذا كان لكل إنسان طموح ما، وإذا كان كل إنسان بالضرورة يعيش في واقع ما، فإن مدى نجاح المرء في تحقيق طموحه منوط بمستوى علاقته بالواقع.

كانت محلات الموبيليا تعج بالديكورات الخشبية الكلاسيكية، فيما سيارة الشرطة ترافق مسؤولاً يبدو مهماً في الشارع، والرجل الخمسيني يضع كرسياً بلاستيكياً، يجلس أمام منزله والنرجيلة أمامه تقرقر. ماذا لو وقف وسأله عن طموحه؟ كانت كل هذه

الأفكار محاولة للتهرب من التفكير في يافا. ثمة شيء فيها أخذه، مسه، أسره. أصبح أسيراً للحظة الجميلة التي قضاها بصحبتها. ما أغباه لو أنه أصر على رفض دعوة ياسر له لحضور الندوة في المركز الثقافي؛ لكان ضيع فرصة مثل هذه. ياسر له إيجابيات كثيرة وحسنات كثيرة، وهذه لابد أن تكون إحداها. ضحك وهو يتذكر نقاش ياسر معه حول الشعر، فهو لا يشبه بالمطلق الكلام الرقيق الذي صدر عن يافا في توصيفه. انتبه أنه وصف كلامها بالرقيق. أول الرقص حنجلة. ياسر قال إننا ذاهبون مجاملة لصديقنا الذي يعمل في المركز الثقافي، وأردف: «المجاملة مهمة».

المؤكد أن سليم شعر أنه لابد من التوقف عن محاولة التفكير بضرورة التهرب من سطوة اللحظة، أن يتوقف عن محاولة تجاهل أنه يفكر في يافا. أن يتوقف عن نسيان أنه صار أسيراً لتلك اللحظة. ابتسم وهو يتذكر حديثها عن سهولة وقوع الإنسان أسيراً لفكرة ما، وهي تتحدث عن الواقع والخيال. ترى هي بالنسبة له واقع أم خيال!! لابد أن قلبه الراجف من الخوف في التفكير فيها يعترف أكثر منه أنها صارت واقعاً، لكنه واقع بحاجة لترويض، وإلى أن يصبح كذلك فهو خيال.

هكذا يمكن للعالم أن يتكسر حولنا ونحن نعتقد أننا نقاوم وبعناد. كما يمكن لنا أن نقع ضحايا خداع الذات عن القوة الداخلية ومقدرتنا على الوقوف في وجه الموج «لأننا أقوياء من الداخل».

ثمة فكرة أخرى كان سليم أسيراً لها في تلك الأيام: السفر، البحث عن حياة أخرى، تحقيق الذات. النقاشات الطويلة التي كان

يخوضها مع والده. أحلامه البعيدة التي يتمنى لو يقبض عليها بيده. مسه حديثها عن الخيال الأجمل من الواقع. كانت أحلامه أجمل من غزة وخياله أكثر ثراء من تفاصيلها، وكان الغوص فيه اكثر متعه من تأمل قسوة وسطوة الحياة على الناس حوله. منذ أن أنهي دراسته الجامعية والتحق بالعمل بالمؤسسة لم يشعر بالراحة. كان يشعر أن شيئاً ناقصاً في حياته. تحاصره أماني والده وعذابات الفراق والفقد، والجدران المشيدة حول أخيه، السر الجميل الذي يأوي خلف القضبان. غزة قاسية عليه، وتقسو أكثر وأكثر. سريعة التغير والتبدل، مسرح الحروب والمعارك والانتفاضات، لا تعرف الاستقرار، والسلام فيها هدنة عابرة تنقضي صدفة، وتنتشر فيها الحروب مثل نار في الهشيم.

كانت روحه في تلك الأيام مثل غزة مضطربة مشتعلة لا تعرف الهدوء. ولم تكن لحظات السكون إلا سحابات صيف وتنقضي. كان هذا اللقاء في أحد مساءات كانون أول من العام 2000 وكان الجور بارداً وملتهباً في آن واحد، إذ أن الانتفاضة الثانية، التي اندلعت في سبتمبر من ذات العام قد صارت أمراً طبيعياً، ولم تعد مجرد مظاهرات على الحواجز واشتباكات على الطرقات، بل انتقلت من طور لآخر ومن دائرة لثانية.

كان يبحث عن أي سبيل للخروج من غزة. الحلم الذي رأى فيه نفسه بجناحين يرفرفان خلف البحر، جناحان من ريش حقيقي وليسا من الشمع فيذوبان، يخفقان بقوة وعنف فيما غزة تذوي في أفق الرؤي، فتبين من أعلى مثل قطرة ماء تجف فجأة. يسكنه السفر،

يؤثث في روحه غرفاً مليئة بصناديق أحلام مختلفة، كل صندوق بداخله صندوق بداخله آخر، وهكذا في متوالية لا تنتهي. يمكن له أن يمضي النهار كله ينتقل من صندوق لآخر ومن غرفة لأخرى، في لعبة تسرق عقله وتعطل حواسه، وتجعله شارداً سارحاً معظم الوقت. لذا لم يكن من الحكمة ان ينشغل بكل ما من شانه أن يغلق هذه الصناديق أو يحرقها، عليه أن يحافظ على أحلامه في أعشاشها، حتى يكبر ريشها وتصبح قادرة على التحليق في عالمها الحقيقي.

كان دخول يافا في حياته نقطة جديدة على سطر مضطرب. وجد نفسه ينشد تدريجياً لها. كثرت اللقاء وزادت عدد فناجين القهوة والخطوات في شوارع غزة، وانتقلت العبارات الخجولة من الهمس إلى التصريح العلني، وبات الحب ينسج خيوطاً تلفهما وترمى بهما، مقيدين في قاع بحر سحيق لا يقويان على الخروج منه. حين تحب تشعر بأنك أقوى إنسان على وجه الأرض، وتعتقد أنك قادر على مواجهة الكرة الأرضية، بل إنك لن تبالي بنتيجة أي صراع تخوضه من أجل هذا الحب. وقد ترسم خططاً وتبني قصوراً وتطلق العنان لأحلامك تسبح في ملكوت غير محدود. الزمن أيضاً لن يكون له علاقة بالزمن الذي تعيش، حيث الساعة ليست ستين دقيقة، ولا الدقيقة ستين ثانية، ولا عدد السنة أشهر وأسابيع وأيام. ثم في لحظة ما تدرك أن العالم ليس أسهل مما توقعت، وأن الجنة ليست حقاً تحت قدميك، وأن الزمن ليس ملكك، وان كل قصورك التي بنيتها وأحلامك التي أطلقتها ليست إلا بقع سراب في طريق قصير، ستجد نفسك تلهث وأنت تقطعه. الخيبات والآهات والندم وعض الإصبع واليأس تملأ روحك مثل طحلب حول صخرة،

وصراخك فجأة أن هذا يجب ألا يحدث. لكنه يحدث. وسمة الحياة أننا نصنعها ولكنها تصنع جزءاً منا. وهذا الجزء هو الأقسى. فالإنسان لا يكون بمقدوره تقرير كل شيء. ثمة أشياء تقرر لنا. مثل اللقاء الصدفوي الذي تم بين سليم ويافا في المركز الثقافي، والحب الذي نما بسرعة البرق في قلبيهما.

لكنه برق سرعان ما سيكون لزاماً عليه التحديق فيه ملياً .. توقيف دقات الساعة حتى يتأمل الوقت. الوقت الذي باغته فجأة. حانت الساعة وكان عليه أن يدخل المواجهة الأولى بين قلبه ويافا. لم يكن قد أبلغها أي شيء قبل ذلك عن الاجراءات الفعلية التي قام بها من أجل السفر لإنجلترا. حدثها عن أحلامه في السفر والتعلم في الخارج، وعن رغبته في اكتشاف عوالم اخرى والعيش في ثقافات متنوعة. وكان هذا يبدو طبيعياً ومنطقياً. وكانت هي تشاركه هذه الاحلام وتقول له إنها ترى نفسها جزءاً منه... تسافر معه وتسير معه في باريس، وتجلس امام نهر التايمز، و«تقصدر» حول الكولوسيو في روما. كانت تجد نفسها شريكة في أحلام لم تخطر ببالها أنها ستكون السيف المسلط على رقبة قصة الحب الجميلة التي تعيشها. وكان سليم حقاً سهمها الأول ونظرتها الأولى وحبها الأول، وما أجمله من حب.

قال لها إن هذا حلمه. سألت: «وماذا عن حلمنا؟». شرح لها أنه بدأ بمعاملات التقدم للمنحة قبل اكثر من عام، أي قبل ان يلتقيها. لم يخطر بباله أنه سينجح اخيراً في الحصول على المنحة. لا بد أن «وجهها حلو» عليه، فقد وُفق اخيراً. قال لها إنه ومنذ تخرج من

بيرزيت وهو يقوم بتعبئة طلبات المنح لدول مختلفة ودائماً كان يمني برسائل الاعتذار والأسف. وضع كأس الليمون وهو يرى الغضب على وجهها. قال سنة وسيرجع، كما انها مازالت طالبة في سنتها الأولى في الجامعة. نجحت حججه واعذاره في تغليف الصدمة بورقة شفافة من الغفران. بعد أربعة لقاءات ضحكت وقالت «مش مشكلة»، المهم أن يرجع، أن لا يستطيب المقام هناك. كانت تلك المرة الأولى التي سيتجرأ ويلكزها من كتفها ويقول «وأسيب القمر لمين». كما ستعترف لوعد صديقتها، فإنها كانت تضحك قهراً.

السنة صارت سنتين. ومثل نعيم، كان على قلب يافا أن ينفطر لسنتين، بعد أن قال إنها مجرد سنة. كان بين الأسبوع والآخر يهاتفها على هاتف البيت، وإذا صدف ورد الحاج خليل، وهي مرات نادرة يتحدث معه ويسأله عن أحوال الحارة. كان الوقت قاسياً والفراق مريراً، خاصة على من تكون تلك تجربته الأولى. لم يخبر قلبها الحب ولا عرف الهوى. كما لم يخبر شيئاً قبل ذلك اسمه الفراق. الوقت وحده الكفيل بتعليم البشر صنوف الصبر والسلوان. صارت تتلهى وتحلم وتبني آمالاً وتعيد ترتيب حياتها، حتى وقفت السيارة المرسيدس عصر يوم مشمس شديد الحرارة ونزل منها سليم. كانت يافا وقتها، ولصدفة بارعة يرتبها القدر، تعود من الجامعة. وقفت امام السيارة، برقت عيناها شوقاً لم تعهده حتى في الليالي الطوال التي امضتها تفكر فيه. عاد يحمل أشواقاً وهدايا وقصصاً وامنيات.

غير أن الأيام الجميلة واللقاءات الطويلة والورود والصدف والصدف المفتعلة ستسحب الوقت سريعاً إلى لحظة الاشتباك الثانية

التي ستكون أكثر فتكاً. ما اجمله من حب سيدفن في كتاب الفراق سريعاً، حيث لن ينعاه أحد إلا الدموع الساخنة التي ستجري على خديها لأشهر دون أن تبوح بها إلا لصديقتها وعد. كل النهايات قاسية.

بعد ساعتين من اتصال قسم القبول في الجامعة بفلورنسا به، يبلغونه بقبوله في قسم الدراسات العليا، كان يجلس معها إلى نفس الطاولة التي جلسا إليها في السابق. قال أخيراً حلمه الكبير سيتحقق في إيطاليا، في فلورنسا. أول ردة فعل ندت عنها كانت ابتسامة رشيقة وغمزة عين مصحوبة بصرخة فرح. بعد دقائق من الحديث كان سؤالها عن موقعها من كل ذلك منطقياً. «وشو عنا؟». قال إنه يحلم بهذه اللحظة. لم تفهم أي لحظة. لحظتهما سوية أم لحظة سفره. من المؤكد أنه كان يقصد الثانية. لم يعرف كيف يقول ذلك. أخذ يسهب في الشرح أن حياته متوقفة على دراسته في فلورنسا، فهو لن يتوقف عند الدكتوراه، وسيجد عملاً في أحد مراكز الأبحاث في روما وووو. ولم يكن في كل ما ذكر شيء عنها.

- انت كل شيء عندك حلمي!
- الحياة حلم.
- وأين أنا من هذا الحلم؟
- انت الحلم الكبير.
- وما نفع هذا الحلم حين تركنه على الرف ولا تعتني به!
- نحن خلقنا لبعضنا ومقدرين لبعضنا، اما المنحة فإن لم انتهز الفرصة فستضيع مني.

-ولماذا لا تضيع من اجلي!

-لا تضعي نفسك في مقارنة المنحة. بالطبع انت أهم مليون مليون ميلون مرة.

-انا لا أضع نفسي في مقارنة، أنت الذي تفعل ذلك.

عادت إلى عادتها السابقة في التحديق في أوراق أي كتاب تجده أمامها، كأنها تبحث عن حظها الجميل المخبأ في ثنايا السطور. كان عبثاً هذا البحث. سألت بكلمات مضطربة إذا كانت حقاً غير موجودة في كل هذه الخطط. كان من الواضح أن هذا آخر سؤال ستسأله إياه، حيث بدأت وقبل ان يجيب بترتيب كتبها، استعداداً للرحيل.

مط شفتيه وبقسوة غير مقصودة «إذا حابة بس تخلصي جامعة تعالي ادرسي في إيطاليا». اجابة، رغم ذلك، يمكن أن يقولها المرء لشخص يجلس إلى الطاولة المجاورة له في المقهي؛ لا لفتاة ارهقها حبه وأدمنت قلبه. هكذا انتهى كل شيء، ومضت هي في طريقها تحمل كتبها بين يديها، في استعادة مبدعة تخلقها الصدف للقائهما الأول في ذلك اليوم البارد من كانون قبل أكثر من أربع سنوات. خرجت قبله من المقهى، وهي تمنع دمعة كادت تنفجر فتغرق المقهى كله. كانت تعد بلاط الرصيف بلاطة بلاطة وهي تطأطأ رأسها، لا تعرف كيف استطاع ذبح أحلامهما الجميلة تحت قدمي إله الأنانية.

جرت مياه كثيرة تحت الجسر، لكن يظل اختبار القلب الحقيقي مرهوناً بالزمن. واصلت يافا السير في غزة، تاركة للزمن

كل فرصة كي يداوي جروح القلب. شعرت بالتيه والضياع. لكن حتى كل دموع أهل الأرض لن تنجح في تشكيل بحر تقلع فيه سفينة واحدة. أما هناك في «توسكانا» حيث الجبال وأشجار السرو وسطوة التاريخ والقصور والفيلات القديمة والكنائس والممرات والدروب الحجرية، كان سليم يبدأ حياة جديدة، ويرسم مستقبلاً مختلفاً، وكان قلبه يتفتح على إيقاعات عشق جديد. سنوات سبعة مرت، على لحظات الفراق، الأخيرة في صباح قائظ من صباحات آب اللهاب من العام 2004، وإحدى عشرة سنة مرت على اللقاء الشفيف الذي تم صدفة في أحد اماسي كانون الأول من العام 2000. لكن للقلوب منطقها الذي لا يخضع لفهمنا المجرد، ولا يستوى مع جموحنا الأهوج نحو العقلانية، خاصة حين يتعلق الأمر بالعناد والكرامة وردة الفعل.

مر أسبوع على وفاة والده نعيم، وبدأ الحزن ينسل إلى القلب، وراحت بعض معالمه عن الوجه والعيون. منذ اليوم الأول الذي خطت قدماه شارع التلة تذكر يافا، لم يكن من المناسب السؤال عنها. سمر اخته قالت له ثاني يوم بعد وصوله، وهي تطفئ النور وتلف نفسها بالملاءة: «يافا سألت عنك». كان يعرف أنها، أي يافا، لابد أن تأتي للعزاء، وكان يعرف أنه يرغب بتلقي التعزية منها. سفره المفاجئ إلى إيطاليا أصاب اثنين في مقتل: والده ويافا. يجمع يافا مع الراحل أنها تعذبت بسفر سليم. تذكر العبارات القاسية التي قالتها وهي تتلهي بكتبها على الطاولة في مقهى «ديليس». أكثر من أربع سنوات من الحب ذهبت أدراج الرياح. فشل في أن يجد لها مكاناً في عالم أحلامه. لنصف ساعة وهو يتحدث عن المستقبل، بعد

أن يخرج من بوابة رفح الحدودية إلى مطار القاهرة ومن ثم مطار «ملبنسا» قرب ميلان وبعد ذلك القطار إلى فلورنسا، لم يأتِ خلالها على ذكرها أو ذكر أي شيء عنها. فقط اقتراحه ان تكمل دراستها في إيطاليا. سلّم نعيم بسفر ابنه الاختياري، وبعده عنه واختياره منفاه طوعاً، ولم يملك أن يرده عن تحقيق حلمه، فيما ظلت يافا تبكيه جمرات نار على سفح الخدود. ومر عام وراء آخر، وجدت عزاءها خلال ذلك في عملها. في البداية عملت في مؤسسة تنمية محلية، ثم انتقلت للعمل من مؤسسة إلى أخرى حتى استقر بها الأمر مديرة لمؤسسة للدفاع عن حقوق الإنسان ومسؤولة عن قرابة ثلاثين موظفاً. إلا أنها خلال تلك السنوات السبعة فتحت قلبها لريح الهوى، فأحبت زميلاً لها، تزوجت منه وسرعان ما تطلقت بعد أقل من عام. إذ اكتشفت أن الإنجذاب وحده لا يكفي، وأن زوجها أراد منها أن تتوقف عن العمل وتتفرغ للبيت. لم يكن هذا ممكناً فحسب، بل إنها شعرت بالإساءة الشخصية بطلبه منها ذلك. وظلت تلك صفحة مؤلمة في حياتها، لا تحب أن تتذكرها كثيراً.

هذه المرة لم يكن لقاؤهما صدفة كما حدث قبل إحدى عشرة سنة، بل كان عن سابق إصرار وترصد، إذ أن قدمي سليم لم تأتيان به إلى المؤسسة التي تعمل فيها يافا إلا بعد أن تمكن ياسر من أن يحضر له آخر أخبارها. ياسر لا يعرف كثيراً عن العلاقة التي جمعت سليم بيافا، يعرف أنهما صديقان، وأنهما كانا يتواعدان لفترة. الشيء الوحيد الذي لم يتعلمه ياسر من الصحافة هو الفضول، فلم يسأل قط سليم عن علاقته بيافا، واعتقد دائماً أنها مجرد علاقة عادية. وربما تعلم عدم الدهشة، وذلك من الصحافة أيضاً. كانت المعلومات

التي قدمها ياسر دقيقة فيافا تعمل في مؤسسة تعني بالدفاع عن حقوق الإنسان «موضة الجمعيات» كما سيقول. كان مكتب المؤسسة يقع غرب المدينة في شارع خلفي أمام البحر بالقرب من مستشفى الشفاء، وكان يمكن للمطل من نوافذ المؤسسة الغربية أن يرى البحر متسللاً من بين الممرات الترابية الصغيرة بين الأبنية والعمارات الشاهقة، التي أخذت تقف في وجه البحر تحميه من ضوضاء المدينة. كان بإمكان سليم أن يتصل بيافا على هاتفها الخليوي، أو في مكتبها. وهي أرقام استطاع ياسر أن يوفرها له، أو كما سيقول له «نعمة الصحافة أنها تجعلك قادراً على الحديث مع من تشاء». لكنه آثر أن يباغتها في مكتبها. شده الحنين إلى لحظات الماضي، أراد أن يكتشف اللهفة التي تهجم على وجوهنا حين نرى من كنا نحب، مثل عاصفة تضرب شجرة الياسمينة التي تتشعبط عليّة باب الدار، فيتساقط زهرها وبعض أوراقها، لكن تفوح رائحة قوية تملأ المكان رحيقاً، هي رائحة الذاكرة أو اللهفة التي تمسك بنا حيت نقف أمام من نحب. مشهد يريد سليم استعادته من الذاكرة، أن ينقب في طبقات الماضي التي ردمتها الأيام، مثل من يبحث عن ملف في جهاز الكمبيوتر يعرف محتواه ولا يعرف اسمه. فجأة قفز ذات المشهد إلى رموش عينيه، وقفز منه إلى البحر، حيث كانت يافا تجلس على الطاولة البلاستيكية البيضاء تستظل بمظلة مخططة بالأشرطة الحمراء والزرقاء، ولم يكن الماء يبعد عن الطاولة إلا بضع أمتار. حول الطاولة كانت تجلس مع ثلاثة من صديقاتها، وكانت كؤوس عصير المانجا والجوافة ترتفع بين الفينة والأخرى بين أيديهن، ومبسم النرجيلة يدخل بين الشفاه، قبل أن يخرج خيط

الدخان الأبيض منه، وعرق النعناع في قارورة النرجيلة مثل سمكة تائهة، يقفز على حافة الماء. لم يرها وقتها منذ أكثر من شهر، وكانت تلك أطول فترة لا يتقابلان فيها منذ لقائهما الأول، إذ لم يكن يمر أسبوع إلا تقابلا وجهاً لوجه في مقهي، في مطعم، في مكتبه في المؤسسة التي يعمل فيها. كان على سليم أن يسافر إلى اليونان في رحلة عمل مع طاقم من موظفي المؤسسة، والرحلة التي خُطط لها أن تكون لعشرة أيام استمرت لشهر. أيامها، قبل إحدى عشرة سنة، كانت المعابر مفتوحة وحركة الدخول والخروج طبيعية، وحياة الناس أسهل رغم السحب السوداء التي كانت تربض على صدر السماء.

ليس مهما كيف عرف أنها تجلس وصديقاتها قرب البحر. وصل الشاطئ ونزل يسبح وسط جموع المستجمين، وفجأة خرج من قلب الماء أمام الطاولة التي تجلس حولها. كان خيط الدخان يخرج من فمها، حين انشق الماء عنه أمامها بكامل هيئته. ظل المبسم معلقاً على شفتيها وهي تحدق فيه غير مصدقة. أشار لها بيده، وواصل سيره باتجاه الخيمة التي استأجرها. اخرجت جهازها الخليوي من حقيبتها البنية وأرسلت له تقول:

شو جيت من اليونان سباحة؟!

لعيونك.

أراد أن يفعل الشيء ذاته. أن يباغتها في مكتبها بعد غياب سبع سنين.

عرف من ياسر أن يافا تزوجت وأن حياتها تعثرت قليلاً، وتألم لذلك. يدرك أن للحياة سنن وضرورات، فهو أيضاً كاد أن

يتزوج من إحدى صديقاته ويعيش معها في إيطاليا. رغم قصص الحب التي مر بها ولحظات الرغبة التي خبرها هناك في فلورنسا، فإنه كان دائماً يشعر بشيء خفي من يافا معلق داخله. في مرات كثيرة كان يخامره هذا الشعور بالذنب، بانه تركها من أجل أحلامه هو، وهو ذات الشعور الذي كان يراوده حين يفكر في والده. لكن على المرء أن يضحي، أن يتألم، وكان هذا الشعور الخفي بالذنب جزءاً من الألم. كان يتألم حقاً. بإمكانه أن يكابر، أن يضغط على جراحه، كما أن بإمكان يافا أن تنعته بالأنانية، وبإمكان والده أن يصفه بعدم الإحساس به. لكنه كان يفعل، وفي مرات كان هذا الشعور ينغص عليه حياته ومتعها في إيطاليا. أوقف شريط البحث في الماضي، حين وقف المصعد به أمام الطابق الرابع من البناية حيث المؤسسة التي تعمل بها يافا. سألته السكرتيرة عن وجهته، قال إنها يريد ان يقابل يافا. فرفعت الهاتف لتخبرها بوجود ضيف. قال إنه قريب لها يريد أن يفاجئها. ابتسمت الفتاة وهي تواصل التحديق في الأوراق أمامها، وأشارت إلى الباب الكبير حيث غرفة المدير. فتح الباب كانت يافا تحمل كأساً خزفياً كبيراً بين يديها، وتحدق من النافذة تتلصص على البحر. استدارت فجأة حين سمعت صوت الباب. اندلق النسكافيه من الكأس حين ارتجفت يداها من وقع المفاجأة. أصابت قطراته قميصها وبعض الأوراق المبعثرة أمامها على المكتب. سبع سنين تعود وتعيدهما للخلف بعناد وألم.

لكن يافا مثل غزة، اختلفت كثيراً عن السابق. حديثها وقلقها ومواطن اهتمامها تنوعت، وصارت تشبه المزاج العام. لم تعد

تلك الفتاة التي لا تعرف إلا ما تؤمن به. صارت جزءاً من ماكينة غزة مثل الكثيرين. والشيء الأبرز في هذا الاختلاف أنها صارت تضع منديلاً على رأسها. بنطالها الجينز ذاته وقميصها الزهري ومنديل رأسها المطرز بالفراشات. وصارت تتحدث عن الهم العام وعن معاناة الناس. عملها في مجال حقوق الإنسان جعل هذا ممكناً. لكن يافا صارت تقضي وقتاً طويلاً في نشاطات مختلفة مثل المسيرات والاجتماعات واللقاءات والندوات، تتحدث وتستمع إلى هذه القضايا. صار المجتمع يعني لها كثيراً.

كانت قطرات النسكافيه العالقة على ملابسها تقول بوضوح كبير إن ثمة شيء مازال عالقاً في القلب أيضاً.

ود لو يستطيع أن يتدبر طريقة يتخلص بها من الموعد الذي فرضته عليه، أن يقول شيئاً مقنعاً حتى لو كان كذباً، لكنه كافياً ليتهرب من اللحظة التي لا يحبذها: أن يجلس حول الطاولة معها، قدماه ترتجفان بقلق يشبه اللحظة الأولى حين جلس معها في المقهى. كانت تلك لحظة يحب أن يتذكرها، لكنه لا يتمنى أن تعود. يحس نفسه للمرة الأولى سيفعل ذلك، سيجلس مع فتاة حول طاولة وفنجانين من القهوة السبريسو وزجاجة ماء صغيرة وكأسان فارغان ينتظران الامتلاء . التردد ذاته، ورجفة الأرجل ذاتها، وربما تلعثم اللسان، وتيه النظرات. لا يرغب في دخول نفق التجربة مرة أخرى.

رغم ذلك فإن مجرد التفكير في كل هذا يدخل الفرح إلى قلبه، فيحس به مثل طائرة ورقية فوق البحر، تميل يميناً وشمالاً وتهبط وتعلو، كانها المرة الأولى التي سيجلس فيها مع فتاة وجهاً

لوجه، تمسك بنظراته متلبسة تتلصص على تكويرة نهديها أو انثناءة ردفيها.

قالت له بلهجة شبه آمرة «بشوفك بكرا في ديليس!!». ورفعت اصبعها، كأنها تحذره من مغبة عدم المجيء. لم يكن تحذيراً، لكنه كان إشارة قاسية رفضتها عيناه المفجوعتان بسقوطه المفاجئ تحت عجلة قطار الحب مرة أخرى. انتبهت أنه لم يقل شيئاً، اقتربت منه وقالت «بكرا!» وتبعتها بالفرنسية «à demain»

كأنها كانت تعرف وقع كلامها عليه، أو ثقل نظراتها في عينيه. كانت تعرف أن ثمة شيئاً مازال عالقاً في أهداب القلب ورموش العين، شيء منها لم يذهب، لم تمحه السنون السبعة التي انقضت في عربة الحياة. تعرف أن ذات الشيء لم يزل يسكنها مثل جنين مازال يصارع من أجل البقاء في رحم الزمن. الطفولة ذاتها التي جمعتهما في أزقة المخيم صدفة ثم صارت الصدفة صدفة مفتعلة. في تلك الأيام لم يكن أحد قد انتقل للسكن على التلة. كانت الطفلة يافا تهبط التلة إلى شارع الحارة في المخيم تحمل معها بساتين من الورود الجوري والقرنفل والياسمين والنرجس، توزعها على الأطفال قبل أن يبدأ الجميع بالعراك والجري والشد، والبعض يضحك والبعض الآخر يبكي. وكان الأطفال يرفعون أعينهم عالياً باتجاه التلة، حيث يرقد البيت الذي تسكنه يافا ووالداها مثل قصر الأميرة النائمة، فيذهب بهم الخيال كل مذهب، وتأتي الأحلام لهم بكل مقصد. وحين تعود أدراجها تبدو حقاً مثل أميرة تغيب في نهاية الحكاية. لكنها اميرة مشاغبة شقية، لن تتوانى في السب والشتم وربما الجري خلف

أحدهم، كما قد تبكي بعنف مزعج. ثم اختفت يافا. كبرت وكبر الاطفال، وتلهّو بأعباء الحياة فمنهم من ذهب للعمل مبكراً، ومنهم من التحق بالجامعة، والبنات منهن من تزوجت مبكراً وأنجبت، ومنهن من واصلت تعليمها حتى مراحل مختلفة. لم تختف يافا بشكل كبير، حيث انهت دراستها الثانوية في المخيم، والتحقت بجامعة الأزهر بغزة في قسم اللغة الإنجليزية.

قبل أن تختفي البنات من الشارع ولم يعدن يخرجن لتكور نهودهن وبلوغهن، بدأ بعضهن بوضع المنديل على رؤوسهن لتغطية شعورهن. لم يكن بعضهن قد أتمت العاشرة، لكن هكذا تم الأمر. وبعد المنديل بدأ الإنسحاب التدريجي خلف أسوار البيت، ولم يعد من الشائع أن تراهن يلعبن في الشارع، أو يتلهين مع أقرانهن من الفتيان أو الفتيات. وكان الأمر الأكثر لفتاً للانتباه في كل هذا هو يافا التي لم تضع منديلاً على رأسها. بدا الأمر عادياً في البداية إذ أن بعض الفتيات لا يغطين شعورهن عند العاشرة والحادية عشرة، ولكن حين دخلت يافا المدرسة الثانوية، وظلت بدون غطاء شعر، أثار الأمر حفيظة البعض في الحارة. «بنتك صارت صبية يا حاج»، قال الشيخ حسن للحاج، وهو يضع كأس الشاي بعنف على الصينية النحاسية. لم يملك الحاج الكثير من الاجابات، لأن السؤال لم يكن موجوداً بالنسبة له. قال هذا حقها، هي حرة شو بتسوي. استنجدوا بمواقف الحاج وأخلاقه وسمعته وتاريخه، كي يضغطوا عليه أن يضغط على ابنته. هز رأسه وقال: يا جماعة هو منديل يافا بنتي هو اللي ضيع فلسطين. في الحقيقة كان الحاج مدافعاً مخلصاً عن

حرية ابنته، لكنه بينه وبينها سيخوض حروباً ضروسة ونقاشات قاسية من اجل اقناعها بأن تكون مثل الناس. هو مع حرية اختيارها، ولكن يجب مراعاة مشاعر الناس. لكنه بعد كل نقاش سيهز رأسه ويقول لها «اعملي اللي بدك اياه يا يافا، ثقتي فيك كبيرة». وحين يجلس مع نعيم تحت شجرات الكينيا قبالة البيت فوق التلة يشكو له أن أحداً لا يفهم. الناس لا تفهم أنه لا يستطيع أن يضغط على ابنته الوحيده. هي التي خرج بها من الدنيا، فإخوته لا يعرف بأي منفى يعيشون، وابنه يمضي العمر كله خلف جدران السجن، وأقاربه لا يتواصل معهم فهم في الضفة وهو في غزة. يافا هي ما تبقى له، لذا لا يستطيع أن يضغط عليها، أن يجبرها على فعل ما لا ترغب. «الحياة اختيار». لكن يافا لا تفهم أيضاً بأننا نعيش بين الناس، ووجهة نظر الناس مهمة. الناس في المخيم هم أهله الذين احتضنوه حين جاءهم وحيداً، ودعموه حين قرر أن يسكن على التلة. يافا لا تعرف أن «الجنة بلا ناس ما بتنداس»، وأن علينا أن نراعي كيف يفكر الناس عنا. ومثل كل مرة سيقول الحاج لنعيم أن السفينة راح تمشي وأن الحياة تستمر رغم كل شيء. ويستعرض معه المآسي الطويلة التي عاشها وخبرها من طفولته المضطربة خلال اضراب عام 1936 في يافا، مروراً بالنكبة والتهجير القسري وحياة البؤوس في المخيم، وبعد ذلك حروب الشرق الأوسط كلها، والرحيل للتلة، وعذابات الفراق والأسر والبعد عن ابنه. سلسلة طويلة حلقاتها من نار وطريق خطواتها من ألم.

لكن يافا بالنسبة لسليم اختفت، فهو لم يعد يراها. وحيث أنه يكبرها بثمان سنوات، كان هذا كفيلاً بجعله ينسحب من الحارة إلى

عالم الدراسة فيما هي لم تزل ابنة الحادية عشرة حين ذهب إلى الدراسة في جامعة بيرزيت قبل لقائهما الأول بأكثر من ثمان سنين. في ذلك الوقت عام 1992 كانت الانتفاضة الأولى قد بدأت تخبو حين استقل السيارة وحملته إلى رام الله، ومن هناك إلى أحد المباني التي كانت تستعملها إدارة الجامعة بعد أن أغلقت سلطات الاحتلال الحرم الجامعي لتعاود فتحه بعد ذلك بسنين. ترك خلف ظهره الحارة، وترك يافا تكبر لتصير فتاة جميلة ممشوقة القوام. لكن ما فاجأه أكثر، أنها قارئة نهمة للأدب الغربي ومجتهدة في التعبير عن وجهة نظرها.

يا الله كيف يتألم المرء، وهو يدرك أنه لا يقوى على مقاومة الألم. شعرت هي أنها تعود للحظة الأولى في ذلك المساء البارد عام 2000 حين دخلت المركز الثقافي، وخُطف قلبها منها هناك، ولم يعد ملكها. التمتمات الشغوفة والكلمات الهاربة من الشفاه، تصل خلسة إلى الآذن أو تتلاشى من الخوف في الهواء. أحست بالأمر ذاته، بأن الشعور البريء الذي غرسته السنون في قلبها لم يفتر، بل إنه عاد كبركان قابل للإنفجار مرة أخرى. لكنه هذه المرة حاملاً معه غباراً وأتربة علقت في الذاكرة طوال السنوات السبعة الماضية التي ظنت، ربما كانت تمنى نفسها بذلك، أنها نسيت فيها ذلك الفتي طويل الوجه، كث الشعر، مكتنز الشفتين، ببلوزته السوداء المرقطة برشقات بيضاء وكلمة destination على صدره مطبوعة بلون أحمر . يومها ضحكت وردت شعرها للخلف وهي تقول «شو طالع من ورشة دهان». نظر إلى البقع البيضاء التي تنتشر على بلوزته وقال «كنت ماراً من جنب عمال بدهنوا عمارة جديدة». وضحك. وكانت

تعرف أنه يمزح، لكن حتى مجرد هذا المزح، كان يدفع نصل السهم الأملس، الذي بدأ ينغرس في أعماقها ببطء ولكن بثبات. ضحكت وضحكت وضحكت وملأت الدنيا ضحكاً. قال له أبو جورج ذات نهار ممطر وهما يجلسان حول نار الكانون، إن المرأة تحب الرجل الذي يبهرها، وهذا الرجل هو الذي يعرف كيف يضحكها من قلبها أو يعرف كيف يستمع إليها أو يعرف كيف يطبخ لها. كان أبو جورج كما يسميه أهل الحارة يفتح دفاتر ذاكرته يقلبها مثل حبات الكستناء في النار ... يعيد للمرة الألف قصة حبه في يافا قبل ستين عاماً وهو لم يبلغ السابعة عشرة من «تانيا» ابنة مدينته الأرثوذكسية، قبل أن تفرقهما النكبة، ولا يعود يعرف عنها إلا المشاهد المؤلمة في ذاكرته لهما... يذهبان إلى سينما الحمرا كل يوم جمعة لحضور فيلم، أو ركوبهما الباص للذهاب إلى القدس أو العودة مساء في نهار مرهق. من أشياء كثيرة علق به لقبه «أبو جورج»، وهو دعابة أطلقت عليه لحبه للأرثوذكسية. يمكن للمرء أن يتعلم كثيراً عن الحب من أبي جورج فهو لم يتزوج إطلاقاً حيث ظلت تانيا في نظره زوجته البتول التي لم يلمسها، وانجب منها طفلاً اسمه جورج لم ير النور. وهو لن ينجب من غيرها. لذا من المفيد الاستماع له حين يتعلق الأمر بشؤون القلب، فهو بذلك خبير.

ثمة لحظة لا يحبها، وعليه أن يستعد لها، أن يفتح جوارير ذاكرته لعصف الريح، لتطير منها قصصات الورق التي تحمل على متنها سطراً يلخص حكاية صغيرة من حكايات الحب، الذي ربطه مع يافا لسنوات لا يعرف خلالها معنى آخر للحب لا يشير إليها. لا يمكن للماضي أن يعيد نفسه مرة أخرى، لكن هناك لقطات سرعان

ما تجد طريقها إلى طاولة الحديث، فنظن أنها تعود مرة اخرى. لكن أيضاً هناك سياق مختلف يجعل من عودة الأشياء سيراً في متاهة. فهو لم يعد ذلك الشاب العشريني الممتلىء حيوية ونشاطاً والحالم بالمستقبل الذي كان يظن أنه يرسمه بدقة، بل يلون تقاطيع وجهه ومعالمه، الشاب الخجول والجريء في آن.

وقتها، استغرقه الأمر ستة أشهر وهو يقول لها إنه سيفاتحها بموضوع هام. يجلس على الكرسي يشبك يديه أمامه على الطاولة، قدماه تتباعدان وتقتربان، حتى شعره يبين عليه الخجل والتردد. وفي كل مرة ينقد النادل ثمن القهوة وينصرف يجر أذيال الخيبة، فيما هي ترمي شعرها للوراء، وهي تحدجه بنظرة عتب، وتسأل للمرة الأخيرة «بدك تقول شي؟!». كان يعرف أنها تعرف ماذا سيقول، وكانت كلمة بسيطة لكنها صعبة. يحس أن أحرف اللغة كلها لا تقوى على إطلاق مدفع لسانه ليقولها. ستة أشهر وهو يستعد كل مرة للمشهد، يعيد تكراره أمام المرآة قبل أن يخرج، ثم قبل أن ينام مثل الدواء. في الحمام قد يوقف الماء الساخن المتدفق من الخرطوم، تاركاً الصابون يغطي رأسه وجسده ليعيد تكرار المشهد، لكنه يفشل حين يجد نفسه وجهاً لوجه أمام الحقيقة. كان هذا اللقاء الأسبوعي مصدر عناء لكليهما. كان ينظر في عينها، ويقول لو أنها تقول الكلمة نيابة عنه. أما هي فحين تخلو مع «وعد» زميلتها في الجامعة وتغلق باب الغرفة، تصر على أن الرجل هو من يجب أن يبادر. اقترحت وعد أن تكتفي منه برسالة أو كلمة مكتوبة حتى على علبة السجائر... «إيميل بكفي». هزت شعرها بكلتي يديها، وهي تقول إنها تريد أن تسمعها منه. تحب تردده واختلاجات جسده وتيه عينيه ورعشه يديه، حتى

حركة قدميه تحسها، لكنها في المحصلة تريده أن ينطق «الجوهرة». تغمز وعد بعينها اليمنى وتقول «ساعديه». «لا تنفع المساعدة في هذه الأمور». ثم إنها ماذا ستفعل أكثر من ذلك فهي تجلس لأكثر من ساعة قبالته، كأن عينيها تتوسلان من شفتيه الكلمة.

هذه المرة كان تردده مزدوج المصدر. فهو من جهة لا يريد أن يجرفه الحب مرة أخرى، خاصة أنه لم يقرر إذا ما كان سيبقى في غزة ام لا. وإذا فعل وصار لزاماً عليه ان يسافر، فإنه سيلقى من يافا سيلاً من التهم والنعوت بأنه تركها مرة أخرى وأنه أناني لا يفكر إلا بأحلامه الفردية. ومن جهة ثانية فإنه لم يكن متاكداً إذا كانت يافا قد غفرت له فعلاً سفره لسبع سنوات وعودته. من القسوة أن نطالب الآخرين بالالتزام فيما لم نقدم لهم نحن التزاماً مقابلاً. لذا فإنه لم يكن سعيداً كثيراً حين طلبت منه ان تراه غداً في المقهى.

لكن لا أحد يعرف سنن القلوب ولا يمكن، حتى لأبي جورج، ان يدعي انه يفهم منطق الهوى، إذ عاد الحب إلى أوردة القلب وجرت مياه أكثر نقاءً في مجرى الروح، وصارت لقاءاتهما مستمرة كما كانت قبل سبعة سنين. كان الحديث في الماضي دائم التكرار والحنين إلى لحظات الحب الأولى، يدفع للمزيد من اللقاء. وبدأت الأحلام تجد متنفساً في حقول واسعة، والوعود المشتركة تترعرع مع أقداح القهوة ورشفات العصير، والبحث عن الغد المشترك ينتشر في التفاصيل.

ظل كل شيء على ما يرام، حتى ظهرت الصحفية الاجنبية في بعثرة مهولة لحالة الهدوء الذي كان يمكن له ان يخدر حياة سليم

لعقود قادمة. كان اللقاء الذي أجرته مع والده دون علم الوالد مثيراً. تحدث فيه بوضوح عن قسوة ابنه. سمع سليم هذا الكلام. أحس بضميره يتقلب على سهل من الشوك المدبب. كان الأب شفافاً وحزيناً ويائساً. يمكن للحظات تانيب الضمير أن تدفع بسليم للاعتقاد انه من جعل الحياة غير ممكنة بالنسبة لوالده. كان يعرف أن والده لم يحب سفره الاول لإنجلترا ولا سفره الثاني لإيطاليا، فهو لا يحب فكرة ان يبعد عنه، ويعرف كل ما يمكن لأبيه ان يقوله حول الفراق ولمة العائلة، والعناقات المبتورة ونظرات العين المطفاة، والحرارة التي خمدت لكنها تشب ألسنة لهب امام أية شرارة تقدحها الذاكرة. لكنه لم يعرف أن والده يمكن له أن يطفح بهذا الألم، يفيض عن طاقته، يندفع مثل لهب البركان في حوار شائك، مثل الذي اجرته معه.

التم الناس على حادث الطريق امام بنك فلسطين في الرمال، وبدا ياسر مشغولاً بتامل تفاصيل الحادث. واصل سليم سيره غرباً باتجاه البحر، حيث تنتظره يافا في مطعم السلام، بعد ان حضرت ندوة تنظمها مؤسستها حول الانتهاكات التي يتعرض لها الصيادون في عرض البحر. كان بادياً عليه القلق والغضب. حدثها عن الحوار الذي وجده صدفة في كاميرا ياسر مع والده. لم يقل لها إن والده اشتكي من غيابه، وبدا حزيناً على ذلك.

- عادي!

- كل شيء في غزة عادي!

- انت تعمل البحر «مكاتي».

- انت لم تشاهدي الحزن في عيني والدي.

- لم اشاهده؛ أعرفه. أحسه. جربته.

- العالم يبدو منهاراً من حوله وهو يقف على حافة الصخرة الاخيرة في الكون.

- بعد ان سافرت لم أره كثيراً، لكني في المرة الاخيرة الذي رأيته بدا عليه التعب والإرهاق بشكل كبير. تظنه قد شاخ عشرين سنة فجأة.

صمتت يافا، ثم فجأة قالت إنها تعرف الصحفية التي أجرت الحوار مع والده. ابتسمت وقالت إن العم نعيم كان صديقاً للصحفية. كان سليم شارداً تائهاً في أفكاره. لأول مرة يشعر بقوة الألم وبالندم لأنه لم يأت قبل ذلك لغزة. كان الوحيد الذي كان يمكن له أن يحقق لنعيم شيئاً من أحلامه. فالآخرون لا يقدرون، وليس بيدهم أن يحققوا له احلامه بشأنهم... فأخوه في السجن وخروجه ليس بيده، وامه أيضاً لن تقدر على النهوض من القبر، وأعمامه في بلاد الغربة وعودتهم قصة شعب بأكمله. كان وحده من يملك بيده أن يحقق له جزءاً من أحلامه. لكنه لم يفعل. نزلت دمعة من خده. كأن يافا لمحت ذلك. خبطته بحقيبة يدها على ظهره، وقالت إن العم نعيم رغم ذلك كان فخوراً به، كان يقول إن ابنه يعمل دكتوراه في إيطاليا.

ليس هذا فحسب ما سيقلق سليم في الأمر، حيث في انتظاره المزيد من الألم. فأكثر ما سيبعث عدم الطمأنينة عنده هو حين

يتعرف إلى الصحفية التي نجحت في بعث النار في جمرات ألم والده الهادئة، لتحيلها ألسنة ستكوي سليم بالمزيد من العذاب واللحظات المتخيلة عن ألم والده. لو صدر، خلال هذا الحوار، عن الصحفية المزيد من الكلمات والأسئلة، لربما استطاع سليم أن يدرك ما سيعرفه لاحقاً. لوهلة ظن انه يعرف الصوت، لكن مرة أخرى، ثمة أحداث من الصعب لبلدوزر الحياة ان يبعثها بسهولة من رقاد الزمن.

الفصل السادس

ذكريات ترانزيت

في الحقيقة كانت الصحفية تعرف الكثير عن نعيم، فهي تعرف أن لديه ولدين واحد في السجن وواحد خارج البلاد، وهي تعرف هذا الابن جيداً. لكنها لم تقل ذلك. كانت تعرف ان ثمة ما يمكن لها أن تتعلمه أكثر عن نفسها ولحظات جميلة من ماضيها وهي تسأل هذه الأسئلة في حوارها مع نعيم. تعيد اكتشاف لحظات عميقة مرت بها، كانت تذرف فيها الدموع على حب اعتقدت انه سيملكها إلى الأبد. كان علاقة قديمة تربطها مع سليم خلال سنته الأولى في إيطاليا. قصة حب انتهت مثلما تنتهي كل حكايات الغرام بفراق ودموع، لكن ذكراها ظلت قوية وولدّت لديها اهتماماً جديداً سيلازمها طوال عمرها. هذا الاهتمام بالمنطقة وباللغة العربية وبالقضية والصراع المحموم.

جاءت نتالي إلى مدينة فلورنسا من الأندلس. كانت تنوي دراسة الاقتصاد هناك، إلا أنها وبعد أن أمضت سنة ونصف اكتشفت أنها لا تحب الدراسة، وأنها لابد أن تعود لهوايتها القديمة: الصحافة. فهي عملت في صحيفة محلية في مدينتها «ملقة» وهي لم

تبلغ العشرين. إلا أن الشيء الجديد الذي ستكتشفه بقوة هو حبها للغة العربية وتعاطفها الكبير مع القضية الفلسطينية. بدأ الأمر كله صدفة، وانتهي بدموع مثل كل قصص الحب.

كما في حلم !! ليس من المؤكد أن هذا اللقاء حدث فعلاً وفق هذه التفاصيل. مثل أن يصحو احدنا من النوم وبعض قصص الليل مازالت عالقة على جفونه، يفرك عينيه لعله يصحو أو كأنه يرغب في معاودة النوم مرة أخرى. هكذا كانت تقف تسند جذعها على عامود الرخام في بهو الفندق، ترتشف كأساً من القهوة، فيما كان هو يخطو درجات السلم هابطاً إلى البهو! حينها بادر كل منهما بتحية الآخر برمشة عين، ولم يكونا قد تعارفا من قبل. كان ذلك اليوم الأخير في مؤتمر نظمته الجامعة في منطقة «مونتي كاتيني». هكذا تحدث الأشياء الجميلة. من قال إن الفجر يأتي على موعد. عادة ما نكون نياماً، منهكين، متعبين، لا نتوقعه وإذا أردناه هزمنا النوم، وإن استطعنا هزمنا التعب!

«لو بقى عبد الله الصغير في غرناطة لكان اسمي فاطمة».

ثم ضحكت وهي ترفع خصلات شعرها إلى الوراء. كانت جدية رغم ذلك. نظرت في عينيه وهي تعيد أسطورة عائلتها التي انتقلت من الأندلس لألمانيا في ستينيات القرن الماضي في عهد فرانكو. ثم عادت بعد وفاته إلى الأندلس. وقالت له إن افتراض الشيء بافتراض تغير مسار التاريخ لعبة لامنطقية لكنها تحبها. أما هو فوضع رأسه بين يديه. لم تعرف إن كان قد ضايقه ضحكها المتواصل أم أنه مرهق لكثرة المشاوير والسير في الطرقات طوال

اليوم قبل أن يجلسا في «مقهى الحليب» في أحد شوارع مدينة فلورنسا الضيقة. لمست يديه وهو يتمتم ببضع كلمات لم تفهمها. عرفت أنها العربية. قالت «أبي كان يحب أن يلقبه أصدقاؤه بعبدول... يعني عبد الله».

نتالي تعرف كيف تحب! ليس كل النساء يعرفن كيف يحببن، كما أن ليس كل الرجال يعرفون كيف يحبون؛ فالحب هوى كما قال أوفيد. وهي كانت أبرع من يعرف ذلك، وكانت تحب بمزاج وتمارس الهوى بمزاج.

الجانب الآخر من الحقيقة، أن ياسر نفسه لم يعرف كل ذلك. لم يكن يعرف أن الصحفية، التي هاتفته وهي في مطار اللد تطلب هي وفريق من الصحفيين خدماته، كانت تربطها علاقة حب قديمة مع سليم. في المقابل هي لم تعرف أن مترجمها الشخصي في غزة يعرف عشيقها السابق، بل هو واحد من أعز أصدقائه. كما لم يخطر ببالها أنها ستقابل والد هذا العشيق صدفة. تعقيدات ومفارقات ستحدث في إيقاع سلس وغير مفتعل سيجلب معه الكثير من التشويق، مثلما يقوم شخص بتأدية دور في مسرحية لا يعرف أحداثها. فقط حين وقفت أمام باب المطبعة شكت نتالي بأن ثمة أقداراً تلعب بمصيرها. طلبت من ياسر أن تدخل المطبعة، فابتسم وهو يقودها إلى داخل المطبعة ، كان نعيم منشغلاً بتنظيف ماكينته في آخر النهار. وما أن نادي على نعيم باسمه، حتى تيقنت من شكوكها فهو والد سليم. وكانت وحدها تعرف خيوط المصادفات التي ستنكشف أمامها.

التحقت بدورات لتعلم اللغة العربية، وبدأت عملها مراسلة في مصر لصحيفة مركزية في مدريد، ثم حملها عملها إلى دمشق فغزة

فالقدس. وحين بدأت التظاهرات تندلع في العواصم العربية، بعد حرق المواطن التونسي بوعزيزي نفسه في كانون أول 2010، أوفدتها الصحيفة إلى تونس وبعد ذلك إلى القاهرة، حيث أمضت ثلاثة أشهر استأجرت خلالها شقة في ضاحية الجاردن سيتي في وسط القاهرة. الآن تجيد اللغة العربية وتستطيع إدارة حوار طويل، كما أنها ملمة بشكل ملفت بقضايا المنطقة. لكن الأهم من ذلك أنها لم تكن تفوت أية مظاهرة نصرة للقضية الفلسطينية في مدريد، حيث إقامتها الجديدة بعد عملها في مقر الصحيفة. وكانت متحدثة جيدة في الندوات والمحاضرات حول الصراع، وكانت تحضر كل الفعاليات المختلفة التي تنظمها الجهات المتعددة، التي تعمل على إبراز القضايا العربية والثقافة العربية، من «بيت العرب» والجالية الفلسطينية والجاليات العربية. ثمة شيء فيها من هناك. حتى يكاد المرء يصدق ما قالته لسليم ذات مرة بأنه لو ظل العرب في الأندلس، لكان اسمها الآن فاطمة وليس نتالي، وأن جدها الخامس عشر ربما كان اسمه عبد الله. وكانت هي فعلاً تؤمن بذلك. وعليه كانت ترفض التعامل بعقل السائح مع الأشياء التي تراها. رفضت ركوب الجمال. قالت إن السيّاح يعملون ذلك، أما هي فتود لو تعيش كفتاة بدوية في خيمة. كما أنها لم تقم مثلاً بزيارة الأماكن السياحية في القاهرة مثل الأهرام، حتى وجدت نفسها ذات نهار ترى رؤوس الأهرام تتلصص على القاهرة فشدها المنظر، فترجلت من السيارة وتأملت قبور الفراعنة.

سيمر شهران فقط على مشاهدة سليم لفيديو التسجيل، قبل أن تهاتف نتالي ياسر، وتقول له إنها قادمة مع مجموعة من الصحفيين لغزة بعد أسبوع، وتود استئجار خدماته. انقطع التواصل بين نتالي

وسليم بعد سنة من مغادرتها لفلورنسا. عرف عبر بعض الأصدقاء أنها تعمل في الصحافة، ولم يخطر بباله قط أن تكون هي من التقت والده قبل رحيله المفاجئ. هذه المرة ستنقلب خيوط المفاجأة، إذ وما أن يبلغ ياسر سليم بتجهيزه للقاء وسهرة في مقهى على البحر مع مجموعة من الصحفيين، منهم صحفية أسبانية اسمها نتالي فردناندس، حتى تيقن أنها نتالي صديقته. لم يبلغ ياسر. لكن ما بقي مخفياً عن سليم هو ما لم يقله ياسر، أو نسي أن يقوله، من أن نتالي هي الصحفية التي التقت والده وسجلت معه شريط الذكريات، دون أن يعلم. في المقابل فإن نتالي أدركت أنها ستقابل سليم، ففور وصولها إلى غزة سألت عن نعيم وفجعت حين عرفت أنه قتل. بكت وظلت شاردة سارحة لوقت طويل، ثم قالت إنها ستزور بيته ومطبعته. اقترح ياسر أن تقابل ابنه. فتحت عينيها لعله يقصد الشخص ذاته. قال ياسر إن ابنه رجع من إيطاليا، عندها عرفت أنه يقصد سليم. تطايرت لحظات الماضي أمام عينيها عصافير ذبيحة وقعت تحت وطاة رصاصات الصياد. ولم يكن هذا الصياد إلا تلك الصدف غير المدبرة. لكن ياسر حذّر من أن سليم لا يحب موضوع الصحافة كثيراً، لذا سيرتب جلسة ودية في مقهى على البحر. الواضح أن سليم ونتالي كانا يعرفان بالصدفة أنهما سيلتقيان، وتقّصد كل منهما أن يخفي أنه يعرف. وعليه وحِين تقابلا في المقهى، فيما كانت الشمس تغطس في البحر ومراكب الصياديين تضيء قناديلها لتبدو مثل طريق مضيء في قلب البحر، تصنّع كل منهما الدهشة لرؤية الآخر، فأصابا الجميع بدهشة أكبر. عندها عرف ياسر أنهما يعرفان بعضهما بعضاً. تبادلا حديثاً مقتضباً اقتضته المجاملة، فيما واصلا حديثهما مع بقية الجلوس

حول الطاولة الطويلة الموازية للشاطيء. كانت نتالي بصحبة ثلاثة من أصدقائها الصحفيين تياغو البرتغالي وماثيوس اليوناني ومواطنتها صوفيا. وكان جل الحديث حول الربيع العربي وآفاق نجاحه. بعد نصف ساعة ستطلب من تياغو أن تتبادل معه الكراسي، حتى تجلس بجوار سليم. تبادلا حديثاً طويلاً عن السياسة والمستقبل وعن والده، اعترفت خلالها أنها كانت تعرف أنها تتحدث لوالده، رغم أنها أخفت عن ياسر أنها تعرف الشخص الذي تتحدث إليه. بالطبع فهي أيضاً أخفت ذلك عن نعيم وهي تحدثه. ولم يفتها أن تقول إنها بكت حين أخبرها ياسر بخبر وفاة نعيم.

يا للقدر!! فقد استيقظت أقوى قصتي حب عاشهما سليم من رقاد الماضي وبعثتا في لحظة واحدة. يكشف لقاؤه الثاني بنتالي له طبقة جديدة من المخفي عنه، فنتالي ويافا صديقتان حميمتان. خلال زيارة نتالي الأولى لغزة، والتي قابلت فيها نعيم، حيث أمضت أسابيع ثلاثة في غزة، تعرفت على يافا في سيارة الأجرة والتقيتا اكثر من مرة، وجاءت نتالي لزيارة يافا وتعرفت على والدها الحاج، بل إنها كتبت عنه قصة صحفية مؤثرة. لكنه وحده سيظل يعرف أنه كان عشيق الاثنتين. فرغم أن نتالي أخبرت ذات مرة يافا عن قصة حبها من الشاب العربي، لم تقل الفلسطيني، إلا أن الثانية لم يخطر ببالها أنها تشير إلى الشاب الأول الذي فتح رتاج شفتيها وقبلها في عب شجرة قرب البحر. كان سليم بالنسبة لنتالي قصة الحب التي لم تكتمل، والحلم الذي لم يتحقق. لا تستطيع حتى الآن أن تفهم كيف انقلبت الأمور، وكيف تركا بعضهما. قال لها إن غيرتها زائدة، وأنها تحب الاستحواذ والتملك. بكت كما لم تبك في حياتها على شاب

وهي تصف له كيف أهانها، وهو يخونها مع الفتاة الفرنسية. ليست خيانة فحسب بل استهتار. بكت وظلت تبكي وتبكي وهي تجلس على الكنبة حتى غفت، وحين أفاقت كانت الشمس قد رحلت خلف تلال توسكانا. ستحمل حقيبتها وتذهب إلى محطة القطار بلا سابق انذار. لم يكن سليم بالنسبة ليافا أقل من ذلك. حين تتذكر نظرات عينيه تحس في كل مرة ان سهم الحب انطلق لتوه وأصاب قلبها. الوخز ذاته، ورعشة القلب نفسها، ولهفة الجسد. في ذلك المساء الربيعي أخذت ترتجف امامه حين اقترب منها. كانت انفاسه حارة تعلو عن حفيف الشجر المتمايل بفعل رياح نيسان. كانا يقفان في عب شجرة توت ضخمة، حين امسكت شفتاه بشفتيها. ظلت وكلما فكرت فيه، تتحسس شفتيها مثل من يلعق بقايا العسل عن فم الجرة. يا للقسوة! كيف يقدر على ترك كل ذلك من اجل تحقيق طموح شخصي وحلم فردي. وللصدفة التي لا تعرفها الفتاتان فإن سليم بالنسبة لكليهما خان حباً، كان بالنسبة لكل منهما عالماً بذاته. انهار العالم وجرت انهر الدموع، وتساقطت اوراق الخريف. لكن للحياة حكماً أقوى من قدرة البشر على التنبوء، كما أن الربيع وإن ذهب يظل أحد فصول السنة، ويأتي في النهاية. وجاء الربيع ومن رماد النسيان ومن قسوة الماضي، ومن تأوهات الفراق نهض الحب من جديد.

بدت سخرية القدر أكبر من أن تحتمل، خاصة حين ادركت يافا أن نتالي تعرف سليم، وانهما درسا سوية في إيطاليا. بات لديها شك يرقى إلى درجة اليقين، أن سليم هو ذاته الشخص الذي تحدثت لها عنه نتالي في السابق. بدأت الغيرة تبث سمومها في نفس

يافا. ولم يمهلها غضبها كثيراً، قبل أن تسأل سليم إن كان أحب نتالي في السابق. كان عليه أن يكون صادقاً، فهي سألت بنبرة من يعرف الإجابة وواثق منها. قال إنها معرفة.

لكنها أخبرتني أنك كنت تحبها، وأنها كانت تحبك.

أخبرتك عني؟

تحدثت عن شاب عربي.. كانت تقصدك.

في أوروبا أكثر من عشرين مليون عربي يا يافا.

لا تراوغ، إحساسي يقول لي إنها تقصدك.

تحاكميني بسبب إحساسك!

لو حاكمتك بغيره، لما جلسنا بعد الذي عملته لقلبي.

(استسلم) تعرفين الحياة في أوروبا.

(بسخرية) لا، لا أعرف الحياة في أوروبا. أعرف أن الحب حب.

تغارين على!!! (وابتسم)

ليست مسألة غيرة، ولكن مسألة صدق. أنت لم تخبرني

لم تسألي، كيف سأخبرك!!

وانتهى اللقاء. وجد نفسه عاجزاً عن التمييز، أو غير قادر على اتخاذ قرار، فنتالي تطالبه بالعودة إلى الماضي والإخلاص للحنين الجميل الذي ترعرع في قلبيهما، ويافا تطالبه بالعودة إلى الماضي أيضاً، ولكنه ماض مختلف تكون هي فيه الاميرة. ماضيان يتصارعان على

لحظة حاضرة، وهو يقف في مكان ما في منتصف المسافة. لم يسمح لعقله بالمفاضلة بينهما، كما أنه لم يكن مرتاحاً للمأزق الذي وجد نفسه فيه. قبل أن تصل نتالي كان يبني أحلاماً كبيرة على استعادة علاقته بيافا، وفكر أنه قد يرتبط بها ويتزوجان وينجبان ويعيشان على التلة مثلما عاشا والديهما. هذه الأحلام تبددت مع وصول نتالي والشوق الطافح في عينيها. في مقهى «ديليس» قالت له إنها مازلت تحبه، تشعر بشيء منه فيها. ذكرته بالليلة الصاخبة التي رقصا فيها طوال الليل، وحين أفاقت في الصباح وجدت نفسها عارية بين يديه. واعترفت أنها هجرت الجامعة لأنها لم تقو على فراقه، حين تيقنت من أنه يعرف فتاة أخرى. «هل تذكر البنت الفرنسية!!» وابتسمت بألم. بالطبع، يتذكر البنت الفرنسية، لكنه يتذكر أن نتالي اتخذت قراراً يتعلق بقصة حبهما دون ان تشاوره، لم تسأله إذا كان حقاً بينه وبين الفرنسية أية علاقة. وقتها، حين هجرته، لم يكن بينهما أية علاقة. نتالي كانت المدعي والقاضي، واتخذت القرار ونفذته. لم يعد من المجدي مناقشة الماضي الآن، لكنه يشعر أن ثمة حلقة من المصادفات التي تنهض من ركام الماضي فتثير غباراً حول وجهه فلا يقوى على المسير. كان يفكر في كيفية توطين حياته في غزة، ولو بشكل مؤقت. مثلاً يتزوج، ويحاول أن يجد عملاً في جامعة محلية، أو يؤسس مركزاً للدراسات، شيء من هذا القبيل. وكانت يافا جزءاً هاماً من تلك الأحلام. كما احتلت أخته موقعاً في خارطة أحلامه، وهو لن يجد مانعاً من سفرها لاستكمال دراستها إذا شاءت.

الضوء الخافت الذي بدأ يشع في عقله ويشير نحو غزة، لم يصمد أمام الاهتزازات الحادة التي أحدثتها تلك المصادفات. فيافا

لم تعد ترغب أن تراه، فهي تشعر أنه يخونها للمرة الثانية. في السابق ضحي بقصة حبهما من أجل طموحه الشخصي، وها هو يضحي به من أجل نزواته. بالنسبة ليافا لم تكن زيارة نتالي إلى غزة صدفة أو للعمل هذه المرة، فهي جاءت من أجل سليم. بعد زواجها الفاشل استقرت حياتها على ايقاع واحد، وجدت في العمل ضالتها واستطاعت تحقيق تقدم كبير وصارت ناشطة نسوية بارزة في غزة، تحظى باحترام وتقدير كبيرين. لم تفكر بالزاوج مرة أخرى، فالملدوغ يخاف من جرة الحبل، ولم تكن ترغب في الدخول في تجربة جديدة. مع عودة سليم خفق قلبها مرة أخرى، وسمعت وجيب قلبه يتسلل إليها. في البداية أرادت أن تصارع هذا الشعور، أن تطمسه، أن تتكيف مع وجوده وعدمه، أن تتخلص من شكها بنفيه. لم تستطع. وجدت نفسها تعيد فتح كتاب الماضي، ووجدت الماضي فجأة يعيد كتابة سطوره، ولكن هذه المرة بعقلانية كبيرة. فسليم صار ناضجاً وأكثر قدرة على تخيل المستقبل، والأهم أنها هي هذا المستقبل. مع هذا حافظت على علاقتها بنتالي، ولم تنقطع عن رؤيتها، كما لم تصارحها بأنها ارتبطت بقصة حب قديمة مع سليم. الآن صار سليم بالنسبة لها جزءاً من الماضي. لم تعد تراه إلا صدفة، كما أنها قررت أن توقف نبض قلبها. من الأفضل أن تكون صاحب القرار من أن يفرض عليك القرار. فيما مضي وفي لقاء عادي أبلغها نيته السفر للدراسة في الخارج، ولم يملك إلا أن يقول لها بإمكانك استكمال تعليمك في إيطاليا إذا شاءت. أطاحت الامواج بشراعها فكسرته، ورمته قطعاً متناثرة في قلب الماء. هذه المرة لن تسمح لشراعها بالتمزق مرة أخرى، ستبحر به بعيداً عن الموج الصاخب. وهكذا فعلت.

لم تأت نتالي هذه المرة للعمل الصحفي البحت، إذ أنها جاءت للتطوع في أحد مراكز حقوق الإنسان، وخلال ذلك تقوم بكتابة بعض التقارير الصحفية لصحيفتها في مدريد. بالنسبة لها من السهل للزمن أن يعود. «الحياة قرار». بيد أنها لا تعرف أن لغزة حدود، وحدود غزة قاسية. لم تعرض على سليم زواجاً أو علاقة دائمة، بل إنها تعاملت معه كما لو أن علاقتهما تحصيل حاصل. ذات مرة عرضت عليه أن يصعد لغرفتها في البناية التي يسكنها الأجانب في غزة. رفض. قال إن غزة لا تسمح. فهمت على مضض، لكنها لم تفهم المسافة الكبيرة التي يضعها بينه وبينها، فهي كلما حاولت الاقتراب منه ابتعد أكثر. لم يستغرق الأمر أسبوعين حتى قررت التوقف عن محاولاتها الفاشلة. قال لها أنه لا يشعر بالراحة في غزة، خاصة بعد وفاة والده. سألته فجأة: «هل تحب يافا!!». ابتسم، فأدركت أنه لا يريد أن يجيب. لكنه لم يقو على مقاومة الرغبة في سؤالها، لماذا تسأل. نظرت صوب البحر في عتمة الموج، وهي تقول ببساطة لأنكما تناسبان بعضكما. ثم أضافت أشياء حول حديث يافا عنه. لم يأت لها من قبل على ذكر يافا، رغم أنه كان قد أخبرها ذات مساء في أحد بارات فلورنسا عن فتاة يحبها في غزة. باستثناء الأسئلة العادية التي قد تطرح في مثل هذه المناسبة مثل «ماذا حدث للعلاقة؟» «هل انتهت؟ لماذا؟» لم تذهب نتالي في استفسارها أكثر من ذلك. في مرة أخرى أبلغها أن صديقته تزوجت. عندها أدركت نتالي أن العلاقة قد انتهت. لكنها الآن تدرك انها كانت مخطئة.

استسلمت نتالي لقدرها الغزي. تيقنت أن البحث عن قلب سليم عبث مثل التحديق في مرآة مهشمة. في غزة حياتها مليئة

بالأحداث، فهي لا تتوقف دقيقة عن زيارة الناس وتلبية دعواتهم، إلا أن الشيء الأكثر تطلباً للوقت هو التقاطها لمئات الصور لوجوه الناس وللأماكن المختلفة. كانت تفكر في استثمار هذه الصور في معرض أو في كتاب. لذا تراجع سليم قليلاً في سلم الاهتمامات رغم النبض الواهن في قلبها تجاهه. الدموع التي ذرفتها وهي تركب السيارة إلى المطار، والألم الذي كواها وهي تهدم الأحلام التي بنتها، أشياء لا تريد أن تعيشها مرة أخرى. قررت أن تواصل حياتها في غزة بلا أحلام هذه المرة. على المرء أن يتذكر مهمته الأولى في كل مكان. وكانت مهمتها هي أن تعيش في غزة، لا أن تبحث عن ماضيها هناك. الماضي لا ينفع. هكذا قالت لنفسها. وعليه تصالحت مع كل شيء حولها: مع سليم الذي قررت أن يكونا صديقين دون أن ينبشا قبر الماضي، ومع يافا التي لم ترغب أن تتبادلا مشاعر الغيرة فهي فتاة رقيقة ساعدتها في غزة كثيراً، ومع نفسها فهي زائرة وستمضي.

هكذا وجد سليم نفسه مهجوراً فجأة،، فالقلب الذي شعر للحظة بأنه حائر بين قلبين يشدانه وينشدان رضوانه، وقع من غيمة الأحلام في صحراء قاحلة. لم يعد يعرف ماذا يفعل. ما الذي يقوم به. تمضي الأيام عليه في غزة دون أن يعرف كيف تمضي وفي أي إتجاه. فها قد مرت شهور أربعة الآن بعد وصوله إثر وفاة والده، لم يفعل أكثر من الجلوس على المقاهي والحديث مع الأصدقاء والرضوخ لاكتشافات القلب الخائبة. حتى أنه لم يفلح في تأمين عمل يقتات منه في ظل أزمة البطالة المرتفعة. ذهب إلى الجامعات المحلية عارضاً شهاداته وخبراته التدريسية وأبحاثه. قالوا له «إذا احتجنا لك سنهاتفك». كان الصيف ولم يكن قد بدأ الفصل الأول بعد، وكان

من المنطقي أن يمنى نفسه بالانتظار. لكننا في العادة ننتظر حين نشعر بأن شيئاً ما سيتحقق، أما هو فلم يكن يشعر بأي أمل، فقط كان يقامر. تحاصره غزة، تقتات من سنى عمره، عمره الذي يركض في طريق سريع ومظلم، حيث تقفز الوجوه القاتمة من بين ظلال الأشجار الهرمة، وغزة كأنها تشبك يديها تتأمل موته البطيء.

ليس من شيء يثقل عليه أكثر من هذا الشعور بضعف رغبته في المقاومة، في أن يحتج، أن يقول شيئاً يعبر فيه عن رفضه لما يحدث حوله. يدرك تماماً أنه غير مقتنع بالكثير من الأشياء التي تمتد، من وقفه رجل المرور في منتصف مفترق السرايا مربكاً حركة السيارات، إلى ترك يافا ونتالي له ورميهما له بلا أدني اعتبار لمشاعره، لكنه غير مكترث. لم يبك مثلاً على ترك يافا له، بل إنه يسلم عليها بحرارة مثلما يفعل مع أي صديق قديم. وهو يقابل نتالي ويساعدها في عملها في غزة، ويراها تأخذ مواعيداً مع شبان على الهاتف. لا شيء يحركه. عدم الاكتراث هذا هو ما يقلقه، حين يضع خده على المخدة محاولاً النوم، فيما جارتهم العجوز تواصل حديثها النوستالجي مع زوجها، وفيما دخان تبغه الغامق يتساقط على النافذة، فيمر من فوق عينيه مثل سحابات الصيف. يعرف أن المرء ليس بحاجة دائماً ليقول ما يفكر به، وغير مضطر لأن يصرخ حتى لو آلمه الجرح، ثمة ألم آخر قد يسببه هذا الصراخ هو في غني عنه. لكنه وحين يقلب رأسه على المخدة، محدقاً في سحابات الدخان الخارج من التبغ الغامق يعرف أن النوستلجيا التي تشد المرء للماء، تخدش صمت الروح وطمأنينة اللحظة وتثقل عليه نفسه، فيفكر أنه لم يعد هو، وان شيئاً تغير داخله، عاد به مسافات إلى حقول التيه حيث ينمو صبار الألم سهاماً

في عنقه، وحيث تهبط عليه التنهدات فترمي به أرضاً، فيتكور مثل كرة أطفال الحارة التي كانوا يصنعونها من الجراب والأقمشة البالية. تدوسه عجلة الحياة القاسية في غزة، فينظر حوله مستغرباً كيف يكون مجرد وجه هائم في ضجيج الحياة، وكيف يسكت وهو يعرف أنه لم يعد يحتمل، لكنه يحتمل رغم ذلك، ويقسو على نفسه ويعزيها بأنه مغادر في لحظة ما. سيؤدي دوره في غزة ويعود إلى حياته الثانية هناك. في الحقيقة كان هذا أكثر الأسئلة الحاحاً عليه الآن، فهو لم يعد يعرف ماذا يفعل. فالأحلام القليلة التي بناها بعد قدومه لغزة تبخرت، فيافا لم تعد ترغب به، والعمل في الجامعة بحاجة لانتظار. بيد أنه لم يرد أن يقلق والده في قبره. يعرف الحسرة التي كوته حين تركه ليكمل دراسته. سماع الأغنية التي كان يدندن بها ليلة سفره يؤلمه، رجاءاته له بالبقاء ومواصلة الحياة، سرد الملحمة الكبرى حول غربة إخوته، والفقد الكبير برحيل آمنة وسجن الولد البكر .. لكل ذلك، يجعل من بقائه في غزة اعتذاراً عن هذا الألم. أخته سمر لها عليه حق، فهي بموت والدهما أصبحت وحيدة في غزة، وهي لم تنه دراستها بعد. حتى في اللحظات التي يفكر فيها باستئناف حياته والعودة لإيطاليا، تربكه التفاصيل فالمعبر البري مع مصر مغلق معظم الوقت، والخروج من غزة أصعب من إخراج قشة من زبد الموج الهادر.

لا يعرف ماذا يفعل! فقط هو «مزودها» كما يقول له ياسر، وهو يسحب نفساً عميقاً من مبسم نرجيلته الأزرق المنشى بالدناديش فيخرج سحباً كثيفة، تحمل رائحة المعسل بالتفاح إلى الصبية الجالسين في الناحية الأخرى من الشارع، ثم يسعل. فقط هو «مزودها»،

216

وعليه أن يتخلص من هذا الإحساس القاسي الذي يجلد به جسده. تأمل الشرطي الواقف في منتصف المفترق تحيطه السيارات من كل إتجاه، عيناه زائغتان لا يعرف لمن يعطي شارة المرور، فأية حركة من يديه المرتبكتين قد تقودان لارتطام عنيف في الشارع المكتظ بالمارة. هكذا عليه أن يقبل بما حوله، وأن يظل حصاة يشدها تيار الماء أو يبقيها في القاع، ثم يعود فيجرفها مرة أخرى. أن يصبح جزءاً من الماكينة. أن يسكت ويتخلص من أفكاره الموجعة تلك. مجرد عقد مقارنة بين لحظته هذه ومساحة أخرى من الماضي ستربك حياته، لكنه لا يقوى على التخلص من هذه العادة، على رمي لحظاته الجميلة خلف ظهره، ان يستدير متجاهلاً هدير موج الماضي خلفه يشده إلى ألق الحياة التي كانت. مثل جدته تماماً ماتت وهي تصارع ماضيها الجميل، لا ترغب في التخلص منه، فلا البحر في منفاها الذي لجأت إليه بعد حرب 1948 يشبه بحر يافا، ولا شوارع كل المدن تشبه شارع النزهة هناك، ولا حتى قباب المساجد تشبه مسجد الحارة، ولا صوت المؤذن حتى، ولا أية كنيسة أجمل من كنيسة سيدنا الخضر. لا شيء يلمس حواف الفرحة التي عاشتها في زمن مضى. رغم ذلك فكل شيء يستدعي المقارنة والمقاربة، فتتنهد بحسرة وهي تحدق في سقف غرفتها الصفيحي في المخيم، ترسم سحباً شفافة فوق رأسها وعلى رموش عينيها تبدو فيها حياتها الأخرى، تشاهد فيلماً لا تمل استعادة أحداثه. أورثها الماضي حسرة نجحت/ فشلت، ربما، معها في التأقلم مع حياتها الجديدة. عائشة تجلس لساعات تقص حكايات الماضي، تقلب عمرها على جمر الحنين من الطفولة إلى الصبا فحفلة عرسها التي لم تتوقف إلا مع رفع مؤذن المسجد آذان الفجر، إلى

217

إنجابها ثم ركوبها البحر بعد أن حرقت قذائف المورتر الوافدة من تل أبيب بيتها، حيث سيرسو المركب الصغير على بقعة رملية قرب غزة، ولما يذهب الملح عن لسانها بعد أن شربت ماء البحر عطشاً. إنه الملح الذي ستحتاج كل ساعة من حياتها كي تروي الجفاف الذي تركه في فمها. وكانت حكاياتها هي من يفعل ذلك. قام ياسر وهو يقول إننا في مرات يجب أن نتكييف «حط رأسك بين الرووس».

كان يريد أن يفعل تماماً ما قاله ياسر، إلا أن الحياة في غزة لا تساعده. من كان يتوقع أن تهجره يافا، في لحظة اعتقد أنه استعاد معها زمام الحياة!! ومن قال إن نتالي ستأتي إلى غزة ثم وقبل أن يجد إجابة لتيه قلبه ستهجره هي الأخرى!! وسيجد نفسه متهماً بلا ذنب اقترفه. قسوة الحياة عليه لم تعد تحتمل. دائماً يبدو الماضي أجمل، إحساسنا بالأشياء التي انقضت يجذبنا إلى سهول الذاكرة. لم تعد غزة تشبه نفسها. كانت في الماضي أكثر بريقاً، ربما لأن وعيه وحاجاته كانا محدودين، لم يزر عواصم كبري خارج الحدود، لم يقابل أناس بتجارب وحيوات مختلفة. من المؤكد أن ثمة تغيرات مهولة طرأت في السنوات العشرين الماضية. فالمدينة التي شهدت أكبر وصول لقوافل اللاجئين بعد حرب 1948، وجدت نفسها مركزاً في الصراع المزمن في المنطقة وقلباً للأحداث. وما ان خمدت نيران الانتفاضة الأولى وتم توقيع اتفاق اوسلو، حتى وجدت نفسها مركزاً للسلطة الجديدة تدار منها الحياة ويؤخذ فيها القرار، ومع اندلاع الانتفاضة الثانية عام 2000 صارت بؤرة اشتعال دائمة التفجر. أما الاحلام والآمال التي بدأت تتفتح في عيون الناس، مع

انتشار البنايات العالية ورصف الشوارع وبناء مشاريع البنية التحتية من مدارس ومشافي وجامعات وشبكات صرف صحي ومصانع ومطار وميناء، فقد ماتت مع ازدياد وتيرة القصف اليومي وتدمير المنشآت وانتقال مركز القرار السياسي بعد الانتفاضة الثانية إلى رام الله. هكذا وجدت غزة نفسها مهملة. ومع الحصار الذي فرض عليها والتبدل في الحكومة والسلطة بعد انتخابات 2006، زادت الأنفاق وتجارة التهريب وظهرت طبقة جديدة من الأغنياء احتكرت سوق العقارات والبناء والتجارة، فيما زاد سقوط الفقراء في قاع البئر. في مثل تلك اللحظات يبدو التفكير بالغيب معقولاً ومخرجاً من قسوة الواقع، أو يصير الغرق في الماضي بحثاً عن لحظة أفضل. هكذا تتبدل حياة الناس، ويغيب الأمل، لأن من يبحث في وعي الغيب لا يجده على الأرض، ومن يغوص في الماضي سيحلق بعيداً عن الواقع. نصر كان يمثل النموذج الأثير للبحث في الماضي. ارتشف كأس الخروب ونقد الرجل الخمسيني ثمن المشروب. قال لسليم إن حديثه عن البطولة صحيح. كان ذلك قبل أربعة أشهر، حين رفض عمل بوستراً لوالده.

البطولة موجودة، ولكن ليست في كل شيء.

من حق الناس أن يكونوا أبطالاً.

المشكلة مش مشكلة حق، ولكن مفهوم البطولة انحرف عند الناس.

استذكر الانتفاضة الأولى حين كانا في مطلع العمر، وكان الواحد منهما مستعداً أن يموت مقابل أن يقذف حجراً على الجنود،

ورحل الكثير من الأصدقاء على عتبات التضحية الشجاعة والبريئة.
الآن اختلف الأمر في كثير من جوانبه. اعترف نصر بأن النظر إلى
صور أصدقائه الذين رحلوا على الدرب يؤلم، كما يؤلمه النظر في
صور أولئك القابعين خلف جدران الزنازين منذ أكثر من عشرين
عاماً. مسح نظارته بمنديل ورقي، وهو ينظر إلى جدران المستشفى
المعمداني أو الإنجليزي، التي امتلأت باليافطات الكبيرة تحمل
صور الشهداء والدعايات التجارية. السيارات تفد إلى «الساحة»
من الاتجاهات الأربعة، ويخيل للناظر أنها ستصطدم عما قليل. كان
المشهد يختلف كثيراً حين دلف إلى المستشفى قبل عشرين عاماً في
سيارة «سوبارو» مكسور زجاجها الأمامي، وسائقها الشاب
بقميصه المرقط يسب ويلعن على المارة، كي يفسحوا الطريق أمام
عجلات سيارته لتنهش المسافة بين المخيم والمستشفى. في السيارة
كان سليم يرتمي على ساقي نصر، فيما خيط الدم الرفيع يزداد بريقاً
كلما غذته الدماء النازفة من جهة القلب لترسم على قميصه البرتقالي
طبعة كلما اتسعت ضاقت فسحة الحياة المتبقية امامه. كان الغضب
على وجه نصر وهو يصرخ بالمارة أن يفسحوا الطريق. قال الطبيب
بعد العملية لو تأخرتم عشر دقائق... لم يكمل. ادعية نسوة الحارة
ورجالها الذين توافدوا إلى ساحة المستشفى، مسحت الحزن الذي
تراكم طوال ساعات العملية الستة، حيث كانت القلوب ترتجف
من خبر سيء قد يحمله ممرض يغادر غرفة العمليات. لا يذكر سليم
شيئاً من كل ذلك، نصر يذكره جيداً. كانت الصور تقفز امام عينيه
مثل فقاعات الصابون، تخرج من لعبة طفل ينفخ عليها فتصير
ذرات تتلاشى في الهواء، تومض اللحظات في عينيه مثل قطرات

220

ندى تتساقط من رموش عينيه. ما يذكره سليم في ذلك النهار التموزي القائظ أن الجيش داهم المدرسة. حاصرها من جهات ثلاثة، وظلت الجهة الجنوبية، حيث بيارات البرتقال المنفذ الوحيد الذي فر عبره الطلاب من الغاز المسيل للدموع، الذي تساقطت قنابله في باحات المدرسة وممراتها وأمام الفصول. الضابط الطويل بنظارته السوداء، يشبه الضباط الإنجليز في الأفلام عن الهند. شمر قميصه الكاكي، ودفع باب المدرسة بقدمه، وهو يعطي تعليماته للجنود، قبل أن يسند جذعه على شجرة كينيا هرمة وهو يصرخ في ناظر المدرسة يشده من قميصه، وهو يبصق بشتائم كثيرة بين العبرية والبولندية. يومها دارت ملاحقات ضارية في الأزقة المحيطة بالمدرسة بين الطلاب والجنود. تمكن نصر وسليم من القفز عن سور المدرسة، غير أن سليم لم يفلح في الإبقاء على حقيبته المدرسية على ظهره، إذ أن جندياً حاول اللحاق به، أمسكها وشدها إلى الأسفل للإيقاع به أرضاً. انزلقت الحقيبة عن كتفه، فيما شده نصر بقوة نحو الجهة الأخرى من الجدار حيث أشجار البرتقال. بعد دقائق عاد سليم ونصر مع الطلاب من خلف المتاريس التي وضعوها في الشارع أمام المدرسة لمهاجمة الجنود الذين اقتحموها. من خلف باب المدرسة، كان ذات الجندي يتأمل من خلف منظار بندقيته الفتى ذي القميص البرتقالي الذي فشل في الإيقاع به عن السور. لم ترتفع عيناه عن المنظار، إلا بعد أن أنطلقت رصاصته الحية إلى جسد الفتى. أحس بها وخزاً دافئاً. بدأ يؤلمه عندما أراد أن يلتقط حجراً عن الأرض. لم يستطع أن يسند جذعه فهوى على الأرض. عندها اندفع الجند من داخل المدرسة باتجاه الأزقة، مثل صائد أراد أن يمسك

فريسته بعد أن أصابها. أمسك نصر يده وأسند جسده على جذعه، وبدأا يركضان في الأزقة. ومثل بطارية محرك، بدأت قدماه لا تقويان على الاستمرار فتباطأت حركته رويداً رويداً، وقبل أن ينهار تماماً، كان نصر قد اعترض سيارة «سوبارو»، وفتح بابها واندفع داخلها، وهو يجر الجسد الذي أصبح مثل ورقة زهرة ذابلة. غارت عيناه وأبيضت الدنيا حوله، فيما ظلال الأشجار في الطرقات الالتفافية تهبط على قلب السيارة فتعتم.

بدا كل ذلك مثل فلاش كاميرا يبرق فجأة في الظلام. مسح وجهه بمنديل ورقي. يومها ذاع الخبر في المخيم أنه مات. قال الفتية إنهم رأوه يرتمي على الأرض وقال آخرون إنهم رأوا الدماء تجري من جسده في خيط متواصل حتى تراب الأزقة. كان يرقد في غرفة العمليات، والطبيبة الإنجليزية العجوز تفتح بطنه بمشرطها. نصر يدق الأرض بقدميه يجوب ممرات المستشفي والتوتر يأكله، ذهب الشباب لحفر قبر الشهيد الجديد. أفاق من التخدير بعد يوم ونصف ورأي وجوه أمه وأبيه ونصر والمختار وناظر المدرسة ونفر غفير من اهل الحارة. كانوا يلتفون حول سريره رقم 27، ووجوههم تزينها شفاههم المبتسمة كلما قابلتها عيناه في دورانها التائه في عالم الحياة الجديد.

يرتد الزمن سريعاً مثل إبر تخز الدماغ، توجع الذاكرة، ترمي بشباكها في ممرات الماضي بين موج العمر الذي مضى. الوجع الشفاف مثل منديل عروس يجري تحته دمع ساخن، وجع الزمن المسروق من قلب الراهن، والمسافر في غيمة الماضي، مثل طفل

يركب حصانه الخشبي الهزاز، فيركض به في سهول بعيدة. في مرات كثيرة، يود المرء لو أن لحظته ليست أكثر من حلم أو كابوس، أو ربما ابتداع قاص يهوى تحريك ابطاله، لو أنه شخصية في قصة أو بطل في مسلسل رمضاني. ولكن أن يفصل الإنسان نفسه عن واقعه ويقفز خارج الإطار المحدد له يبدو عسيراً، مثل أن يقفز شخص ما من التلفاز ويجلس على الكنبة بجوارك. يود المرء في مرات كثيرة أن يحدث هذا له: ان يهرب من قسوة الواقع أو لعنة التذكر حيث يصبح التذكر سيف لهب مسلط على الوجه.

سافرت يافا إلى بيروت فجأة. على الأقل هو عرف أنها سافرت بعد أن وصلت لبيروت من تغريدة صغيرة وضعتها على صفحتها على الفيسبوك. «بيروت مدينة جميلة وأنا من شرفتي في فندق الريفيرا أحدق في زرقة البحر».

حين حطت الطائرة في بيروت، لم يكن لدى يافا أدنى فكرة عما ستفعله، فهي قادمة للمشاركة في مؤتمر حول الحريات في المشرق العربي، وهو مؤتمر سينتهي بعد ثلاثة أيام. وقفت تنظر للبحر مقابل فندق الريفيرا حيث فعاليات المؤتمر. مسافة بعيدة تفصل وقفتها تلك عن وقفتها قبل يومين مع ياسر وسليم وآخرين قبالة مطعم السلام بعد أن تناولت وجبة السمك الدسمة. كان ياسر يتحدث عن كيفية تشكيل الحروب للأمكنة، وكيف يصعب على الذاكرة الجماعية محو اللحظات القاسية، بل إنها تصبح أشد فتكاً وأكثر حضوراً من لحظات الفرح. البحر ذاته يمتد إلى عوالم كبيرة، والموجة ذاتها في بيروت هي ذات الموجة التي طرقت باب جدتها وهي تضع

223

أمها في يافا موقظة إياها مشيرة إلى أن البنت على وشك الخروج إلى الدنيا، فيما جدها يجر شباكه من قلب البحر. كانت سفينة متوسطة الحجم تمخر عباب البحر بعيداً، تسافر معها عيناها في الأفق الضبابي، حيث تبدو الدنيا غيمة بيضاء.

بعد انتهاء المؤتمر، انتقلت يافا مع مجموعة من الصديقات من المغرب والسودان ومصر إلى فندق آخر في منطقة الحمرا. قامت معهن بالجولة السياحية العادية، حيث أخذت التليفريك في «جونيه»، وسارت في مغارة جعيتا، وركبت الشختور في النهر داخل المغارة السفلية، وزارت جبيل التي بدت مدينة إيطالية من القرون الوسطي، ووقفت على أعمدة بعلبك، وجلست في مقاهي طرابلس ودخنت المعسل العجمي وآلامها صدرها بعدها. بعد أسبوع حمل المشاركون حقائبهم ورحلوا كل إلى مدينته. بالنسبة ليافا لا تتكرر الفرص كثيراً. لذا عليها أن تستغلها إلى أبعد الحدود. انت في غزة لا تعرف ماذا ستفعل غداً. إلا أن غزة سارعت لها في هواها، حيث أن الأخبار قالت إن معبر رفح البري قد أغلق بعد أن قامت الطائرات الإسرائيلية بقصف منطقة الأنفاق.

تغيرت معالم الحاج حين قالت له يافا إنها ستذهب إلى لبنان لتشارك في مؤتمر هناك. دغدغت الأحلام قلبه، وهو يمج سيجارته ويطفئ الموقد تحت ركوة القهوة. لا يعرف شيئاً عن أخيه الأوسط إلا أنه يعيش في الجنوب. آخر ما يعرفه أنه شارك في حرب 1982، ولا يعرف بعدها شيئاً. تلك كانت من اللحظات القليلة التي فتح فيها الحاج نوافذ ذاكرته، وداست رموش عينيه على الألم فانفجرت

الدمعات. ظل يمج سيجارته وهو يبحلق في ألسنة اللهب الصاعدة كأنها تعده بلقاء قريب مع أخيه. وجدت يافا نفسها في مهمة انقاذ عائلية، إذا هي استطاعت أن تحصل ولو على معلومة جديدة عن العم المجهول. أخبرت صديقتها سها بذلك في اليوم الأخير من المؤتمر. سها تعيش في ضاحية «عائشة بكار» لكنها تنحدر من أسرة فلسطينية عاش والدها في مخيم صبرا ونجت من الموت باعجوبة. وجدت لها رفيقاً في رحلة البحث تلك.

وقفت على باب الفندق. كانت اليافطة الطولية التي تحمل اسم الفندق مقطعاً إلى أحرف منفصلة مغطاة بقطرات الندى، والمحال التجارية نائمة وشارع الحمرا لم يفق بعد. دخلت مقهى «يونس»، طلبت القهوة السبريسو. أخذت تحدق في العالم الذي حاولت رسمه من أحاديث أصدقاء عمها. عالم شغتله الحروب، وحاكت معالمه ورسمت تفاصيله بدقة... الذكريات الأليمة عن الحروب المتوالية. بدت بيروت مشغولة ببناء نفسها، وبدت البنايات متنافرة لا يضبطها نسق واحد. فالمدينة لم تلتقط أنفاسها إلا قليلاً. وباستثناء منطقة أسواق بيروت التي انغرست ببشاعة في قلب المدينة القديمة التي أكلتها الحروب، فإنه يصعب أن تجد حياً متناسقاً بشكل ملفت. إلا أن الصورة التي تتخيلها يافا للمدينة التي فتكت بها الحروب كانت أكثر بشاعة، حيث أن المدينة بدت جميلة محبة للحياة. انتهت من شرب القهوة، وأخذت السيارة إلى جسر الكولا حيث الباصات أو «البوستات» كما يسميها اللبنانيون المتوجهة إلى الجنوب. يوم أمس رتب لها الموظف في السفارة كل شيء، حيث أعطاها بعد خمس ساعات من الاتصالات والفاكسات وتصوير

المستندات رقماً «332»، وقال إنه رقم ملفها وتنسيقها الخاص على مدخل مخيم عين الحلوة. يحتاج المرء إلى تصريح مرور من السلطات اللبنانية لدخول المخيم، حيث تحيط الأسياج المخيم من كل الجهات، وليس ثمة إلا مدخل واحد ينتصب عليه حاجز للجيش اللبناني. في مرات تلعب الحياة معك لعبة الحظ. كانت سها صاحبة فكرة الذهاب لعين الحلوة طالما ان عمها في الجنوب. ما أن وصلت يافا إلى جسر الكولا حتى كانت يد سها تلوح لها، وهي تنتهي من قضم ساندويش اشترته من محل مجاور. أخذت الصبيتان الباص من تحت الجسر باتجاه صيدا، ومن هناك كان نادر صديق سها الذي يعيش في عين الحلوة ينتظرهما في سيارة «بي أم» نقلهما إلى داخل المخيم. أول شيء قاله نادر:

اهلا وسهلا بيافا، بس نحنا بدنا نروح ليافا، ما يافا تيجي لهون.

وضحك الجميع. يشبه عين الحلوة أي مخيم فلسطيني. تتشابه مخيمات الفلسطينين من حيث الشكل والجوهر. الأزقة الضيقة والبيوت غير المنتظمة في قالب معماري أو تخطيطي، بل تأتي كيفما اتفق. فبيت الفلسطيني في المخيم وجد ليكون مؤقتاً، وكذلك المخيم وحاراته وشوارعه. أي مقطع من عين الحلوة سيبدو ليافا مثل جباليا والشاطئ. كل شيء في عين الحلوة يذكرها بفلسطين، بالحارة التي تربت فيها، باحلام الناس غير المنجزة، بعذابات الجيران التي لا تنتهي، بالأمل الذي لم يمت تحت عجلات الحروب. كان نادر يتباهى وهو يقدم يافا على أنها جاءت لتوها من فلسطين ومن غزة، وكان اصدقاؤه ومستمعيه يتسابقون في رمي التحيات والترحيبات.

في المساء قالت يافا إنها تبحث عن عمها، وكان على نادر أن يقود مهمة البحث تلك. من بيت لبيت ومن حكاية لأخرى ومن شخص لآخر، لم تُجدِ خمسة أيام من البحث في الاستدلال على العم المفقود. سها مكثت يوماً في المخيم ثم قالت إنها ستعود لبيروت بسبب عملها، وعهدت بيافا إلى بيت خالتها في المخيم، حيث ستنام. في الصباح سيأتي نادر ليواصل معها مهمة البحث والتنقيب في ذاكرة الناس، لعل احدهم يعثر على العم. كانت عملية البحث تستغرق النهار كله، وفي المساء كانت سيارة البي إم دبليو تنطلق باتجاه صيدا، حيث يجلس الإثنان منهكان في أحد المطاعم لتناول الطعام، فيما نادر يسحب أنفاساً طويلة من النرجيلة. قال لها نادر كيف يحب فلسطين، وكيف لم يكن له حلم وهو صغير إلا زيارتها. سألها كيف شكل فلسطين. ضحكت وقالت زي الخريطة. نادر لاجيء أيضاً من مدينة يافا. قال لها إن والده له أقارب في «البلاد»، لكنه لا يعرف عنهم شيئا، او بالاحرى انقطعت أخبارهم عنه.

نما شيء في الأحشاء. أحست به يافا وهي تحدق في عيني نادر الحالمتين. أحست بوقع السهام في قلبها، أحست برجفة يدها حين لامس كتفها وهما يعبران أحد الأزقة. في المساء كانت عيونهما تسرح فوق موج البحر الهادر، حين قال الشاب بتردد «خلص راح تروحي على البلاد وتسيبينا!!». كان في صوته رجاء أحسته، لمس قلبها. كان هذا القلب المفجوع بقصته مع سليم خائف من الحب، متردد في الوقوع في شباك الهوى، لذا حاولت يافا أن تتجنب الحديث عن القلوب. في مرات يكون التيار اكثر قوة من مقدرتنا

على الوقوف في وجهه. في أحد المساءات، وحين جلسا حول الطاولة على الشاطيء، أخرج لها وردة جورية وقال إنه قطفها من إصيص الورد في البيت. صمت ثم قال انت أحلى من الوردة. وبدأ الحديث بطيئاً وحذراً، ثم جرفهما إلى البوح عن المشاعر التي بدأت تسري في الروح، ولحظات التفكير في الليل. قال لها إنه ينتظر الصباح حتى يذهب لرؤيتها. وقال إنه في مرات لا يتمنى ان توفق في أن تجد عمها حتى تظل عندهم تبحث عنه. ضحكت وقالت «لن أبحث العمر كله»، في لحظة معينة لابد أن تيأس.

وحقاً بعد عشرة أيام يئست يافا. كان العقيد «النمر» في مكتب القوات هو من فسر لها استحالة ان تجد عمها. قال إن الكثير من المقاتلين كانوا يحملون أسماء حركية، وان قلة نادرة معروفون بين القوات بأسمائهم الحقيقية. وضرب أمثلة كثيرة هو أحدها. قال إن الكل يعرفه بـ«النمر»، ولن تجدي احداً في المخيم يعرف أن اسمي «يوسف العايدي».

جلست مع كل المقاتلين القدامي في عين الحلوة، وزارت الكثير من البيوت، وتحدثت مع المئات دون فائدة. في المستشفي الصغير ذي الأدوار الخمسة، مسح الطبيب العجوز جبينه وهو يسأل إذا كانت متاكدة من أن عمها كان في الجنوب فهو قد يكون استهشد في معارك جرش وعجلون. قالت إن والدها قال إن احدهم زاره عام 1982، وأبلغه تحيات اخيه الذي قال له إنه مع قوات الثورة في الجنوب. المحصلة أن أحداً لم يسمع باسم «مصطفى الورد».

قالت لنادر إنها ستعود إلى غزة فـ«البلاد حنت لأهلها»، كما يقول المثل الشعبي. قال إن أمه أصرت على أن تتناول يافا الغداء عندهم في البيت غداً. «الغذاء الاخير»، فهما قد لا يلتقيان. ضحكت وقال «شو ما بدك تيجي على فلسطين». وقالت له إنها تستطيع تدبير طريقة يأتي فيها إلى غزة، وستساعده في إيجاد عمل في إحدى المؤسسات. وبدأت الخطط المشتركة تتطور بسرعة مذهلة حين ادركا أنهما سيفترقان. بنيا جسوراً للمستقبل سيأتي نادر لغزة عبر مصر، ومن هناك لغزة، وسيخطبان ثم يتزوجان بعد فترة. لكن ثمة مفاجئات في جعبة القدر ستحمل معها الكثير من الدهشة والفرحة والألم.

لم تقابل يافا قبل ذلك عائلة نادر. وصلت بعد الظهر بصحبته إلى البيت، حيث سيحضنها والده ووالدته، وهما يتأملان الفتاة التي قال إبنهما الأخير إنه سيرتبط بها وسيلحقها إلى غزة. كل ما تعرفه يافا عن والد نادر ان اسمه الحاج توفيق سرحان. لكنها ستكتشف مصادفات كثيرة حول ذلك. فالحاج توفيق سيقول ليافا إنه هاجر للبنان مباشرة عند النكبة، وعرف بعد ذلك ان أحد إخوته يعيش في مخيم الوحدات قرب عمان وان اخيه الأخر يعيش في الضفة الغربية ثم انقطعت اخبار الأخ الثاني منذ ثلاثين سنة. بدت القصة مثيرة للفتاة وهي ترتشف الشاي بعد الطعام. قال إنه قابل أناس جاءوا من جنين حيث كان يعيش أخوه وقالوا إن الجيش اعتقله وزوجته بعد اعتقال ابنه ولم يعودوا يسمعون أي خبر عن العائلة. وانتشرت شائعات كثير، منها أنه تم نفيه إلى لبنان ومنها أنهما، أي الاخ وزوجته، في السجن، وأخرى قالت إن الجيش قام بتصفيتهما. كانت

229

عيناها تحدقان في عيني الرجل الثمانيني، وهو يمج سيجارته بيده الراجفة. سألت، لفضول بدأ يأكلها، عن إذا ما كان اسم الحاج الحقيقي «توفيق سرحان» ام أنه اسمه التصق به فور التحاقه بالثورة. أطفأ الحاج سيجارته، وهو يقول إنه لم يستخدم اسمه الحقيقي منذ النكبة. فبسبب خطأ فني تغير اسم العائلة... لم تدعه يكمل حيث سألت بلهفة أكبر عن اسم العائلة الحقيقي. وقعت كأس الشاي من يدها، وهي تهرول نحو الرجل العجوز وتصيح «انت عمي». حتى نادر لم يعرف قصة الخطأ الفني هذا في اسم العائلة.

هكذا وفي اللحظة التي فقدت فيها الامل، جاءت الحقيقة ببراءة، وبدون الكثير من الإرهاق، وبدون تجميل ولا ماكياج. وعليه لم يعد نادر فقط حبيبها وخطيب المستقبل، بل أيضاً ابن عمها. ولم تصبح عودته المرتقبة إلى غزة للزواج فقط، بل أيضاً للم شمل العائلة. بكي العم وهو يكتشف فرحة لم يتوقعها. تامل ابنة اخيه. وجد انها تشبه والدته. ضحكت يافا وهي تقول إن والدها كان يقول لها ذلك. تحدث الأخوان عبر الهاتف وابتلت الهواتف بالدموع والتنهدات، وقفزت الروح إلى الحلوق. يافا مددت إقامتها في لبنان لشهر، ظلت فيها في بيت العائلة الجديد. قال لها نادر: «وطلعتي بنت عمي كمان». الدنيا صغيرة!

في غزة، كان سليم يتحول تدريجياً إلى جزء من الحياة، تجرفه في نهر تفاصيلها. كان بهو فندق «الكمودور» يعج بالعشرات، وكانت اليافطات التعريفية تتدلي من رقابهم، فيما ثلاث صبايا منشغلات من خلف طاولة ممتلئة بالأوراق، موضوعة قرب باب

يفضي إلى قاعة داخلية، في تسجيل اسماء الحضور وفي تسليمهم رزمة من الأوراق الموضوعة في مطوية مقوّاة. لم يكن المؤتمر قد بدأ بعد. اليافطة الكبيرة المعلقة قرب باب القاعة باللغتين العربية والإنجليزية، مزينة بأكثر من عشرة شعارات لمؤسسات مختلفة. لن يجتهد المرء في تخمين موضوع المؤتمر، إذ أن اليافطة تقول بكل وضوح إنه لمناقشة أثر الثورات العربية على القضية الفلسطينية. في بهو الفندق، الناس منشغلة بتناول الشاي والمعجنات الصغيرة التي يقدمها شابان يدوران على الحضور الذين يتجاذبون الحديث والابتسامات وربما الضحكات الخفيفة، فيما ثلاث كاميرات منصوبة في نواحي مختلفة تلتقط اللحظة. بعض الوجوه مألوفة وتظهر على شاشات التلفاز بشكل مستمر. الحركة، الحديث، الضحكات، مصافحة الأيدي، وربما العناق، كل شيء يشير إلى أن الجميع يعرفون بعضهم بعضاً، وأنه لقاء يتكرر وبشكل مستمر، فأنت قد تراهم في مؤتمر غداً حول الطفولة، أو حول صناعة الفخار في غزة. شعر سليم بالغربة.

تردد سليم كثيراً في الصباح قبل الخروج من بيته قاصداً شاطئ البحر. كان الضباب كثيفاً يلف المخيم. في سيارة الأجرة كان الرجل العجوز يقول إن الصيادين سيعودون اليوم بسمك وفير، ليستدرك دون أن يعترضه أحد، إذا تركهم الطراد الإسرائيلي وحالهم في البحر. خرج سليم مبكراً بحيث كان عليه أن يفكر ماذا سيفعل في الساعة المتبقية حتى افتتاح المؤتمر.

نزل من السيارة في «الشجاعية»، وقرر أن يمشي المسافة إلى الفندق على شاطئ البحر. بعبارة أخرى أن يقطع شارع عمر المختار

من ميدان الشجاعية حتى البحر، مسافة تزيد عن كيلومترين. كان الضباب لم يزل يلف البنايات، وأصحاب المحال في الميدان ينفضونه عن أبواب محالهم كما ينفضون النعاس عن عيونهم، وصوت قرقعة الأقفال والعربات التي تجرها الأحصنة بوقع حوافرها على وجه الأسفلت، وسيارة نقل البضائع وهي تنزل الخضار والفواكه أمام المحلات، والشاب العشريني يحمل بكرج القهوة وينادي على «قهوة الصبح»، التي يصبها للزبائن في أكواب بلاستيكية بنية اللون، وامرأة عجوز ابتسطت الأرض واضعة أمامها سلة قش مليئة بحبات المشمش. الشرطي مازال يجلس أمام مخفر الشرطة، الذي يقع في الجهة الجنوبية الغربية من الميدان قبالة المقبرة ومكتب البريد وعيادة الصحة. قدما الشرطي مشتبكتان والنعاس لا يكاد يغادر عينيه، وهو يتثائب وسلاحه على ساقيه برتابة. لم تستدع حركة السيارات في الميدان انتباهه ليقف ينظم المرور. كما أن كل شيء بدأ في حالة استيقاظ. كانت السابعة والنصف صباحاً.

فيما مضى كان الميدان يشهد حركة مواصلات مكثفة باتجاه الشمال، حيث حركة العمال والبضائع عبر معبر إيرز أو باتجاه الجنوب باتجاه معبر رفح الحدودي. كانت سيارات الأجرة والباصات تنقل العمال منذ الرابعة صباحاً حتى السابعة والثامنة، في حركة دؤوبة، وبعد ذلك تنقل المسافرين إلى الضفة الغربية أو الجسر الحدودي مع الأردن. كان ميدان الشجاعية الشاهد على هذه الحركة التي كانت تشكل عصب الاقتصاد في القطاع، حيث عشرات آلاف العمال يذهبون للعمل في الإنشاءات وفي الزراعة خلف إيرز شمالاً، ويعودون برزق أطفالهم. كان الميدان يشهد أكثر لحظاته ازدحاماً يوم

السبت حيث العطلة الأسبوعية للعمال، فبعضهم كان ينام في مكان عمله طوال الأسبوع، ويعودون يوم الجمعة بعد الظهر. لذا كان يوم السبت يشكل لهم يوم العطلة الذي يجب أن يقضونه في التسوق وشراء الحاجيات لأطفالهم وزوجاتهم. شارع صلاح الدين يمر من أقصى شمال غزة عند بيت حانون إلى أقصى الجنوب عند الحدود مع مصر. وكان ميدان الشجاعية، حيث يقف الآن سليم يشكل قلب الشارع ونقطة وصل بين اطرافه. كل شيء يقول الآن أن هذا القلب لم يعد ينبض وأنه لم يعد ممراً للمسافرين. بعد أن تناول فطوره في أحد المطاعم الشعبية في الميدان، واصل طريقه حتى وصل ميدان فلسطين، أو ما يسميه الغزيون «الساحة». كانت النحتة البرونزية الصاعدة مثل السهم نحو السماء تتوسط الميدان على قاعدة رخامية مستديرة، تتلوى النحتة قليلاً ويكسوها تجاعيد معدنية تجعلها مثل شيء يستيقظ من سبات عميق، أو هكذا يمكن لأي شخص أن يتخيل الطائر الخرافي «العنقاء» الذي سميت النحتة باسمه، والذي تكتسب مدينة غزة صورته كرمز لها. لا علاقة للأمر بالتاريخ، كما أن قصة العنقاء الحقيقية ليست أكثر من وهم لا أحد يعرف أصله، أو ربما كان له من التاريخ والوقائع ما لا يعرف عنه البشر أكثر من أنه واحد من المستحيلات السبعة التي تحدث عنها العرب، والذي ظل له جاذبية الغموض. إنها النزعة الإنسانية للتسليم بشيء من المجهول، يعطي الحياة بعض الطعم المختلف. ونحن عادة حين نرى شيئاً على شكل الحكايات والقصص نسلم به ولا نناقش كثيراً. ثمة شيء في الموروث له جاذبية القداسة ووهمها. ونحتة العنقاء، وهي ترقد وسط الميدان، ليست أكثر من إعادة تذكير بكل ذلك. مقابل النحتة، وفي أول هبوط للشارع المنزلق نحو الغرب، مبنى البلدية

القديم ببهوه ومدخله المقوس. المبني يرقد إلى جانب الشارع مثل رجل قديم جالس يراقب المارة. فوق المبنى اليافطة الجديدة التي تحمل شعار البلدية. الشارع الذي يشق المدينة من أقصى الشرق إلى أقصى الغرب ماراً بالميدان، يبدو مثل خيط من السيارات المربوطة ببعضها ، والوجوه الباهتة التي تسير في كل اتجاه أسفل مبنى البلدية، وبعد أن يكتمل الشارع في الانحدار إلى الغرب. بعد سوق فراس، حيث مئات الباعة الجوالة وآلاف المتبضعين من الدكاكين ذات السقوف الحديدية وعربات جر الحمير والشاحنات، يستوي الشارع حتى البحر...حركة وجلبة تعطي انطباعاً بالحياة.

وصل سليم إلى المؤتمر ولم يكن المدعوون قد دخلوا القاعة بعد. المفاجأة كانت حين أطل وجه نصر من بين الزحام. كان يقف مع رفقة له يتبادلون الحديث، وما أن رأى سليم حتى رفع يده له ملوحاً. قال إنه لم يعرف أنه سيشارك. بدا نصر منهمكاً في العالم الجديد الذي ينخرط فيه. وفيما يدعو منظمو المؤتمر الجميع لدخول القاعة لبدء فعاليات المؤتمر، حتى دخلت نتالي وصوفي وتياغو. بدا نصر مرهقاً وهو مشغول البال، فيما كانت نتالي تتمتع وهي تقابل الحضور، وتمارس لغتها العربية بدون تردد. عند الغداء انشغل نصر وتياغو في تبادل الحديث، استخدم خلاله نصر كل حصيلته من اللغة الإنجليزية. تياغو اهتم بحياة نصر في السجن والانتفاضة، واقترح أن يعمل فيلماً وثائقياً حوله. ابتسم نصر وقال إنه هناك آلاف الأسرى أهم منه. أوضح تياغو أن القصة ليست قصة أهمية، فهو المتوفر لديه وقصته تجذبه. نتالي وصوفي انشغلتا بالحديث مع

فتيات ناشطات في المؤتمر. كانت إحداهن قدمت مداخلة ملفتة خلال النقاش. وياسر وبحكم مهنته كان يتنقل بين الناس، فكل الموجودين تقريباً أصدقاؤه، أو كان التقاهم في أحدى تغطياته الصحفية. وقف سليم في زاوية قاعة الطعام يتأمل المشهد. عرضت مديرة المؤسسة الراعية للمؤتمر على سليم أن يعمل لديهم في مشروع تثقيفي حول حقوق الشباب. وقالت إن المشروع ممول وسيكون الراتب مجزياً. تم ذلك بالطبع بعد وساطة ياسر، الذي قدم سليم للسيدة تهاني التي افرطت بالحديث عن دور الشباب في التغيير. هذا المشروع الذي تريد من سليم قيادته يهدف لتثقيف أكثر من خمسمائة شاب وشابة من طلاب الجامعات، وتثقيفهم حول حقوقهم المدنية، ودورهم الإيجابي في المجتمع. لم يكن هذا ما يرغب به سليم، فهو لا يحب كثيراً العمل في المؤسسات غير الحكومية. كل منا يرسم لنفسه صورة في المجتمع، تنطلق من فهمه لدوره وموقعه في الخارطة المجتمعية. كان سليم يرى نفسه مدرساً في الجامعة، على الأقل هذا ما عمله في إيطاليا قبل ذلك. ضغط ياسر على يده كي لا يرفض عرض السيدة تهاني، وقطع عليه التفكير بالعرض، وقال «سيكون اختيارك في محله». غمزت السيدة تهاني بعينيها وهي تقول «اختيارك وانا اثق بك». كان ياسر يقدم خدمات جليلة لمؤسسة السيدة تهاني، فهو يوفر لها تغطية جيدة في التلفزيونات المحلية، وفي مرات يتم عرض مؤتمراتها على الجزيرة مباشر بجانب التغطية المكتوبة - الورقية والإلكترونية. ولم تكن خدمات مجانية، إذ أنه يتلقى مقابل هذا الكثير بدءاً بالمكافآت وانتهاءً بالدعوة لمؤتمرات مرفهة وحفلات

ضيقة مروراً بالسفر ضمن وفود المؤسسة للخارج. في الحقيقة كانت يافا قد عرضت على سليم محاولة إيجاد مكان له في المؤسسة التي تعمل بها. كان هذا العرض حين كان الحب ممكناً، قبل أن تقرر هجره بسبب شكوك راودتها. لكنه حتى وقتها رفض. كان يعول على شهادته كي تجد له مكاناً في الجامعات المحلية. يومها طوت يافا ملفاً ضخماً كانت منهمكة به على مكتبها، وقالت «انتظر يا جودو». كل شيء يدفع سليم أن يكون جزءاً من ماكينة الحياة في غزة. ياسر الذي يفهم غزة جيداً أول المدافعين عن نظرية الماكينة تلك، «ان تكون ترساً بخاطرك أفضل من أن تجد نفسك عالقاً تدور فيك الماكينة». نصر أيضاً كان يجد صعوبة في تحمل الواقع المختلف الذي يجد نفسه فيه كل مرة. فهو لم يكن قانعاً بعمله وحياته بعد خروجه من السجن بعد اتفاق أوسلو. قال إن سقف المتحقق أقل من قاع المأمول. مع اندلاع انتفاضة الأقصى تحمس كثيراً، ووجد نفسه في عين العاصفة مرة أخرى. كاد أن يموت أكثر من مرة، إلا أن الحياة منحته فرص كثيرة وكان حين يلتفت إلى الماضي ويرى أصدقاءه الذين تخطفتهم الانتفاضتان، يعرف أنه يعيش بفضل هذه الفرص والصدف. الآن انطفأت الانتفاضة، وهدأ كل شيء مرة أخرى، ولم يبق له إلا البحث عن حياة يعيشها. فهو سيبدأ عقده الرابع ولم يتزوج. العميد صبحي استدعاه قبل أسبوع، وأبلغه بلهجة حازمة إنه إن لم يترك ابنته نيفين وشأنها، فإنه سيجد له ألف تهمة لا تخرجه من السجن. «لا زواج ولا خطوبة ولا جيرة، لا شيء». وقال له: حين تخرج من هذا الباب لا أريد أن أسمع اسمك مرة أخرى في

بيتي. خلال هذا الأسبوع لم يتمكن من الحديث مع نيفين فجوالها مغلق بشكل مستمر، كما أنها لم تترك له رسالة أو خبراً عند أحد. بدا أن مخطط صبحي قد أخذ طريقه.

غريبة حياة نصر في غزة. في مرات يسأل سليم نفسه كيف يتحمل نصر كل ذلك. بدا الامر مثل قصة حزينة. فنصر في طفولته وصباه كان فتي رشيق الضحكة، حولته الحياة إلى حامل شعلة النار، يسير بها نحو قمة الجبل المرهق. «حياتنا مؤجلة، لا شيء نفعله بإرادتنا؛ فقط نعد الأيام. اول النهار ننتظر حتى تغيب الشمس وينتهي النهار، وأول الأسبوع ننتظر يوم الجمعة، واول الشهر ننتظر آخره، ثم تمضي السنة والسنة الأخرى». لاشيء يشبه غزة إلا أن تكون جزءاً من نشرة الاخبار الدسمة في آخر المساء، ان تستيقظ فتجد ان الشارع المجاور قد تم محوه بالكامل من امام البناية، أو أن البحر لم يعد بحراً، بل مجرد إطار جميل معلق على النافذة، لونه الأزرق يقول أن ثمة ماء مرسوم عليه موج منخفض، لا مراكب ولا أشرعة. الإحساس بالمكان معدوم رغم أن الآلاف لم تغادر غزة ولو لمرة واحدة. الكثيرون لم تنجح اتفاقية السلام في فتح آفاق أمامهم، كما أن الحركة البطيئة للسلام ذاته وموته المتكرر لم يترك لهم فرصة لبناء حياة أخرى جديدة، تترك أثرها على معيشتهم. الناس كلها تريد ترك المكان. مسكينة غزة لا أحد يريدها، الكل يريد أن يتركها. قال له سائق التاكسي «أي مكان برات هالبلد». لن يجدي الحديث عن الوطنية وعن الصورة والنضال، ما يهم في مثل هذا السياق هو الحياة. لأن السائق سرعان ما سأله إذا كان حديثه هذا يعني أنه

سيعود ليوفر مائة شيكلاً في اليوم. قال أنه حين كانت الأمور تمام – يقصد المعابر مفتوحة وحركة العمال تدخل وتخرج عبر معبر إيرز– كان يدّخر في اليوم أكثر من خمسمائة شيقل، «بكفي نقلة واحدة على الجسر أو نقلتين على تل أبيب». اليوم، والحديث للسائق، أكبر مشوار تستطيع قطعه من غزة لرفح لن يزيد على خمسة وثلاثين كيلومتراً. ضرب بقبضة يده على مقود السيارة وهو يصرخ: «الله أكبر سيارة زي هاي مرسيدس لا تمشي أكثر من 35 كيلومتر!!.» هز سليم رأسه وقال «إن المسافة مهمة». فرد السائق بغضب، وهو يمسح جبينه بكم يده «مش المسافة». ولم ينتظر استفسار سليم الذي جاء خلال الحديث، «بل نحن». كانت السيارة تجتاز شارع يافا الخارج من قلب المدينة باتجاه طرفها الشمالي في الطريق إلى المخيم. ينحدر الشارع بشكل حاد عند مسجد السيد هاشم، حيث يدفن جد النبي محمد، ثم يبدأ بالاستواء بعد خمسين متراً عند قبر لأحد الأولياء يقع في منتصف الشارع، وتظلله شجرة سدر. قال السائق إنه كان يحلم أن يصير طياراً، والآن هاهو سائق لسيارة أجرة داخلية. «مش مهم بشو بنحلم، المهم شو اللي بتحقق»، عقب نصر. ثمة واقعية عالية في الحوار المقتضب الذي يدور في السيارة، واقعية مشوبة بالإحساس بوطئة الحياة وليس بضرورتها. سأل سليم السائق، إذا كان قد سافر خارج غزة. «ولا مرة». «ولا مرة!! كيف». « لا كيف ولا ما يحزنون. مرة يتيمة حاولت أسافر منعوني الإسرائيليون، قالوا إخوتي اللي بدي ازورهم برا مخربين، كانوا في الثورة». الناس حين تسافر من غزة لرفح تحس نفسها تقوم برحلة طويلة وشاقة، وهي مسافة تستغرق ليس أكثر من 40 دقيقة، لأنهم

لم يسافروا قبل ذلك، أو لأن هذه أطول مسافة يقومون بقطعها داخل القطاع. الإحساس بالمسافة، كما الإحساس بالمكان، له نكهته الخاصة وفهمه الخاص عند الغزيين، مثل السائق الذي لا يستطيع أن يتصور أنه بالضرورة قد يكون غاضباً ولكن ثمة شيء لا يفكر فيه يتعلق بآنية اللحظة، يعني أنها مؤقتة، قد تزول في لحظة ويتبدل الحال. نصر يقول لسليم إنه يقول ذلك لأنه جاء زائراً للبلاد، لا يهمه شيئاً سيغادر عما قريب، جواز سفره الأجنبي لا يجعله واحداً منهم. كثيرون قالوا لسليم ذلك. فهو بإمكانه أن يغادر غزة وقتما شاء، فهو ضيف ونظرة الضيف للمكان تختلف عن نظرة المحكوم عليه بالبقاء فيه للأبد، فكل أصدقائه الذين قابلهم قالوا له إنهم يحسون انه ما لم تحدث معجزة إلهية فقد لا يغادرون غزة، وكلهم يريد أن يغادر غزة، لا يهم إلى أين، المهم اجتياز الحدود، هم لا يستطيعون فعل ذلك، حتى لو أرادوا أو حتى لو كانت هناك حاجة مباشرة لذلك. اما هو فيستطيع أن يغادر وقتما يشاء. «هاي ثقافة السائح» قال له نصر. يأتي إلى المكان برغبة المتعة أو الثقافة أو حتى التسلية، وغزة لا توفر كثيراً أو أياً من هذه الرغبات الثلاثة، لكنها بالنسبة للبعض تشبع رغبة رابعة تكمن في التعاطف مع الفلسطينيين، خاصة حين يكون المتعاطف مرتبطاً في المكان بأقرباء أو له انتماء من نوع ما. سليم شعر أن نصر يغمز من قناته فرد مسرعاً:

أنا لا اعيش في غزة تعاطفاً.. أنت تعرف.

يا سليم انت لم تطق أن نعمل بوستراً لخالي.

انا لا اتفق معك على مفهوم البطولة فقط.

معي؟ معنا. كل غزة تفكر مثلي.

ما دار في بال نصر، وفهمه سليم دون أن يقوله له، هو أن ابن خاله جاء إلى غزة ويمكث الآن فقط تعاطفاً مع ذكري والده ووالدته ومواساة اخته وعمته بوفاة أخيها. لا شيء أكثر من ذلك، وطالما يمكن تحقيق ذلك حتى مع بعض المتاعب وربما بعض الآلام والأحزان فلا بأس، فكل شيء لحظي سرعان ما يصير خلف الظهر حين يجتاز الحدود عبر مصر في طريقه إلى إيطاليا. نصر وياسر ويافا ونيفين وكل من يعرف لا يملكون هذه الحظوة. حتى لو صار له الآن أربعة أشهر في غزة فلأنه يعرف أن هذا مؤقت. لوهلة كاد يقول له ذلك إلا أن شيئاً في داخله منعه. بعبارات نصر أيضاً الحياة مؤجلة بالنسبة لسليم، فهو يعرف أنه مغادر. لذا بإمكانه أن يتبنى الموقف الذي يريد، لأنه لا يتأثر بتبعات هذا الموقف، فهو زائر ليس إلا.

انا لست زائراً، هذه بلادي.

ولكنك في زيارة.

وشو اللي بدك اياه، تقف الدنيا عند غزة.

فاكر لما كنا نطبش حجار، كيف كنا مجانين بدنا نموت.

كنا صادقين. هلأ اختلف كل شي. الشاطر اللي بده يتاجر بنضاله. انت شايف صاحبنا صار مليونير. ابن وصفي بده يحول دكانة أبوه لمحل جوالات. خميس ابن الخال يوسف اشترى نصف المحلات في الشارع الرئيس للمخيم. اطلع حواليك يا نصر!!

كل شيء بتغير، كله عابر ومؤجل.

صبحي!!! ركب الموجة واطلق ذقنه وصار مسؤول الشرطة في الحكومة الجديدة تساوقاً مع الوضع. فاكر كيف كان صبحي بالنسبة لنا ونحن صغار! كنا ننسج عنه قصص بطولية فهو فدائي الحارة في لبنان.

صبحي ما بحب يكون في المعارضة، دائماً مع الواقف والحاكم

وفلسطين معارضة ولا حكومة؟!.

أوضح له سليم أن الصمود الذي يتغنى به في نشرات الاخبار المحلية وفي خطابات الساسة ويشيد به أئمة المساجد، صمود الناس أمام اعتداءات جيش الاحتلال واجتياحاته المتكررة، ليس إلا صموداً إنسانياً. الناس لا تصمد لأنها بطلة، رغم أهمية الشعور بالبطولة، بل لأنها لا تملك إلا أن تبحث عن النجاة. تردد سليم قبل أن يسأل نصر، هل يراوده في مرات فكرة مغادرة البلاد. تدخل هذه المرة السائق بعد طول صمت «آه مين مجنون بقول لأ». نصر صمت طويلاً ولم يجب. لكزه سليم في خاصرته، وقال معاتباً أنك لم تجب. أحسّ نصر أن سليم يريد احراجه، وإذا كان الأمر كذلك فلا بأس لو قال نعم. في الحقيقة فقد عرضت نيفين على نصر أن يهربا من غزة ويطلبا اللجوء في السويد. قالت إنها ستقوم بترتيب كل شيء ولديها حجة قوية. رفض ورفض ورفض. لم تعجبه فكرة الهرب، رغم أن العميد صبحي في المرة الأخيرة هدده بقوة، وهو تهديد يجب أن يأخذه على محمل الجد. لم تكن إذا «نعم» التي قالها نصر صادقة تماماً. سأل سليم للتأكد «وتترك غزة!!». هز نصر

رأسه، وهو يقول «زي ما بتتركها أنت». ران صمت طويل، كانت خلاله السيارة تدخل المخيم من جهة الجنوب قبل أن يكمل نصر بغضب: «وشو يعني هياتك تركت غزة، وصاحبنا خليل هاجر على النرويج، ومحمود راح على السعودية، ليش بتقف عندي، بضيع الوطن لما بتركه».

ما قلت هيك، بس ما كنت اتصور انك يمكن تعملها.

وضع نصر يده اليمنى على مؤخرة كرسي السائق. احكم إغلاق النافذة ليمنع دخول الأتربة مع الريح الوافدة من الغرب، فيما السيارة تدخل المخيم من جهة نادي الخدمات. كان يعرف أنه يكذب حين قال إنه يرغب بالهجرة، ويعرف أن في ما يقوله سليم بعض الصدق في قضية البطولة والتضحية، لكنه «مزودها» كثير في ذلك. لكن ما لا يتقبله هو منطقه الغريب في تصنيف الأشياء وتبريرها. فهو مثلاً من حقه أن يعيش خارج غزة، ويحب هناك، ويبني حياة جديدة، وياتي إلى فلسطين فقط حين يموت والده، ويستغرب مثلاً حنقه على يافا لأنها ذهبت إلى لبنان وعلم أنها قد تعيش هناك لتعمل في فرع مؤسستها في بيروت. «على الأقل بتخدم الناس هناك». الحرية هي ان تختار من بين خيارات متعددة، والبطولة هي أن نقوم بما نحن غير مكرهين عليه، هكذا كان يقول لهم مدرس التاريخ والجغرافيا في المدرسة الإعدادية (هو الآن يقضى حكماً مؤبداً في السجن بسبب نشاطاته في الانتفاضة الأولى). لكن في مرات تصبح البطولة قصة عناد غير لازم وهذا جزء من الضعف البشري لكنه مصدر قوة لهم. كان الليل يلف المخيم، والحركة خفيفة، وأصوات

242

مولدات الكهرباء تجأر في الأزقة، في ضجيج يضيف لحياة الناس معاناة أخرى. في شارع الحارة، الفتية يتقاذفون كرة يركضون خلف بعضهم للإمساك بها، والمختار وصفي امام بقالته يرتشف آخر ما تبقى من كأس الشاي وحيداً وهو يرد تحية سليم.

أرسلت له يافا بريداً إلكترونياً طويلاً عن أيامها في بيروت وزيارتها لطرابلس وصور وصيدا. قالت إنها وجدت عمها في مخيم عين الحلوة، إلا أنها لم تذكر شيئاً عن حبيبها وابن عمها الجديد.

في غزة كان سليم قد تولي مهمة قيادة فريق نتالي في جولته في القطاع من ياسر الذي اضطر للسفر إلى المغرب للمشاركة في ندوة في طنجة، حول العمل الصحفي ومعيقات التغطية في وقت الحرب. صار كل شيء عادياً بالنسبة له. لم يعد يعرف ماذا يفعل. السؤال الكبير الذي يقلقه هو المستقبل. سألته نتالي إذا كان حقاً يريد أن يبقى في غزة أم سيبحث عن حياته في أوروبا. الحوار استمر ثلاث ساعات، سألت بعده نتالي نفس السؤال فيما ضحك تياغو، وهو يضيف يبدو أن سليم لا يريد أن يبقى في غزة. نتالي لم تصدق، وقالت هو لم يقل ذلك. لم تكن تتوقع أن يخرج منه ذلك. لكنه على أية حالة لم يخرج منه ولم يقله، لكنه ضائع في البحث عن إجابة.

في الصباح كان على سليم أن يأخذ نتالي وصوفي وتياغو في جولة في المدينة. نتالي قالت إنها بصدد عمل تقرير عن التحولات التي طرأت على حياة الناس بعد عدوان 2008، والدمار الذي ألحقه. كانت نتالي وأصدقاؤها قد استأجروا شقة في عمارة خلف المجلس الثقافي الفرنسي.انطلق الجميع من هناك سيراً على الأقدام

باتجاه الشرق عبر شارع الشهداء حيث سينتهي بهم المقام أمام الباب الغربي للسرايا الحكومية. كان المبني قد تعرض جزء منه للقصف خلال العدوان الأخير، لكنه يظل واحداً من أبرز معالم غزة وأكثرها شهرة بين سكانها، وهو قلبها. ساروا حول المبنى الكبير من جهة شارع عمر المختار، وكان سليم خلال ذلك يقدم شرحه وتعليقه على كل شيء، ويجيب على أسئلة رفاقه. تبادل الشرطي على المفترق نظرات مرتبكة مع زملائه، فيما توقفت السيارة العسكرية قبالة الوفد الأجنبي وحدجهم سائقها بنظرات حادة، ثم واصل سيره باتجاه الباب الرئيس للمبنى. لم يمض وقت طويل حتى تم ما لم يخطر ببال سليم. بهدوء ودون أن يلتفت أحد في الشارع ابتلع المبنى سليم، سرقه في غفلة إلى معدته الرهيبة ثم أغلق الباب.

الفصل السابع

عش الأحلام

لم تشرق الشمس في ذلك الصباح، ظلت غافية تحت مخدة الغيمات الكثيفة خلف الشارع الترابي المحاذي للسور الشاهق، الذي يفصل البناية المظلمة الكئيبة، التي يعيشون في جوفها، عن أصوات السيارات التي ترد عبر النافذة، مثل هسيس الحكايات القديمة. وحده الهسيس يقترح أن ثمة حياة خارج الأسوار، لا يعرفها السكان المرميون في زنازين لا تتسع ليمد أحدهم ساقيه، حياة تذكرهم بها ومضات الحنين المتدفق في لحظات الحزن، مثل شلالات ماء مثلج على اجسادهم الحارة. المكان المقفر، الميت، مقيت الرائحة، يبدو مثل ثكنة مهجورة على أطراف مدينة تشتعل بالحياة. لا شيء يقول أن بإمكان أحد رواده التفاعل مع العالم خارج الأسوار. كان مبني السرايا مقر الأجهزة الامنية قلب الحكم في مدينة غزة منذ أنشأته القوات البريطانية عام 1929، وتوسع بعدها وتطورت مرافقه وانتقلت السيطرة عليه من جيش لآخر. كانت سيارات رسمية تدخل المبني وتخرج، وكان ثمة جند يرفعون فوهات بنادقهم عالياً، وحركة وجلبة تمتد حول الأسوار الأسمنتية التي تحيطه. في الخارج كانت الحياة عادية. الشعارات وصور الشهداء

تزين جدران المبني وعبارات كبيرة عن الحرية والنصر القادم، والمارة يحدقون في تفاصيل الجدار الضخم للمبني الذي يبدأ من تقاطع شارع الجلاء مع شارع عمر المختار، مثلما يقرأون تاريخهم اليومي يسجل بريشة دهان. رجل الشرطة يفرك ذقنه الكثيفة، وهو يقف في منتصف التقاطع، لاغياً شارة المرور بعد ان قرر أن يقوم بتنظيم الحركة بيديه. صافرته تخترق ضوضاء الشارع. توقف السيارات مثل الرموت كنترول، لكنها لا تصل إلى الزنزانة الصغيرة التي لا تبعد إلا أمتاراً بعدد أصابع اليد عن التقاطع.

لم تشرق الشمس في ذلك الصباح. لم يرها تفد كسولة، ترمي بشعاع واهن منها إلى داخل الزنزانة، التي لم يخرج منها منذ أيام لا يعرف عددها. طرقات الأبواب، وضربات أرجل الجنود على الصفيح، قرقعة المفاتيح الضخمة، وقعقعة السلاح، زرد السلاسل يجرها المساجين وهي تحكم القبض على أقدامهم. الصراخ الذي يبدأ مثل سقوط صخرة على وجه بحيرة ثم تغوص في الأعماق. الآهات المكبوتة خوفاً من المزيد من السياط المنهالة على الأجساد العارية. في المرة الأخيرة قال له المحقق، وهو يلاعب هراوته ويهوي بها على كتفه، عليه أن يختار بين أن يخرج ويرى الشمس أو العتمة. وفي الحالتين فإن الأمر منوط بما يراه المحقق الصح. الخيارات قاسية وغير ممكنة. عليه الإعتراف بأن ما قام به لم يكن عفوياً بل مخطط له، وأنه جزء من تنظيم أوسع يسعى لإعاقة عمل الأجهزة الأمنية عن أداء مهامها، وبالتالي فهو خائن.

مضى زمن آخر، كان أيضاً يقف في ذات الممر، مشبوحاً امام المحقق الإسرائيلي «ديفيد»، أو كما كان يحب أن يناديه الآخرون «أبو

حاتم»، وكانت مواجهة شبيهة بتلك. كان ضابط التحقيق يريد منه أن يعترف بقائمة طويلة من التهم، أهمها أنه حاول قتل «داني» بحجر عن سابق إصرار وترصد، وآخرها أنه يقود مجموعة سرية للتنظيم تعمل ضد الجيش. كان المحقق يمج سيجاره، وينفث الدخان في وجهه، فيما الدم يسيل من فمه ينزل على رقبته فيبدو مثل عصفور مذبوح، والمحقق أبو حاتم يصر على فرض المواجهة بطريقته، فهو لا يملك خياراً إلا القبول بقواعد اللعبة، وأبو حاتم وحده من يحدد قواعد اللعبة. لا مجال آخر للمساومة، فلا يمكن تغير قواعد اللعبة كما لا يمكن الخروج منها. تولد الأشياء معنا، ونكبر معها ولا نعود قادرين على تحديد علاقتنا بها ولا حتى توصيفها، فقط نشعر بها. بالطبع لم يكن مثوله أمام المحقق أبو حاتم قبل أكثر من عشرين عاماً صدفة، كما لم يكن مفاجئاً، لكنه لم يتم وفق قواعد لعبة محددة، فكل لاعب له شروطه للعبة. تماماً مثل المحقق الذي يريده أن يعترف أنه خائن. هو الآن في ذات الممر وفي ذات المبني يقف أمام محقق آخر، وعليه ان يعيد صياغة مواقفه. يعيد تركيب عالمه الخاص، كي لا يجد نفسه خارج التغطية. عليه أن يعيد رسم قواعد اللعبة التي يعرفها ويحفظها، لا تلك التي يريد له الآخرون أن يؤديها. وهذا يتطلب تركيزاً كبيراً وجهداً مضنياً. هكذا هي اللعبة، عليه ان يخرج من هنا بأقل التكاليف. صرخ الضابط به أن يفكر جيداً فهو يريد جواباً فوراً، وعليه أن يعترف.

لا يعرف ما الذي حدث في ذلك المساء. آخر ما يذكره أنه كان يقف عند البوابة الشمالية للسرايا مع نتالي وصوفي وتياغو يشرح لهم تاريخ المبني. خرجوا من المقهى بعد أن التقطت نتالي عشرات

الصور لـ«يورو»، ولرواد المقهى دون ان تلفت انتباههم، حيث أنهم اعتادوا عليها، فلم يعودوا يقومون بالحركات الاستعراضية التي كانوا يؤدونها أمام عدسة كاميرتها في الأيام الاولى لقدومها للمقهى، حينها كانت تبدو مثل أية صحفية أجنبية تريد الصورة، وتخرج بإبتسامة مصطنعة كما يحسونها. الآن اعتادوا عليها. رمقتهم بإبتسامة عريضة وخرجت. كانت نشرات الأخبار المحلية ومواقع الانترنت قد أعلنت أن رواتب الموظفين قد نزلت في البنوك، وكانت طوابير الموظفين تصطف أمام البنوك المختلفة في الشارع بالمئات، كما كان المئات منهم يصطفون أمام مبني البريد المركزي جوار مبني «بنت أبو خضرة». كان مجمع المباني الحكومية المعروف بـ«بنت أبو خضرة» يعج بحركة المواطنين والشرطة والسيارات الرسمية والشخصية، والباعة الجوالة ينشرون بضاعتهم على الرصيف المحاذي لسور المبني، أو ينادون عليها من خلف عرباتهم الخشبية، التي تجرها دراجة هوائية أو بخارية او «توكتوك»، وباعة الخضار والفواكه يقفون أمام جامع السرايا المحاذي لها يدللون على بضاعتهم. اللحظة الأكثر ازدحاماً في منتصف النهار.

طلبت من سليم أن تلتقط بعض الصور لطوابير الموظفين أمام البنوك والبريد. فقط في الأيام القليلة التي تلي نزول الرواتب تتنفس حركة الأسواق وتدب الحياة في الشوارع، مثل جسد هامد يبدأ أحدهم بالضغط على صدره بيدين ثقيلتين، فيسري الهواء في رئتيه، ثم يهب واقفاً ثم يجري. كانت المدينة تفيق فجأة على قرع الأموال في جيوب الناس، وتبدأ البسطات والباعة الجوالة والمحلات بالاكتظاظ. عدسة نتالي تلتقط تعابير الوجوه ورشاقة الاجساد

وحركة الأقدام وانتقال البضاعة من البسطة إلى يد المشتري، ومقود العربة الهوائية يتمايل من التفاف الناس حول العربة التي يجرها. الفتاة العشرينية تتأكد من تنسيق شالها الأزرق المتموج حول رأسها، ثم تشد أطراف القميص لتبرز تكويرة النهد في حركة مفاجئة لا تلفت انتباه المارة إلا العدسة التي تختبئ خلفها عين نتالي.

وصلوا إلى منتزه البلدية. التقطت نتالي بعض الصور للأطفال، يلهون بين ممرات الأشجار، ولبائع الخروب، ولعجوزين يجلسان قبالة بعضهما في طرف المنتزه يتبادلان الابتسامة والنظرات المتداخلة كأن سهام الحب قد أصابت قلبيهما للتو، فيما هما يحتفلان بعيد زواجهما وحيدين. اقترح سليم أن السير باتجاه ميدان فلسطين سيكون عسيراً، فالشمس حارقة والزحمة هناك لا تطاق من السيارات والمارة والتلوث، كما أن العبور من الشارع قبالة سوق فراس سيكون صعباً. استداروا وعادوا أدراجهم غرباً باتجاه الرمال. أخذ يسرد عليهم حكايات كثيرة عن مبني السرايا الذي شهد حوادث عديدة، وارتفعت فوق صواريه أعلام ورايات مختلفة. بالطبع لن ينسى أن يقص عليهم كثيراً من القصص الشخصية التي تربطه بالمكان، كما بإمكان الكثير من سكان قطاع غزة أن يفعلوا. كانت نتالي مشغولة بتصوير الرسومات الكثيرة التي تنتشر على جدران المبني والشعارات المتنوعة التي تلتف حوله فيما تياغو وصوفي وماثيو يتأملون السيارات والمارة، وهما يلتهمون حبات الفستق المقشر المملحة من القرطاس الورقي الصغير الذي اشتروه من أحد الباعة الجوالة. فجأة تقدم جنديان من سليم وبهدوء ودون أن يثيرا جلبة ولا ضجيجاً سحبوه إلى داخل البوابة الضخمة للسرايا. التهمه فم

المبني الضخم الواسع دون أن يلاحظ أحد. فقط نتالي شكت، كأنها رأت سليم بين ذراعي الجنديين، فيما هي تضبط عدسة كاميرتها. لم تكن متأكدة تماماً أن ما رأته دقيقاً، لكنها واثقة أن شيئاً من ذلك ربما حدث. توجهت نحو تياغو وصوفي وماثيو، الذين كانوا وقتها يتبادلون الحديث مع ثلاثة شبان يتحدثون إنجليزية معقولة كما سيصفها تياغو بعد ذلك. بدا واضحاً بان ما رأته نتالي قد حدث فبحثهم عن سليم في كل الاتجاهات لم يثمر. توجهت نتالي نحو البوابة تسأل الجندي عن إذا ما كان صديقهم قد دخل برفقة جنديين قبل قليل. بأدب مصطنع رد الجندي بأن المئات تدخل وتخرج من هنا. أستغلت هذا التعاون اللحظي الذي أبداه الجندي وهو يراقب البوابة، وأخذت تصف له صديقها. كان يلبس قميصاً أبيض ياقته زرقاء، نضارته عدساتها مربعة، ليس طويلاً وليس قصيراً، شعره غزير ووجهه طويل. استدار الجندي وقال إن لديه أشغالاً أخرى، ونصحها بأن تبعتد عن البوابة، بل وأن تعود لبلادها. تمتم ببعض الكلمات التي لم تستطع التقاطها. النتيجة التي ادركتها أن الجنديين أخذا سليم إلى جوف السرايا.

لم يدر ما حدث بعدها. وضعوا كيساً من الخيش فوق رأسه فغطاه حتى أكتافه. أمسك أحدهم يديه وأدارهما خلف ظهره، ثم وضع حولهما سلاسل أحكمها مع بعضها بقفل صغير. أمسك به من شعره، وأخذ يجره في ممر رملي. شعر بثقل قدميه وهو يسحبهما بتثاقل. بدت المسافة أميالاً طويلة وهو لا يقوى على التنفس، إذ أن كيس الخيش أخذ يضيق حول رأسه. ثم شعر كأنه يعصره مثل ليمونة غير ناضجة، وشعر بدوار شديد أفاق منه على ركلة من

جندي آخر على مؤخرته، تنهره بأن عليه ألا يتظاهر بالتعب. «الطريق في أولها» وضحك الجندي بخبث. انتهي الممر الترابي، الذي بدا أكبر من صحراء النقب، وأكثر وعورة من الطرق الزراعية. طلب منه الجندي أن ينتبه لخطواته؛ إنهم سيصعدون سلماً يقودهم للطابق العلوي. أخذ يتحسس الأرض قبل أن تطأها قدمه، يرفعها لأعلى ثم ببطء ينزلها، ثم حين لا يجد درجة سلم يرفعها مرة أخرى، يضعها ببطء وحذر أكثر كي لا يقع على وجهه. وكان الجندي يجره من فروة رأسه بعنف أكثر طالباً منه أن يغذ السير حتى يصلا إلى «عش الأحلام»، كما قال. ثم رمي ضحكة وصلت طبلة أذنه فارتسمت في عقله صورة الجندي المتلذذ بتعذيبه ومعاناته. لم يكن هناك سلم ولا ما يحزنون. كان الجندي يتسلي وهو يراه منهك القوى يحاول أن يجد السلم الوهمي. وكي لا تكون الطريق سهلة ومستقيمة، لابد من ابتداع العثرات. وكان منظر سليم وهو يحاول تجاوز عثرات السلم الوهمي تثير متعة الجندي، الذي لم يكن همه إلا تلك المتعة القاسية. فجأة صرخ الجندي إنهم سيهبطون سلماً يقودهم إلى عش الأحلام. وطلب منه الاستعداد للهبوط. أحس به يترك فروة رأسه ويلتف حوله، كان ثمة ظل يتحرك في اتجاه الشمس، لابد أنه الجندي. بدا طويل القامة نحيف البنية مثل سوط يلوح أمام عينيه المكبلتين بوهم الكيس الخشبي. صرخ «قف». ثم بدأ يشرح كيف يهبطون إلى أسفل خطوة خطوة. «لا أريد أن تتعثر». أحس أنه خلفه تحديداً. سأله كيف يكون متأكداً أن هناك سلماً، فقد قال له قبل ذلك ولم يكن الأمر أكثر من مزحة. لم يغضب؛ قال له إن عليه أن يسمع الكلام. ثم تمتم بشفقة مصطنعة بأن هذه هي النصيحة الوحيدة التي

يمكن له أن يسديها إليه. وقف بشكل ثابت. حاول أن يتخيل المكان حوله. يعرف مباني السرايا، لكنه يعرفها بشكلها القديم، لم يسبق له أن دخلها كزائر عادي، لذا كان من الصعب عليه ان يعيد تشكيلها في ذاكرته، أن يتعرف على مبانيها بالتفصيل أو يستدل على أقسامها المختلفة. لكنه أحس بأنه لابد أن يكون الآن في المبني القديم الذي يضم الزنازين وهو ذات المبني الذي أسسته إدارة الاحتلال البريطاني في القرن الماضي، ففيه ثمة زنازين تحت الأرض وممرات تعذيب. توسعت مباني السرايا مع كل حاكم جديد يقطنها، غير أن قيام السلطة الفلسطينية عام 1994 شهد توسعاً كبيراً في المنشئات المختلفة في المجمع العسكري الأول للسلطة الجديدة، إذ صار يبني لكل جهاز أمني مقر خاص به، مما عمق حضور المكان في حياة الناس وتفاصيلهم.

أمسك به الجندي من السلاسل التي تحيط يديه، وأخذ يدفع به بقوة إلى أسفل كي يهبط درجات السلم الأسمنتي، وكان كلما هبط خطوة للأسفل تلاشت الظلال من حوله، ولفه الظلام أكثر. وقع على الأرض، إذ عجز عن خلق التناغم بين حركة قدميه وبين درجات السلم. رفعه الجندي بمساعدة آخر بدا أنه بات يشاركه المهمة، حيث أن الآخر فتح بوابةً، صدر صرير مخنوق من جوفها وهي تفتح فمها، ليجر جندي ثالث سليم إلى ممر طويل. استشعر الخطر لأول مرة منذ أن أمسك به الجنديان على باب السرايا واعتقلاه، مثل من يستلّ شعرة من العجين بهدوء ودون جلبة. لم يعد يفكر في شيء إلا في محاولة تخيل المكان، رسمه، تكوين تفاصيله حتى يستطيع أن يتعامل مع العالم الافتراضي الذي وجد نفسه فيه. مثل

البطل في فيلم «الماتركس». كأن أحدهم وضعه في المصفوفة الالكترونية دون سابق إنذار. حين أمسك الجندي بفروة رأسه، أحس به يشبك دماغه وذاكرته في المصفوفة مثلما حدث في الفيلم. لكن الحقيقة أنه ليس جزءاً من مصفوفة أكبر، ولا هو يحلم ولا يتخيل. ثمة واقع فرض عليه بدون مقدمات. لم يقع في البئر، ولم يدفعه أحد إلى قاع الوادي. وجد نفسه هناك فجأة. لم يدر ما القصة ولا كيف بدأت الحكاية، ناهيك عن جهله التام بالدافع الذي جعل الجنديان يجرانه من بين آلاف الناس. بدأ يعصر ذاكراته لعله فعل شيئاً لم يقصده، مثل ماذا؟ لا يعرف. كل ما كان يقوم به هو الدردشة مع نتالي وصوفي وتياغو وماثيو، وهؤلاء أصدقاؤه بل إن نتالي بحكم إقامتها في غزة ونشاطها في فضح جرائم الحرب على غزة تعرف الكثير من المسئولين هنا في غزة. ماذا يكون السبب إذاً؟. لا أحد يقول شيئاً، فقط الصراخ والسب والنهر والزجر والوعيد والجدل والضرب بالسياط هو ما توفر له الآن، وعليه أن يجد طريقة كي يمر الوقت ويحافظ على حياته. كان الضعيف الأعزل في تلك المصفوفة، ولم يكن مقاتلاً يدافع عن شيء سوى وجوده.

طلب منه جندي آخر أن يقف مكانه، وقال له إنه سيرسم حوله دائرة صغيرة وإن تجاوزها سيريه نجوم الليل. وقف لساعات لا يعرفها قبل ان يأتي صوت الجندي، وقال إنه سيريحه من السلاسل التي تكبل يديه «قلبي رحيم»، وأخذ يفكها بهدوء قبل أن تسقط على الأرض قرب قدميه. مقابل ذلك كما قال الجندي عليه أن يرفع يديه إلى أعلى ولا ينزلهما مهما حدث، كي لا يغضب الضابط منهما هما الإثنين. كان يقوم بدور الوديع مقابل الشرير الذي لم يبن

بعد. رفع يديه إلى أعلى، لم يكن ثمة جدار يسندهما عليه، فقط عليه أن يرفعهما في الهواء. بدأت يداه تخدران وتتعبان، فتهوي أحداهما إلى أسفل، فيردها الجندي بعنف مذكراً إياه بغضب الضابط. لم يكن وحده في المكان، هكذا بدأ يدرك من الحمحمات التي يطلقها البعض ممن يرفعون أيديهم مثله في ممر طويل يزيد طوله عن عشرين متراً. كان ثمة جلبة وحركة دخول وخروج في المكان. أخذ يحسب الوقت. لابد أننا الآن في أول الليل. داخل الكيس وفي المسافة المعدومة بين حواف الكيس الخشنة وبين معالم وجهه، اخذت العتمة تأكل تفاصيل الوقت، فلم يعد يعرف الفرق بين لحظة وأخرى، فكل الأوقات تتشابه. فقد تمر ساعات وهو مشبوح هكذا وقد يسقط على الأرض من التعب، فينتشله جنديان بعنف ويعيدان تثبيته داخل الدائرة الوهمية. ذات مرة سكبا فوق رأسه جردلاً من الماء البارد، فأصابته قشعريرة شديدة نفضت جسمه عن الأرض مثل من تلدغه الكهرباء. أخذ الكيس يضيق حول رأسه مع قطرات العرق التي تنز من وجهه ومن قشرة رأسه، فتخلق احتكاكاً يضيف لخشونة الكيس قسوة تُسري نمنمة في الجلد، تأكل وجهه مثلما يقضمه فأر لا يقوى على نهره. لا حاجة لحساب الوقت كما لا حاجة للتفكير فيه؛ المهم أن يظل واعياً يقظاً كي لا يفقد وعيه وعقله. حدثت جلبة كبيرة فجأة، وبدا أن الجندي المكفل بتعذيبه قد ابتعد عنه، إذ هيئ له أنه سمع صوته بعيداً يتحدث بتوتر وقلق مع آخرين، كانت فرصة ثمينة ليضع يديه جانباً. سقط شاب أرضاً، ويبدو أن كل محاولات إفاقته وإجباره على النهوض لم تفلح، وكلما شده الجنود ليوقفوه انهارت قواه وسقط مرة أخرى. هرول الجنود

مذعورين، يبحثون عن طريقة يعيدونه فيها للحياة. كانت كلمة فضيحة وصحافة وحقوق إنسان تتردد بين فقاعات الجلبة التي تدور في المكان. حينها أنطلق أحد المساجين بالصراخ والسباب على «القتلة» الذين يعذبونهم. قال أشياءً كثيرة وهو ينهار هو الآخر، أمام ضربات السوط على جسمه مصدرة صوتاً مثل فحيح الأفعي.

بدأت الجلبة في الخمود، وعادت الأشياء إلى وضعها السابق، ودخل شخص بصوت جهوري يدور على المساجين بهراوة مدببة الأطراف يذيق كل واحد منهم بعضاً من مذاقها المؤلم. كان يسمي نفسه «أبو الليل»، وكما عرف عن نفسه فهو مخلّص العالم من شر هؤلاء المساجين، وأنه من المستحسن لهم أن يسمعوا كلامه ويعترفوا له بالحقيقة، التي هو يعرفها، لكنه يريد أن يسمعها من ألسنتهم حتى يطمئن قلبه، ولا يقول أحد أنهم مجبرون على الاعتراف. كان «أبو الليل» هو الضابط المناوب في الليل، وليس من سبب يمكن الاعتقاد أنه أسمى نفسه بهذا الإسم إلا ليخيف المساجين. في الحقيقة مقارنة مع الآخرين فإن «أبو الليل» كان ليلاً حقيقياً، وكان مصدر رعب وتخويف كبيرين، ولابد أن الجندي حين كان يحذر سليم من الضابط كان يقصد «أبو الليل». اقترب «أبو الليل» منه وقال له إن إقامته هنا ستطول فهو ضيف عزيز وجديد في نفس الوقت، ولابد أن تكون تلك زيارته الأولى إلى هنا. تماسك سليم وهو يتخيل شكل الضابط المخيف، قبل أن تنهال الهراوة المدببة على كتفه الأيمن فتهوي يداه المعلقتان في الهواء، ثم تهوي الهرواة على كتفه الأيسر. صرخ به أن يرفع يديه. وقبل أن يستدير «أبو الليل» خرج صوت سليم واهناً» هذه ليست زيارتي الأولى هنا». ضحك «أبو الليل» واهتز الممر،

وهو يعود أدراجه نحو سليم والغضب يكسو وجهه. وقبل أن يمتص وقع المفاجأة، أكمل سليم إنه كان هنا خلال الانتفاضة الاولى. لم يفق سليم إلا في غرفة مظلمة لا يرى فيها شيئاً. هذه المرة كان مكشوف الوجه. عيناه من شدة العتمة بدتا ذابلتين مبللتين بالعرق المالح، واهنتين لا تقويان على التحديق حتى في العتمة.

فجأة سقط ضوء شديد من سقف الغرفة، أغرقه في فضاء أبيض يكاد لا يرى فيه شيئاً. نهره الصوت القادم من خلفه، محذراً أن يلتفت إلى الوراء. كان صوت «أبو الليل». طلب منه الثبات في مكانه ثم أخذ يهمس بكلمات غير مفهومة لجندي يبدو أنه بصحبته. قال أبو الليل إنه سيخرج ويتركه مع الجندي، ويتمني أن لا يشكوه الجندي له. «لا تستعجل غضبي»، قال محذراً. اقترب الجندي منه. أحس به يتجاوزه ويقف أمامه. حدق جيداً فوجده فعلاً أمامه لكنه كان مغطي الرأس بقناع أخضر، تبرز من فتحتين فيه عيناه. انعكست الآية: الآن السجان مغطي الراس، وهو مكشوف بشكل كامل، لا كيس خيش يلف رأسه ولا سلاسل تغل يديه. طلب منه الجندي أن يستدير باتجاه الحائط المجاور، محذراً إياه من الإتيان بأية حركة تخالف تعليماته. كان الجدار الآخر لوحاً أبيض مرسوم عليه حية ضخمة تبدو من دقة الرسم طبيعية تكاد تتحرك. قال الجندي إن مهمته البطولية، كما وصفها، هي أن يسيل دماء الحية، أن يقتلها، أن يجعل الدم الاحمر يغطي رأسها. هكذا فقط، سيسعد «أبو الليل»، وإذا لم يفعل سيغضب منه. لكنها حية مرسومة وليست طبيعية. رد سليم. لكنني أريدها أن تنزف مثلما تنزف الحية الطبيعية. وسأل بسخرية: ألم تقتل حية في حياتك؟!. لم يفعل، لكن حتى تلك

الإجابة لا تفيد، لأن الجندي لم يكن يناقش، بل كان يدفعه لأن يهوي بقبضة يده على رأس الحية فيحاول قتلها بالمعني المجازي. أخذ يهوي بقبضته على الجدار، تحديداً على رأس الحية، ضربة وراء أخرى وكلما توقف هوى السوط على ظهره، فلم يكن أمامه إلا الإستمرار. مرت ساعات ربما، حسب حدسه، خمسة أو ستة، وهو يهوي على الجدار بقبضة يده. بدأ الدم ينز من جلد اليد ومن مفاصل الأصابع، وكلما هوى أكثر تلون الجدار بدمه أكثر. وما أن امتلأ رأس الحية على الجدار بالدم الاحمر القاني النازف من قبضات يده، حتى هوي على الأرض. ضحك الجندي وهو يتأمل الجسد المرمي على بلاط الغرفة، وقال بطريقة إلكترونية «المهمة انتهت»، وضحك مرة أخرى.

في الجولة الثانية، كان الجدار- لا يعرف إن كان ذات الجدار- مرسوم عليه شمعة كبيرة. الشمعة زرقاء (لم ير شمعاً أزرق قبل ذلك، أو أن الألوان تداخلت عليه)، كان طول الشمعة يمتد من أسفل الجدار حتى منتصفه، متجاوزاً المتر والنصف، ويعلوها لهب أحمر يتقد من فقاعة لون الدهان المرسوم به. اللهب يكاد يهب من جوف الجدار ليحرق الغرفة. قال الجندي إن هذا اللهب يقلقه، وإنه يخاف أن يحرق السجن، لذا لابد من إطفائه. وقال له إن مهمته البطولية هذه المرة تقضي بأن يطفئه. وبسخربة أضاف إنه يعرف أنه يحب البطولات لذا فهو يوكل له مهام بطولية، وضحك. لم يفهم. سأل بتردد «شو المطلوب؟». ابتسم الجندي مثنياً على تعاونه، وقال إنه يحب المساجين الذين يسمعون الكلام. المطلوب ببساطة أن يحاول إطفاء لهب الشمعة بالنفخ عليه. ولكنه ليس لهباً! تخيل لو أنه

لهب، وشب حريق هائل في المدينة، هل تقبل ذلك»! صمت. ساتهمك بأنك من أشعلت النار في المدينة. أخذ ينفخ على الجدار ببطء، إلا أن الجندي طلب منه الإسراع، فلا وقت لديه فقد تندلع النيران في أي لحظة. نفس وراء نفس، أنفاس متلاحقة، هواء يخرج من الجوف ويدخل مكانه هؤلاء آخر مثل المضخة اليدوية، ورئتاه تعملان بأقصى طاقتهما والقلب يدق بأكثر ما يستطيع، حيث لم يعد الهواء الوافد من الرئتين يكفي لدفع عجلة القلب على الدوران. الصداع والدوار الذي أخذ يلفه قبل أن يلقيه أرضاً. وبذات اللغة المصطنعة قال الجندي «المهمة انتهت»، وضحك رغم ذلك.

في الجولة الثالثة، كانت دراجة هوائية على الجدار. طلب منه الجندي أن يقودها. في كل مرة يأتي له الجندي بحيلة جديدة. في طفولته كان يتمنى ان يركب دراجة هوائية. والده قال إن ركوب الدراجة الهوائية خطر، خاصة أن شوارع المخيم لم تكن مرصوفة في السبعينيات والثمانينيات حيث طفولته. كان يخاف عليه. حظر عليه ركوب دراجات أصدقائه، وهو ما كان يجعل من تلك الرغبة أمنية قاتلة. كان يتخيل نفسه يركب دراجة هوائية، وينطلق فيها في الشوارع دون ان يلحظه والده، وكان يسعده مقدرته على تخيل غضب أبيه لو رآه. مضت طفولته وهو لم يحقق كل ذلك، الذي لم يكن ممكناً إلا حين صار شاباً، وتنقل في مدن الكون. والآن ها هو السجان يرسم له دراجة هوائية ضخمة مثالية الشكل، ويطلب منه أن يقودها. صار بإمكانه تخيل ما يطلبه منه الجندي، فهو يريد منه أن يحرك قدميه كأنهما تدفعان دواسات الدراجة. وكان عليه أيضاً كما نصت أوامر الجندي، أن يكون « مقنعاً»، فيحاول أن يمسك مقود

الدراجة بكلتا يديه. كان تقليد هذا الوضع صعباً والأصعب أن يواصل تحريك قدميه في ذات الوقت. جهد مرهق وانثناءة متعبة للجسد نحو الأمام، فيما اليدان تتشابكان في محاولة الإمساك بالمقود. عالم السجان الافتراضي الذي يحيط به في كل جولة تعذيب، يبتدعه المحقق خلف الكرسي في الغرفة المكيفة، يرسمه بعناية فائقة ويعطي تعليماته بضرورة التنفيذ الحرفي. كانت مجرد دائرة وهمية رسمها الجندي حول قدميه، وهو في ممر التعذيب وامتدت الآن لتصبح حية وشمعة ودراجة هوائية. لكن الدائرة كانت هي السوار الأول، الذي امتد حول عالمه فحاصره ودفعه للتقهقر إلى زوايا التخيل الإجباري، التي يفرضها الجندي. كان يتخيل الدائرة الوهمية التي رسمها الجندي حوله قدميه وكان يدرك أن أية حركة خارج أسوارها ستعني جولة جديدة من الضرب المبرح. كان يحسب حركات قدميه ضمن الحدود الضيقة لعالم السجان الافتراضي. الحركات المحسوبة والدقيقة التي كان مجرد توسيعها سيثير غضب الجندي وصراخ «أبو الليل»، وهو توسيع وخروج لم يكن يتم إلا في المخيلة.

ثمة عالمان متقابلان يدوران في الوقت ذاته، يتقاطعان ويفترقان، لكنهما لم يتصادما حتى اللحظة، التصادم الذي سيبدو حتماً في لحظة قريبة. عالم الجندي المتخيل السادي المتلذذ بأهات المساجين، الذي يبتدع مقاربات قاسية لعالم الواقع تتطلب جهداً مؤلما لتزاوجها معه. مثل أن تسيل دماء الحية المتخيلة على الجدار مع نزيف الدم من قبضة اليد المهشمة، أو أن يخبو لهيب الشمعة المرسومة على الجدار مع انهيار الجهاز التنفسي، أو أن تدور عجلات الدراجة الهوائية حين تتوقف قدما راكبها الإفتراضي عن الحركة وينهار جهازه العصبي. مقابل

ذلك كان العالم الافتراضي للسجين المبني على حقيقة نقيضة يعاد وفقها تشكيل تفاصيل اللحظة، مثل ان تصبح الدراجة الهوائية هي دراجة الطفل المشتهاة، يقودها في شارع البحر الطويل في أحد الصباحات. وما أن يصل إلى آخر الشارع حيث يتمدد البحر حتى ينهار على رمال الشاطئ، أو أن تكون تلك الشمعة هي شمعة عيد ميلاده الذي لم تحضره أمه حيث باغتها الموت قبل الحفلة المخطط لها بشهر، أو أن يقتل الشاب الحية التي تسللت من كرم العنب إلى ملعب الكرة، حيث كان يجتمع مع الفتيان عند تخوم المخيم شرقاً، ينهال عليها الفتية بالعصى والحجارة، حتى يسيل دمها على التراب.

مقدرته على إعادة تركيب العالم، تفصيل ثياب خاصة للأشياء، تحولها إلى بشر يتحركون ويتحدثون، ومن ثم ومع الوقت تمتلك تلك الأشياء ذاكرة خاصة تتراكم مع الوقت وتنمو، وتتشكل لها مواقف وخيارات، وقد ينتج عن هذا تصارع. كانت لعبته المفضلة في ذكرياته المشتركة مع اخيه سالم وأخته سمر. كان سالم أول من ابتدع اللعبة، لكنه سرعان ما يمل منها بعد وقت قصير. أما سمر فكانت شقية مشاكسة لا تمل اللعب ولا يصيبها التعب منه. كان الوقت فضاءً رحباً في نهارات الصيف حين يفرض الجيش منع التجول على المخيم، فلا يصبح من الممكن لهم الخروج من باب البيت. وفي مرات قد يمر الجند كعادتهم وإذا رأوا شباكاً مفتوحاً كسروه. فقط بعد أسبوع قد يرفعون الحظر لساعتين، يُسمح للناس خلالهما التزود بالطعام. كانت ساعات النهار تزحف مثل سلحفاة منهكة في طريق صحراوي تحت حرارة الشمس القائظة، بالكاد تمر

الساعة وتأتي أخرى. في اليوم الأول كان يمكن التلهي بحل الواجبات المدرسية والقراءة في الكتب المدرسية، وربما التباري في حفظ الأناشيد والآيات القرآنية، بعد ذلك فإن ثمة متسعاً لا توجد طريقة حكيمة لملئه. كان يجمع الفرشات والمخدات التي في البيت ويقوم ببناء بيت له، يُسكِن فيه حيوانات وهمية يتخيلها، فتصبح عندها المخدة الزرقاء قطة، والمكنسة زرافة، والخرق المصرورة في كيس أرنباً، ويبدأ في ابتداع حكايات تجري بينها. ومع قيام سليم وسمر بعمل الأمر ذاته، يصبح حوش الدار الصغيرة في المخيم مدينة فيها بيوت مختلفة وحيوانات كثيرة، تدور بينها أحاديث وقصص متنوعة. فقد تتصارع مخدة/ قطة سليم مع مخدة/ قطة سمر، أو يخرج كيس ملابس/ أرنب سليم و حقيبة/ دجاجة سالم في نزهة، وقد تتعارك سيقان المكانس/ الزرافات في حروب ضارية تجلب الضوضاء في البيت لكنها تشعر الجميع ان الحياة مستمرة. فقط الجنود حين يطرقون الباب بهرواتهم ويدخلون ناهرين الأطفال، قد ينجحون في قطع شريط البث السينمائي في عقول الأطفال. ثم سرعان ما سيعودون للعب مرة أخرى غير آبهين بتحذير الجنود لهم. كان هذا العالم المتخيل مخلِّصاً من الملل والزهق الذي كان يفرض نفسه على الناس. كان خلق هذه التفاصيل وبث الحياة فيها، كفيل بتوسيع من الدائرة التي تلتف حول العنق، تريد أن توقف الحياة. الجند الذين يحذرون الناس من محاولة كسر حظر التجول، لا يستطيعون أن يوقفوا ثلاثة أطفال عن الحلم، عن تخيل عالم مختلف يجدون فيه راحتهم وحريتهم. ثم سرعان، أيضاً، ما سيتحول هذا

العالم إلى عالم حقيقي يكون للوقت فيه قيمة وتأثير كبيرين. ففي اليوم الثاني وبعد أن يصحوا من النوم لا تبدأ اللعبة من جديد، فالعالم لا ينتهي مع الليل، وهو لا يبدأ مع طلوع الشمس، بل ثمة استمرارية كبيرة وتراكم متواصل في الحياة. في الصباح التالي سيعاد تركيب كل شيء، وستستمر الأحداث من حيث انتهت في مساء اليوم السابق. فقد تصحو إحدى الحيوانات وقد حلمت بشيء وتأخذ بسرده على الجميع، وقد يكون حلمها مبالغ فيه، لكنه ضمن حدود المنطق الجديد للتصديق، ممكن ومقبول. وعليه فقد تنشأ مصالح متعارضة وتناقضات تحتاج لتدخلات وحلول خلاقة، وربما تدخل الأب والأم في لحظات للفصل في الخلافات الجديدة. عالم يكبر على صانعيه لأنهم أبدعوا خلقه. ثم إذا ما تم رفع حظر التجول بشكل نهائي، انتهت اللعبة وتدمر كل شيء ولم يعد لذلك العالم من وجود. يوضع على رف النسيان، ولا يبعث إلا مع منع التجول الجديد. في تلك الأيام في السنوات الأخيرة من عقد الثمانينيات، كان فرض منع التجول هو السمة الغالبة في علاقة الجيش بالناس، وكانت الحياة قاسية وهراوات الجنود اكثر قسوة.

كان هذا العالم له نقيضه أيضاً: العالم الحقيقي الذي كان يفتقده سليم. عالمه الحقيقي الذي كانت تدور فيه حياته. عالم يتجمد لأيام خلال حظر التجول، ولا يصبح من الممكن استعادته إلا بعد رفع الحظر. كان صوت الجندي يمر على عربته المدججة، ينادي بفرض الحظر على المخيم، ومن يخالف يضع نفسه تحت طائلة المسئولية. كان ذلك يتم عند السجى وقبل طلوع الفجر، والفتي

سليم يغط في نوم متقطع، يتسلل إليه صوت الجندي مثل كابوس، فيقفز عن السرير متلصصاً ليسمع ما يقوله الجندي. كان يعرف سلفاً، لكنه الفضول الذي يجعل حبنا للحياة معقولاً، حتى في لحظات الشدة. تمر أمام عينيه الأشياء الجميلة التي كان ينوي القيام بها في ذلك النهار، لحظات المدرسة المرتقبة خاصة إذا كان يتوجب عليه تقديم واجب بيتي ويشرحه لزملائه التلاميذ أمام المدرس أو الناظر، يتخيل التصفيق الحار الذي سيحسره، ونظرات الإعجاب والإطراء التي كانت ستدور حوله، لتنتهي بالفرحة الغامرة التي تبدو على وجه أمه وأبيه وهما يستمعان إلى الانجاز الذي تحقق، فيما هو يسترق النظر إلى عيون سالم وسمر يري غيرة الطفولة تنهشها. كان حظر التجول قتلاً لعالم ينمو ويكبر. الجندي بعربيته المكسرة ينهى الناس عن الخروج، ويتوعد من يخرج بعقاب شديد. كان الأكثر إيلاما على قلبه هو أن يتم حظر التجول في يوم ذهاب فريق الحارة للعب كرة القدم مع فرق الحارات الاخرى، وهو حدث كبير لا يتم إلا في الربيع أو الصيف. كان من المؤلم أن يتم تأجيل هذه اللحظة التي يسبقها إعداد وحماسة كبيرين. لم يكن الأمر مباراة دولية، ولا هي حتى مبارة بالمعني الحقيقي، لكنها كانت أهم من مباريات كأس العالم بالنسبة للفتي. كان هو يقوم بحراسة المرمي وكان الفريق يتألف من سبعة لاعبين فقط. كانوا يدخرون من مصروفهم اليومي ويشترون الكرة، وفي مرحلة متقدمة تمكنوا من ادخار مبلغ اكبر واشتروا قمصاناً بيضاء اللون. كل قميص مطبوع عليه رقم مختلف ليميزوا أنفسهم عن الفرق الأخرى. بالطبع لم يكن حال الفرق الأخرى بأحسن حالاً من فريق الحارة. في البداية كان

الجميع يلعب في شوارع المخيم. كانوا يضعون حجرين ضخمين ويعتبرونهما قائمتي المرمى اللتين يصوبون نحوهما. في ذلك الوقت المبكر من عقد الثمانينيات كانت مجاري المخيم تمر عبر قنوات مكشوفة في الشوراع والطرقات، كانوا يسمونها «خندق». فقط عند التقاطعات، وحيث يتوجب قطع الشارع باتجاه شارع آخر، كان السكان يضعون بلاطة ضخمة مشكلين جسراً يمكنهم المرور من فوقه. وكانت القناة الاكبر منها، أو الخندق الأكبر، يسير على طول الشارع من الشرق نحو الغرب، حيث ينتهي بها المطاف في بركة المجاري، وهي جورة كبيرة تتجمع فيها مياه الأمطار والمياه العادمة طوال العام. كانت أسوأ اللحظات تلك حين تقفز الكرة في قناة المجاري فتطرطش اللاعبين وتتسخ، وقد تصيب المياه القذرة بعض المارة، فينهر الأطفال ويمنعهم من اللعب. كان لعب كرة الطائرة أسهل وأقل مجازفة، حيث يمكن نصب الشبك في الجانب الآخر حيث لا تمر قناة المجاري المكشوفة. فقط في حالات نادرة، يمكن للكرة أن تقع في القناة وتتسخ. بعد ذلك بدأ الجميع ينتقل للعب في الأراضي «البور» بين البيارات شرق المخيم بالقرب من سكة الحديد القديمة.

كان حظر التجول يمنع الأطفال من اللعب ومن الترفيه عن أنفسهم. وكان سليم يجلس لساعات يتخيل عالمه الضائع، ويكمل أحداثه مثلما كان يجب أن تكون. فيلهو مع الفتية بالكرة، ويبارون فريق الحارة المجاورة، ويكسبون بالطبع (فالأمر متخيل)، ويعودون منتصرين، وقد يتعاركون معهم خلال عودة الفريقين بمشجعيهم إلى المخيم، ويتدخل الاهل وينتهي الأمر بصلحة، وتعود المياه إلى مجاريها.

ذات ليلة داهم الجنود البيت. كان الليل بارداً، وكان الشاب الذي صاره، ينام بملابسه العادية حيث عاد إلى البيت قرب منتصف الليل، بعد أن أنهي دراسته مع أبناء الجيران. كان التعب يبين في عينيه يستوطنهما، فتبدوان محشوتين بالنعاس. هذه المرة لم يفق إلا والضابط فوق رأسه ينخزه بالهراوة. أفاق ببطء، فيما الجنود يسحبونه إلى خارج البيت وآمنة تولول أيضاً، وتندب وتدعو على الجنود. فيدوه ولفوا عصابة سوداء على وجهه. يبدو ان الشاحنة العسكرية، التي تقل عشرات الشبان قد وصلت إلى مركز الجيش، وأطفأ الجندي محركها، الذي كان قبل دقائق يقلق منام سكان المخيم وهو يدور بين الشوراع يلتقط الشبان من مخادعهم إلى الأسر. انزلهم الجنود في ساحة المركز فيما البرد القارص يقرض ما تبقي في أجسادهم من دفء الفراش. جلسوا على الأرض بالقرب من جدار المركز الخلفي، وحركة الجنود والسيارات العسكرية وخشخشة الأجهزة اللاسلكية، والجمل العبرية التي يتناقلها الجنود، كل ذلك يقول إن الرحلة لم تبدأ بعد. بعد قليل نزلت قطرات من الماء الدافئ على رؤوسهم، أحسوا بها مطراً دافئاً يهبط عليهم مثلما يهطل ماء من صنبور. كان الجنديان يبولان على الشبان، يفتحان فمهما مستمتعين بالهواء الطلق. صرخ أحد الشبان بعبرية مكسرة وانتفض نحو مصدر البول، فانهالت عليه الهروات، وند عنه صوت واهن بعد أن استسلم، وألقى به الجنود على الأرض المبللة.

قبل طلوع النهار نقلتهم سيارة عسكرية إلى معتقل انصار «2» على شاطي البحر. كان من السهل التعرف على اتجاه السيارة إذ أن هدير البحر الهائج ، في ساعات الصباح الاولى، كان أقوى من

هدير محرك السيارة العسكرية. وقفت السيارة في منتصف المعتقل العسكري الذي أقامه الجيش من الخيام. بعد حديث طويل بين ضابط الشاحنة والضابط المناوب في المعتقل، انطلقت السيارة مرة اخرى في الإتجاه المعاكس نحو سجن غزة المركزي المعروف باسم السرايا. في غرفة التحقيق قال له الضابط عليه ان يعترف كي يوفر الوقت عليه وعلى نفسه. جلس على كرسي خشبي لا يزيد ارتفاعه عن ثلاثين سنتمتراً ومساحته عن خمسة وسبعين سنتمراً مربعاً. كان مجرد الجلوس على الكرسي عذاباً لا يطاق. قدماه مكبلتان ويداه مكبلتان وعيناه معصوبتان، وعليه ان يبقي جالساً على الكرسي لا يتحرك لساعات طوال قد تصل إلى عشرين. لا بأس إن اضطر أن يتبول على نفسه، فيما ركلات الجنود ترمي به أرضاً، ثم تنتشله بقسوة لتعيد وضعه على الكرسي. كان العشرات من السجناء مثله يجلسون على كراسيهم الخاصة والاهات والصرخات تخرج منهم مفجرة سكون الوقت المظلم الذي يلفهم. كان هذا الممر يسمي في وقتها «المسلخ»، وكانت تسلخ فيه الجلود عن الاجساد وتعذب فيه الأوراح. كانت الفترة الأكثر قسوة في فترات الاعتقال. كان سليم قد سمع قصصاً كثيرة عن ذلك، لكن أن تسمع بالشيء ليس مثل أن تعيشه، «واللي ايده في الميه مش زي اللي ايده في النار»، كما تقول أمه آمنة. ولكن كان عليه أن يتحمل وأن يجد طريقة يجتاز بها هذا الألم.

بعد أسبوع ادخلوه إلى الغرفة. على الاقل في الغرفة تجلس تتحدث تعرف ما يدور حولك. جلس خلف طاولة رفيعة على كرسي عادي. ربط الجندي قدميه باطراف الطاولة، بعد أن نزع عنه بنطاله وتركه بالسروال الداخلي. قبالته كان يجلس المحقق «أبو حاتم»

بشاربه الكث وشعره الأبيض الغزير وأسنانه الصفراء من شراهة التدخين، فلا يكاد يطفئ سيجارة حتى يشعل أخرى. بدأ «أبو حاتم» بسرد بطولاته في التحقيق، وكيف لا يستعصي عليه أحد، فهو ينتزع الاعتراف من بين أسنان النمر، كما قال، وان الجميع يظنون أنفسهم أبطالاً فيما البطولة هي أن تنجو بجلدك من بين أنيابه، أي أنياب «أبو حاتم». بعد قليل بدأ بعصاه، ومن تحت الطاولة بمداعبة خصيتي سليم، ثم بدأت العصا بقسوة تدريجية تؤلم الخصيتين المبللتين بالعرق من الشبح المتواصل على الكرسي الصغير في المسلخ. كان الألم لا يحتمل، و«أبو حاتم» يريد منه أن يعترف بقائمة طويلة من التهم، التي لا يعرف شيئاً عن كثير منها. ثم دخل ضابط أخر، وأخذ يشده من شعره، وهو يقول إنه جرح «داني»: حجرك جعل داني ينزف، «داني» لم يعد قادراً على لعب كرة القدم، لأن رأسه مشجوج من الحجر، ولن يعرف لأشهر كيف يسدد ضربات الرأس. ثم أخذ يصفعه على وجهه بقسوة، فسال الدم من فمه وبلل العصابة التي تغطيه. ثم تركوه في الملابس الداخلية شبه عار في الهواء الطلق في ساحة التحقيق، فيما السماء تسكب المطر بشراهة منقطعة النظير، وجسده يرتجف من شدة البرد، لم يقو على الوقوف فانهارت قواه، ولم ينتبه له الجنود المتدفئين خلف الصوبا الكهربائية، فحملته المياه الجارية لبضعة أمتار، قبل ان ينتبه له الجنود، فأخذوه إلى عيادة السجن. ضحك الطبيب وهو يستمع لرواية السباحة، وقال «اشربوه المزيد من الماء». وكان ذلك أقصى ما قد يقوله الطبيب للسجين كوصفة للعلاج من أي مرض سواء كان انفلونزا أو إرهاق أو مغص في المعدة او جفاف في الحلق، أي شيء: «ماء كثير».

يعود الزمن ويذهب. تتقاطع الاحداث فثمة مقدرة مذهلة في الذاكرة على القفز بين الحواجز، تجعل من الزمن عجينة لينة، يمكن تشكيلها وفق قواعد اللعبة التي نرغب. هكذا أسعفت الأحداث الماضية سليم وخففت من عبء الألم، الذي كانت سياط المحقق «أبو الليل» توجعه بها. قال لنفسه إنه صخرة تتكسر عليها آمال «أبو الليل». لن يعترف، فما يطلبه منه غير معقول، هو لا يقول له أن يعترف بأن مثلاً قتل جندياً او أحرق مقراً للامن بل «خائن». ضحك في نفسه، فهذا المحقق لا يعرف كيف أنه بصق في وجه المحقق «أبو حاتم»، وانتهت بذلك جولات التحقيق، بنقله إلى المحكمة، ليمضي سنة بتهمة الإخلال بالأمن. هكذا أنهي اللعبة وفق قواعده وقوانينه هو. بعد أن أفاق، إثر نوبة البرد الذي أصابته في جولة التحقيق الأخيرة، جاءه «أبو حاتم»، وقال له أن يوقع على ورقة الاعتراف. وبكل ما أوتي من قوة بصق في وجهه. طبع بحيرة من البصاق الجاف بين عينيه. هكذا انتهت اللعبة، ومزق «أبو حاتم» الورقة، التي تضم قائمة من الاعترافات التي لو وقع عليها، لقضى أكثر من خمسة عشر شاباً في المخيم كان هو مسئولهم في مجموعات التنظيم، أعمارهم خلف قضبان الأسر. والآن يقول له المحقق «أبو الليل» أن يعترف أنه خائن. قرر أن يعيد نفس المشهد. أن يمسك زمام المبادرة بيده، أن يحدد هو قواعد اللعبة. في غرفة التحقيق قال للمحقق إنه يريد أن يرفعوا كيس الخيش عن وجهه، حتى يرتاح، فيسرد عليهم اعترافاته. بعد تردد ومشاورة وافق «أبو الليل» بشرط أن يدير سليم ظهره للجدار المقابل، حتى لا يرى المحققين. هكذا بدأ الامر. أدار ظهره للجدار، وقام جندي برفع الكيس عن رأسه،

وطلب منه أن يتحدث. صمت لفترة استفزت «أبو الليل» فصرخ به أن يتحدث. كان يتخيل تفاصيل الغرفة»، يرسم لها «كروكر» يحدد موضع الأشخاص من حوله. أدرك من صراخ «أبو الليل» أنه الشخص الذي يجلس خلفه مباشرة على الكرسي، الذي كان قبالته قبل أن يستدير نحو الجدار. وبحركة مفاجئة، استدار واستجمع قوته، وألقى بحيرة من البصاق على وجه «أبو الليل»، فوقعت أسفل فمه وطرطشت ذقنه غير المهذبة. عندها ونتيجة الحركة المفاجئة وقع الاثنان على الأرض، وانهال عليه الجنود بالضرب، ففقد الوعي، ولم يفق إلا وهو في زنزانته تلك التي لا تتسع ليمد ساقيه.

مر على وجوده في تلك الزنزانة المظلمة ثلاثة أيام أخرى. حاول ابتداع طريقة لعد الأيام، حتى لا يفقد صلته بالعالم الخارجي. كان يؤلمه قلق اخته سمر عليه وقلق نتالي ويافا والآخرين، وكان يؤلمه اكثر انه عاجز عن تخفيف مثل هذا القلق عنهم. من خبرته يعرف أن مجرد وضعه في زنزانة، فهذا يعني أن مرحلة الخطر انتهت، وأن المحقق لم يفلح في الوصول لشيء معه. هكذا فعل «أبو حاتم» وهكذا يفعل «أبو الليل» الآن. بأظفره الذي طال مع مرور أسبوع في باص التعذيب، أخذ يخدش طلاء جدار الزنزانة كل صباح، كلما وفد شعاع الشمس من فتحة صفيح الطاقة في الباب، كان ثمة ثلاث خدشات، وعليه ان يضع العلامة الرابعة دليل النهار الجديد. كان لهذا الطقس دلالتان: فهو يجعله على تواصل مع الواقع الحقيقي لوجوده في الزنزانة، فلا ينقطع عن منطق الزمن، وهو في نفس الوقت متعة كبيرة إذ انه يذكره بطلوع يوم جديد. كانت آمنة تقول

له حين كانت تزوره في السجن: إن السجن لا يبنى على أحد وأنه سيخرج يوما ما، القبر الذي لا يخرج منه أحد. كان يعرف إنه سيخرج. فقط لو أن الشمس تشرق هذا الصباح. أخذ يحدق في العتمة، يحاول أن يرى الخدوش الثلاث التي حفرها أظفره على جدار الزنزانة، لم يفلح في العثور عليها. لا شيء يقترح بان ثمة خطأ ما في حياة الكون، مثل أن لا تشرق الشمس، أو أن يكون السجان قد هرب، وتركه في قلب الأسر، أو أن الشمس لم تعد تمر من جوار الزنزانة. شيء من هذا القبيل، التفسير الوحيد أن الشمس لم تشرق بعد. حاول التحديق في موضع الفتحة الصغيرة في الطاقة الموجودة في باب الزنزانة، بوابته إلى العالم الخارجي. كان الجندي يفتح الطاقة الصغيرة في أعلى الباب، يمد له صينية الطعام (بيضة مسلوقة، صحن فول متحجر، كبشة أرز مخبص)، الشيء الوحيد الذي كان يشعره باستمرار الوقت وتبدل الأيام هو الشعاع الخافت، الذي كان يفد واهناً من بين جفون الشمس، وهي تفرك عينيها وتتمطى في الشرق، يتسرب من بين فتحات ألواح الصفيح التي تغطي الفتحة الصغيرة التي لابد أنها كانت نافذة في سالف الأيام. كان مرور الشعاع سريعاً ولا يتجاوز الساعتين، لكنهما كانتا أفضل ساعتين في النهار. لا يعرف كم يكون الوقت تحديداً، لكنه استطاع من درجة انكسار الشعاع داخل الزنزانة، أن يحدد انها الساعات التي تسبق منتصف النهار، قبل أن تعتلى الشمس قبة السماء. كان يمضي الساعتين جالساً قبالة الشعاع، مثل كاهن بوذي يصلي للحياة القادمة من جوف الظلام الذي يلفه، يتأمل بريق الضوء النافذ في لحظات العذاب تلك. ثم يرسم الشمس في الهواء بأصبعه، يتخيلها

طفلاً شقياً يركض في حقول شقائق النعمان التي كانت تمتد على تخوم المخيم ويرتمي ويختفي وسطها ثم يعود للركض، أو يرسمها مثل قطة مشاكسة تنط من فوق سطح المنزل إلى الشارع فتثير فزع الأطفال وهم يجرون في الأزقة، أو يرسمها برتقالة لها عينان وفم مفلطح وانف جرزة. يبهجه أنه مازال قادراً على التخيل، على ابتداع حياة مشابهة لما يعرفه في الماضي. لعبته التي يحترفها، إعادة تكوين الواقع بما يتلاءم مع لحظته، كي لا يلعب وفق قواعد اللعبة التي يحددها الآخرون. الطفل الشقي الذي كان ينتظر زيارة خالته في أطراف المخيم، حيث ترتمي بيارات البرتقال ترسل بريقها ومضات تعكس بهجة الطفل بالنهارات الستة التي سيمضيها يركض بين صفوف الأشجار يلاحق القطط والعصافير، ويرتمي على تلة الرمل الأصفر اللامع، حيث تنام الشمس وهو يتأملها خلف الأسلاك الشائكة التي تفصل غزة عن العالم. الراهب البوذي يلف قدميه مثل بوذا ذاته، ويحدق في اللامنتهي، الذي يحمله الضوء الجديد في براح الحياة حيث يمكن لفتحة صغيرة في جدار النافذة الصفيحي أن تأتي بها، في الشقاوة التي يقدر هو على ابتداعها، والعجز الذي يحيط به لكنه يفلت منه مرة وأخرى، ويظن في كل مرة أنه لا يملك المقدرة على المقاومة.

في ذلك الصباح لم تشرق الشمس، لذا لم يعرف إذا كان حقاً قد جاء الصباح، أنت لا تعرف الطائرة إلا إذا طارت، لكنك رغم ذلك لو رأيتها رابضة في الممر ستعرف أنها طائرة. لكنه، حتى، لا يرى الشمس، كيف سيعرف أنها أشرقت. هز رأسه وهو يحدق في السديم غير المفضي إلا إلى المزيد من العتمة، لكنك لا ترى الشمس

إلا حين تكون مشرقة. لم تشرق الشمس بكل تأكيد. ثمة ساعة بيولوجية داخلنا، توقظنا في الوقت المناسب، تعطينا إحساسنا بالوقت، وتدفعنا غريزياً إلى فعل الأشياء التي يحين وقت فعلها. مثل أن تسقط التفاحة بعد أن تنضج تماماً عن الغصن، لم يعد من فائدة في بقائها جزءاً من الشجرة. هذه الساعة كانت عقاربها تقول له إن الوقت وقت الصباح، وفي هذا الوقت تحديداً لابد أن تشرق الشمس، وأن عليه أن يجلس «بوذاً» وحيداً ينتظر الشعاع، الذي يعني له المفتاح السحري للعالم خارج البناية الكئيبة. كانت عقارب الساعة تدق بشدة فلم يقدر على مقاومة الرغبة في معاودة الطقوس. في مرات علينا أن نصدق إحساسنا، وأن نطاوع رغبتنا في فعل الأشياء، فليس اليقين ينفع دائماً.

وقبل أن تشرق الشمس، فتح الجندي الباب، ونادي عليه.

«إفراج»

الفصل الثامن

كل هذا السفر!!

قال له يورو «زبطني!! معارفك كتير». مد له فنجان القهوة وانتزع حجر المعسل عن النرجيلة وأخذ ينفخ فيه، فخرجت سحب الدخان من فوهته، وغطت وجه سليم الهائم يبحلق في وجه يورو الذي بات مصراً على أن يتمكن هذه المرة من الخروج. حلم العمر يقترب ولم يعد من الممكن لقطار الحياة أن يتوقف. وضع يورو حجر المعسل وتوّجه بالجمرات الملتهبة، وهو يقول انه سيفتتح مقهى في شمال أسبانيا ويقدم النرجيلة. وابتسم فيما الأحلام تتراقص في عينيه، «وراح تكون صاحب محل، كل طلباتك ببلاش». ركز جذعه على السور الحديدي، وأخرج سيجارة وأشعلها من الجمر، وهو يصف المقهى الذي سيقيمه هناك في المنفى المرتجى. سيكون شبيهاً بهذا المقهى الذي أفني فيه خمس عشرة سنة من عمره. نفس الشكل ونفس الألوان، «عشان تحس إنك بغزة». ولم يفش سراً حين قال إنه سيزين جدرانه ببعض اللوحات التي كان يعلقها الشباب في المقهى خلال الندوات الثقافية التي كانوا يقيمونها. من بين تلك اللوحات ثمة لوحة يحبها لمفترق السرايا وقت الظهيرة، حيث زحمة الشارع وضوضاء السيارات لم تمنعا رجل الشرطة في

الكابينة الجانبية من أخذ غفوة نوم. والطفلة التي لم تتجاوز العاشرة تقف بجوار السيارات الواقفة تنتظر الاشارة الخضراء، تبيع أوراق المحارم الناعمة والعلكة.

كانت سحب الدخان التي تخرج من فم سليم بعد أن يسحب نفساً عميقاً، تفلح في ضخ الكلام من فم يورو، فيستطرد في توصيف أحلامه القادمة. أجمل شيء حين يكون للحياة معني، وأجمل الليالي التي ننام ونحن ننتظر على أحر من الجمر ظهور لحظات الصباح لأن ثمة فرح كبير ينتظرنا، حتى أننا من لوعة الانتظار لا ننام. قال إنه ينتظر هذا اليوم منذ خمسة عشر عاماً، حين أصبحت الحياة في غزة بالنسبة له صعبة، حين أصبح لا يملك فلساً، وصار عليه أن يعمل نادلاً في المقهي الذي كان يرتاده كل سبت، يوم عطلته، ويجلس مثل الملك طوال ساعات الليل الأولى. تردد قليلاً، لكن ثمة أشياء علينا أن نفعلها كي لا يغلق باب الغد، وكي يصبح من الممكن انتظار هذا الغد الذي جاء بعد خمس عشرة سنة ظل خلالها ينتظر، وعلق حياته وأجل كل مشاريعه، ورفض أن يرهن غده بأي ارتباط قد يعيق قدومه. لم يتزوج، وهو الآن يغادر عقده الرابع، وقد بدأ الشيب يمحو آثار الشباب من رأسه، والتعب والإرهاق مسحا وجهه برشقات من غبار الشيخوخة. كانت فكرة الزواج هي مادة الحديث الدائمة كلما التقى أخواته وإخوته الذين يريدون أن يفرحوا به ويريدون له أن يجد حياته الخاصة. أمه العجوز التي ترى نهايتها أقرب إليها من صباح اليوم التالي، تبكي وتذرف الدموع التي لا تجدي في ثنيه عن تمنعه. كانت فكرة الارتباط والارتهان ستقيد من انطلاقه المنتظر. لاشيء كان له أن يثنيه عن هذا

الحلم الذي كان يدرك أنه سيأتي يوماً ما. في أيام الجمع القليلة في الصيف التي كان يأخذ فيها إجازة ويذهب إلى البحر، كان الرجل الأربعيني مازال يصنع قوارب من ورق ويطلقها فوق الموج، ويهلل كلما أفلحت إحدى مراكبه في القفز عن موجات الشاطئ الغاضبة وصارت في لجين الماء. يضحك وهو يتخيل نفسه فوق المركب يشد الرحال إلى مكان لا يعرفه، جزيرة نائية يبني هناك حياته. وكان يشده هذا النوع من الأفلام على «إم بي سي 2» أو «ماكس» بعد الحادية عشرة ليلاً، حين يكون عاد إلى البيت وقد أجهز التعب على بطارية الطاقة، ولا يكون للكمية الضئيلة المتبقية إلا أن تكفي ليحضر فيلماً يسرقه من الكنبة المنخفضة التي يتمدد عليها إلى جزيرة نائية يبني هناك حياة أخرى. على تلك الجزيرة يمكن له أن يبني حياة جديدة، ويصوغ مستقبلاً أفضل. وحين تغيب الشمس، يدرك أن البحر لن يأتي له بالجزر النائية ولا بالحياة المختلفة.

حين كان طفلاً، كان مجرد اللهو على رمال الشاطئ دعوة قوية لتشكيل حياة أخرى على الرمال المبتلة، حيث يمكن له بناء بيوت وقصور ضخمة. قد يستغرقه الأمر ساعات طوال، تسرقه فيها متعة البناء عن القفز في الماء أو ملاحقة الموجات النائية في هروبها البعيد. يحفر حفرة عميقة بجوار الشاطئ حتى يطفح قعر الحفرة بماء البحر المتسلل عبر جوف الأرض، فيحصل منه على الرمل المشبع بالماء، وقد يغرف من ماء البحر بوعاء صغير يحضره معه ويسكب في الحفرة. ثم يغرف الرمل من قعر الحفرة يرشح ماء، ويبدأ بسكبه مثل الشمع الذائب ليشكل منه قصوره الجديدة. ثمة بيت قديم رآه في زيارته الأولى إلى أقاربه في يافا مازال عالقاً في ذهنه. لا يختلف البيت

كثيراً عن ما قد رآه .. يقف أمام البحر بنوافذه الكبيرة الموصودة أمام الريح، والقرميد الأحمر المصفوف بعناية فوق الفرندا الواسعة على الطابق الأول، والعامود الضخم على طرفها يعلوه موقد تشعل ناره بالحطب كأنه منارة. صورة لم تغب عن باله حتى في شبابه. بيد أن البيوت الرملية التي كان يصنعها كانت تتشابه، وليس من حكمة مرجوة في البحث عن تفاصيل اختلاف بينها. فالرمل سرعان ما يتآلف ويدمج ويأخذ أشكالاً غير دقيقة لكنها تفي بالغرض. الأطفال الآخرون سيلتمون حوله في بداية الأمر، ثم سرعان ما سينفضون بحثاً عن متعة أخرى على الشاطئ، ثم قد يعودون بعد أن يكتمل البناء، وتصبح الرمال المبعثرة بيتاً أنيقاً له أسوار ونوافذ. في بعض الأحيان سيتدافع الأطفال وقد يقع أحدهم على المجمع السكني الذي يكون قد بناه، كما قد يدوس بعضاً منه أقدام المارة غير الآبهين إلا بمتعة المشي على الرمال. يغضب ويسب ويهلل عليهم، لكنه يعاود صنعته الأثيرة بلا كلل. وقبل المغيب بقليل يتذكر تحت إلحاح والده بأن عليه أن يسبح، قبل أن تغطس الشمس تحت الماء ويصير لزاماً عليهم العودة إلى البيت. يترك بيوته الرملية قائمة على حالها ويقفز هو في الماء، يلهو قليلاً ثم يخرج نافضاً رأسه، يحمل أمتعته ويلحق بعائلته فيما البيوت واقفة تستقبل العتمة وريح البحر وهدير الموج، موصدة نوافذها أمام قسوة البرد. بين الفينة والأخرى يلتفت للخلف ينظر إليها مطمئناً أنها مازلت هناك، مثل نظراته التي كان يلتفت بها نحو البيت في شارع البحر في يافا حيث الفرندا الواسعة تستقبل طيور النوارس المتعبة من التحليق فوق الماء ومن اقتناص الأسماك الصغيرة من أعماق الموج. كان يظن أن النوارس

تحط على بيوته الرملية بعد أن يغادرها، تسكنها حتى الصباح، تغفو هناك ثم تنطلق مع الفجر في رحلة اللعب على مسافات منخفضة من وجه البحر. لذا كان يعتني بشدة ببعض تفاصيل البيوت كي تسعد بها الطيور الغافية في الليل. وكان الطفل يورو يضحك في الليل وهو يتخيل بيوته صارت ملاذاً آمناً لطير تائه أو متعب. وفي المرة التالية التي يأتي فيها إلى البحر تبدأ متعة البناء من جديد ومن نقطة الصفر، فثمة نوارس تنتظر مواطنها الجديدة، وثمة أحلام صغيرة يسعي الطفل لتجسيدها من الرمال المبتلة غير آبه بعثرات أقدام المارة. الآن، لا حلم ولا شيء.. عمل مرهق طوال النهار في المقهى، وخيالات تصيب العين، فتبدو بعيدة حتى عن مخدة الحلم.

عاداتنا لا تغادرنا لكننا نحن الذين نكبر وتتغير حاجتنا لها، وتبقى هذه العادات دفينة تظهر بين الفترة والأخرى. وفي مرات أكثر نحن إليها عن سبق إصرار وترصد، ونجلس لساعات ونحن نفكر في اللحظات القديمة التي كنا فيها نقدر أو نرغب في فعل بعض الأشياء. لكن ثمة عادات تلازمنا مثل ظلنا ولا تفترق عنا مهما كبرنا، أو لعلنا كلما تقدمنا في السن تقدمت معنا وصارت متجذرة أكثر فأكثر في سلوكنا اليومي. الحياة كانت تشغل يورو كثيراً وتسرقه حتى من أحلامه. العمل المضني في المقهى، ووجع الرأس اليومي الذي يصيبه وهو يقف على قدميه منذ ساعات الصباح الأولى، فيما غزة غافية في النوم، حتى مطلع الليل، أكثر من خمس عشرة ساعة عمل في اليوم، كل ذلك يجعل المرء ينسى جلده. كانت تلك الأحلام تمر مثل ومضات خافتة أمام رموش عينيه، تشعان بريقاً يخترق ستار الماضي الحديدي، حيث توجد اللحظات

الحقيقية التي تأسس عليها كل ذلك الحلم الكبير. إنه ذات البريق الذي يشع من عينيه الآن، وهو يتأمل سليم، يحاول أن يستدرج منه رداً على طلبه بأن يتدخل له، «يزبطه» كما قال، فمعارفه كثر. بريق يملك قوة السحر.

انهى سيجارته فيما أصوات الزبائن تنادي عليه «يورو .. يورو» تطلب جمراً لنراجيلها، وإسماعيل صاحب المقهي بغضب واهن يعاتبه بأن ينتبه للزبائن. رمي سيجارته على الأرض وفركها بطرف قدمه. كانت تلك الأحلام عادات يورو الأثيرة. وكان يعرف بأنها يوماً ما لن تكون مجرد أحلام. لذا كانت حياته في المقهي، حيث هو ملك المكان وصديق الجميع ورضاه غاية الرواد الدائمين، مغلفة بابتسامة يحس كل من يتلقاها بالحب. لكن عميقاً تحت رقائق هذا الحب ثمة أحلام مخنوقة تريد أن تخرج، أن تجد لها متنفساً في الحياة الحقيقية. في البيت ستعاود أمه كل يوم اسماعه الأسطوانة ذاتها عن أحلامها هي في أن ترقص في عرسه وترى أطفاله. لم يعد لها مهمة في الحياة إلا أن تراه على الكوشة مع عروسته وتلاعب أطفاله. لم يبق إلا هو من أطفالها العشرة لم يتزوج، فالأولاد والبنات قد وجدوا حظهم في الحياة وهم سعداء، وحده يورو ظل عازباً مثل نقمة تذكرها بأن الفرحة لا تكتمل. لو أنه يتزوج وترتاح.

يوم عادت من مكة بعد أن حجت، بكت بكت بكت بكت وهي تعانقه. لم تترك ثانية قرب الكعبة إلا دعت فيها الله أن يزّوجه. وقفت لساعات أمام قبر النبي ترجوه أن يدعو لها الله يزوج يورو. وقفت على كل قبور الصحابة والخلفاء تذرف الدموع. لم تكتمل

فرحتها. انتهي كل شيء وبقى يورو عازباً. كل الأولاد تركوا البيت وعاشوا في بيوتهم الخاصة مع أزواجهم وزوجاتهم إلا هو ظل معها. في كل مرة كان يختلق عذراً غير مقنع يهرب به من دموعها. لم تنفع كل الدموع. هناك ما يعيق تحقيق الأماني. بعد تفكير وعناء وقلق وتوتر وتردد ذهبت إلى أم ناصر «الفتاحة». طلبت منها أن تنظر في حظ ابنها، لعل أحدهم قد عمل له عملاً كي لا يتزوج، أو أنه يحب فتاة لا تعرفها وغير مقسوم له أن يتزوج سواها، أي شيء، بالتأكيد ثمة خطأ ما في حظ يورو، يمكن لأم ناصر أن تصوبه. أغلقت أم ناصر النوافذ فعويل ريح كانون مزعج، حدقت في موقد النار وازاحت بيدها الغليظة سحب الدخان عن وجهها كأنها تطرد ذبابة عنه، تبصرت في قعر الكانون ورفعت رأسها ثم نفضت جسدها وقامت. لحقتها أم يورو متوترة من تلك الوقفة المفاجأة، خائفة أن تكون دليل شؤم أو أخبار سيئة. قالت «ابنك سليم معافي، لا مسحور ولا مربوط». فقط الولد لا يريد أن يتزوج يريد أن يطير بعيداً، ان يركب جناحين ويطير فوق البحر. ابتسمت ام يورو وهي تقترب من أم ناصر تتبارك بثوبها الفلاحي الزاهي بالتطاريز، وقد بدأت الطمأنينة تستقر على وجهها وسألت «والعمل؟». «لا شيء». أم ناصر تعرف الحقيقة، تلك أحلام الشباب، كما تعرف أن ابنها عشق فتاة تركية على النت، ويزن على رأسها كل يوم أنه يريد أن يسافر لها ليتزوجها، وهي تقول له لا مانع ولكن لتأتي هي إلى هنا، ولن تنسي أن تذكره أن جدتها كانت تركية وعاشت في فلسطين. فيرد ابنها «حين كانت فلسطين، مش غزة المسكرة من كل الجهات.» تفاصيل لا تحب أم ناصر أن تدخل فيها، خرجت من الغرفة وهي

تقول لأم يورو المهم أن يظل بجوارك. سلمت بالأمر، ومع الوقت أدركت أنها لن تستطيع تغيير شيء. قالت لها كبرى بناتها «ما تقولي للمغني غني إلا لما يجيه الكيف». وتركته حتى يأتيه كيفه، ويطلب هو منها أن تبحث له عن عروس، أو يختار هو واحدة ويطلب منها أن تخطبها له.

أما يورو فكان حقاً يتخيل نفسه بجناحين ويطير بعيداً يعبر البحر إلى عالم جديد، يركب الغيمات المارة في السماء ويتشعلق بالطائرات الورقية التي يلهو بها الفتية في الشوارع، ويتخيل نفسه ريشة في جناح عصفور يضرب اجنحته في الهواء. لكنه ظل عالقاً في شباك الحياة، لم يقدر على الإفلات مثل طائر الفر الذي يعلق في شباك الطريق على الشاطيء. في بعض المناطق، خاصة تلك التي لا يرتادها الناس كثيراً وعلى طول الشاطئ، كانت تنتصب الشباك العرضية المنخفضة. كان جيران البحر يقومون بدق أوتاد خشبية على مسافات متباعدة ثم يشدون شباكاً بينها مثل تلك التي يضعها لاعبو الكرة الطائرة. لم يكن يزيد طولها عن المترين في أقصى حد وقد يمتد طولها على امتداد الشاطئ لمئات الأمتار في مسافات مختلفة. ومثل كرات التنس المتعثرة، تسقط في الليل طيور الفر المهاجرة فوق البحر في أحضان الشباك، فتعلق فيها، وفي الصباح الباكر يقترب الصياد على خفق أجنحتها العالقة. كان الفتى يورو في الصباح الباكر وقبل أن يفيق الصيادون لطيورهم العالقة، يذهب مع الفتيان في الحارة ويلتقطون بعضها خفية، ويعودون أدراجهم يوقدون ناراً على الشاطئ ويشونها ويأكون. كان طعم اللحم المشوي يصلح فاتحة جيدة لنهار نشيط. وحين تدهمهم الأمطار يدخلون أحد أخصاص

الصيادين ويشوون طيورهم هناك. مشهد طيور الفر، وهي تحاول الإفلات من الشباك صراع أبدي وتوق إلى الحرية المسلوبة، لم يفارق خياله حتى حين كبر وصار شاباً ناضجاً ، حيث كان يتوق إلى أن يذهب إلى الشاطئ في ساعات الصباح الأولى، وقبل شروق الشمس يلتقط بعضاً منها من عيون الشباك ويشويها مع رفاقه على الشاطئ. في النهار ستظل الشباك مشدودة في مواجهة البحر، وقد تمزقت بعض عيونها. لم يعد الأمر كما كان قبل عشرين سنة، إذ أن هذه الشباك تراجعت أمام امتداد الاستراحات والشاليهات على البحر، حيث لم تعد هناك الكثير من الاماكن الفارغة التي يمكن للشباك فيها أن تلتقط الفر من فم البحر. كما أن البنايات الشاهقة التي أخذت تنتصب قبالة الماء غيرت معالم الشاطئ فلم تعد مألوفة للطيور المهاجرة التي صارت تبتعد كثيراً عن ضجيج الحياة.

وحدها تلك الأحلام لم تغادر يورو يوماً. هز سليم رأسه وهو يقول إن المرور من المعبر لم يعد صعباً كما كان قبل سنتين، وأن عليه فقط أن يسجل اسمه في مكتب وزارة الداخلية في «بنت أبو خضرة» ويحجز للسفر. ما يريده يورو هو أن يضمن خروجه في الموعد المحدد، ففي مرات لا يأتي دورك للسفر بعد أربعة أشهر أو خمسة. هو يريد واسطة تمكنه من الخروج مباشرة وقتما شاء. لكن في الحقيقة فإن سليم لا يملك معارف كثر كما يظن يورو، ولا تربطه علاقات حميمة مع المسئولين. هز كتفه وهو يذكر يورو كيف أن جهاز الأمن سجنوه لعشرة أيام قبل ثلاثة أشهر، لأنه وقف أمام مقر السرايا مع نتالي وصوفي وتياغو وماثيو. «كانت غلطة وباسوا على راسك». غلطة! لا يهم المهم أنه فعلاً لا يستطيع أن يفعل شيئاً

ليورو. يورو كان جاهزاً لكل شيء، كان يعرف ما لا يدركه سليم في هذه اللحظة. ابتسم وقد شعر أنه تمكن منه، فسليم مستعد للمساعدة لكنه لا يعرف كيف. يورو يعرف كيف. لقد أصبح خميس صديق سليم الحميم مسئولاً في وزارة الداخلية. لا يمكن لسليم أن ينكر أنه يعرف خميس فهو صديق عمر.

يورو يعرف تلك الصداقة، حيث كانا ولسنوات عديدة يأتيان إلى المقهى في المساء ويدخنان النرجيلة لساعات، يتحدثون في كل شيء من السياسة إلى الفن إلى الأحلام إلى الذكريات المشتركة إلى السجن. يعرف سليم خميس ابن الحاج يوسف منذ الطفولة. بدأا الدراسة على مقعد واحد من الصف الأول الابتدائي حتى الثالث الثانوي. في الحقيقة فإن علاقة سليم بخميس توثقت اكثر في المرحلة الثانوية، حيث كانا يدرسان معاً في نفس المدرسة الثانوية في حي التفاح. وقتها قرر ضابط التعليم في الإدارة المدنية للحكم العسكري أن ينقل طلاب المدرسة الإعدادية التي يدرس فيها سليم وخميس من المخيم إلى مدرسة «يافا» الثانوية في غزة، عقاباً لتلاميذ المدرسة على نشاطهم في الانتفاضة. كان هذا يعني معاناة إضافية حيث سيتطلب الأمر إما السير على الأقدام لقرابة الساعة للوصول إلى المدرسة، أو التنقل في سيارات الأجرة، وبالتالي زيادة تكاليف الحياة. في المدرسة، كانت المسافات الطويلة التي يسيرانها في الصباح أو بعد الظهر بعد انتهاء اليوم المدرسي تزدحم بالاحاديث والقصص والمواقف.

في تلك الأيام كان خميس متديناً وكان ذلك واضحاً من اهتمامه بالصلاة وبجلسات المسجد ودروس الدين. كما أنهما التقيا

في سجن النقب لقرابة عام في خيمة واحدة. بعد الجامعة صارا يلتقيان بين الفينة والأخرى في المقهي، وكانا يدخنان النرجيلة ويتحدثان في السياسية وشكسبير. بعد انتخابات عام 2006 صار خميس مسئولاً صغيراً في الحكومة، ثم ها هو يصبح كما يقول يورو مسئولاً كبيراً في وزارة الداخلية. تململ سليم وهو يستمع لشرح يورو له عن وضع خميس الجديد، فهو لم ير سليم منذ سبع سنين ربما. كان يراه فقط في بعض المرات في نشرات الأخبار مع المسئولين، وفي مرات قليلة يتحدث. منذ سافر لإيطاليا انقطعت أواصر العلاقة وتعذر استعادتها خاصة أن الحياة تغيرت في غزة، كما أن سفر سليم لم يكن لشهر أو اثنين بل لسبع سنوات.

كان يورو جاهزاً لكل شيء. لا عذر لسليم، إلا إذا كان لا يريد أن يخدم. اخرج ورقة صغيرة مجعدة من جيب بنطاله، فتحها وناوله إياها. كان مكتوباً عليها رقم هاتف خميس. المطلوب أن يتحدث سليم إليه، ويطلب منه أن يسدى ليورو خدمة يسهل فيها مروره عبر معبر رفح، فزحمة المسافرين لا تطاق، كما أن موعد الطائرة والفيزا قد تنتهيان قبل أن يتمكن يورو من الوصول إلى بوابة المعبر. «خدمة صغيرة» لكنها خدمة العمر. شعر سليم بالارتباك فهو لم يتحدث لخميس من سبع سنين ولم يره حتى صدفة، سيبدو الأمر محرجاً لو دق جواله وطلب منه فجأة خدمة لأحد. لم تعجب الفكرة سليم لكن ضغط يورو كان شديداً. ثم أنه لا يطلب خدمة لنفسه، بل لشخص آخر وهذا يخفف من شدة الحرج. وضع الورقة التي ناوله إياها يورو في جيبه وخرج من المقهي، دون أن يعد يورو بأنه سيفعل. وقف تحت الشجرة الهرمة قبالة المقهي وسأل يورو من

بعيد «وقتيش بدك تسافر؟»». أسرع يورو نحوه وهو يصرخ «هش هش هش فضحتنا». طلب منه أن يبقي الأمر سراً. التوت أعناق رواد المقهى نحو يورو مستفسرة عن السفر الذي يلوح في الأفق. حتى صاحب المقهي لا يعرف أن يورو سيسافر. يعرف فقط أنه يتواصل مع الفتاة الأسبانية نتالي وتتحدث له في بعض المرات على الجوال، لكنه لم يكن يعرف أن ثمة سفر قريب ليورو. اقترب يورو من سليم، وقال إن الأمر سر بينهما ولا يجب افشائه حتى يتم. في غزة من الصعب التخطيط لشيء فحتى اليقين ينهار هنا، لذا من الأفضل عدم التفكير بصوت مرتفع وعدم الحديث عن الخطط، فعثرة صغيرة ستغير كل الخطط والبرامج. لم يكن هناك وقت محدد للسفر، كما لم تتوفر ليورو الفيزا بعد، لكنه يجب أن يخطط مسبقاً لكل شيء. فهو لم يعرف بموضوع السفر إلا ليلة أمس حين هاتفته نتالي. غير أنه أيضاً لم يفش لسليم كل الأمر، فهو لم يأت على ذكر نتالي خلال حديثه عن السفر بالمطلق. كان يعرف أن الأمر قد يثير حفيظة سليم وربما غيرته، لذا احتفظ بهذا الجزء من الحكاية لنفسه. قال إنه ربما يسافر لأوروبا. سأله سليم عن أسبانيا فهو ذكر شمال أسبانيا خلال حديثه عن المقهي الذي ينوي فتحه في بلاد برا. رد يورو إنه كان يقصد على سبيل المثال، وهو يحب أسبانيا. أيضاً لم يفهم سليم كيف سيسافر يورو، هل هو مدعو لمؤتمر؟ أم أن له أحد الأقارب؟ أم ماذ؟!. يورو لا يملك اجابات كثيرة ولا واضحة حتى عن كل ذلك. فهو يعرف أن نتالي قالت له إنها دبرت له أن يأتي إلى أسبانيا وقالت له إنها ستخبره ببقية التفاصيل لاحقاً. أخبر سليم أن كل ما يعرفه أن هناك فرصة لأن يسافر لأوروبا قريباً، وأنه يريد منه أن

يضمن له أن خميس سيساعده في المرور من المعبر. كان على يورو حين يعود لمزاولة عمله أن يجيب على عشرات الأسئلة المتعلقة بالسفر، التي سيطرحها عليه رواد المقهي وبالطبع صاحبه المعلم إسماعيل. لم يكن الأمر صعباً إذ أن سليم، كما سيقول يورو، كان يمزح معه. «بنكش عليّ راس»، كما قال للمعلم. المعلم رد بأنه لا يمانع لو سافر يورو «بس ترجع». ابتسم يورو وهو يقلب النار بالملقط الحديدي الكبير وينقلها إلى الكوانين الصفيحية الصغيرة التي سيضعها بجوار الزبائن، يأخذون منها فحماً يشعل نراجيلهم.

خرج سليم وسار باتجاه مكتب ياسر الجديد في برج الشروق. كانت الكهرباء مقطوعة وصوت مولدات الكهرباء يملأ الناحية بالضوضاء. وما أن وضع قدمه على أول خطوات الدرج الصغير، التي تقود إلى ممر العمارة حتى كانت يافا تخرج من المصعدة وكعادتها تحتضن مجموعة من الكتب بين يديها. مر زمن آخر منذ ذلك الوقت، لكن يافا من الأشياء التي لا تتغير ولا يتغير قلبه تجاهها. وخزة القلب ذاتها والتوتر نفسه. معطفها السكني الطويل بياقته الفرو الواقفة تحيط رقبتها، وطلاء الشفاه الاحمر المحدد بخط أسود على أطراف الشفاه، وقفازات اليد السوداء الرقيقة، وابتسامتها بالطبع. لم تنتظر قالت إنها تدعوه إلى فنجان قهوة على السريع في «مزاج». الشيء ذاته الذي لا يستطيع مقاومته في يافا. يشعر أنه يراها للمرة الأولى وسيجلس معها للمرة الأولى، سحر اللحظة الأولى الذي لا يتغير. استدار معها وسار باتجاه «مزاج»، الذي لم يكن يبعد إلا خطوات قليلة. صعدا الدرج الداخلي ووجدا طاولة جانبية تطل على الشارع، وضعت غسان كنفاني وهنري جيمس وآخرين من

الكتب التي كانت تحملها. وقالت فجأة «نحن لا نطرق الخزان ومصيرنا زي أصحاب أبو قيس». تحدثت عن أشياء كثيرة خاصة عملها في المؤسسة الدولية لمساعدة الصيادين. ونزلت دمعتها بعفوية وهي تتحدث عن صديقها الإيطالي فيتوريو أريغوني الذي قتل في غزة. كان ينقش على عضلة يده كلمة «مقاومة». وضع النادل كأسي الكابتشينو وقطعتي الكوارسو واستدار. في المؤسسة الجديدة يحاولون مساعدة الصيادين من حيث توفير بعض المعدات الجديدة لهم، والدفاع عنهم وفضح ممارسات جيش الاحتلال بحقهم. لا يسمح للصيادين بالمرور لأكثر من ثلاثة كيلومتر، وفي بعض المرات ليس لأكثر من كيلومترين، فالطراد الإسرائيلي يقف لهم بالمرصاد. وبدون سابق إنذار قد تفتح الطرادات الإسرائيلية النيران على القوارب، وتغرق بعضها وتردي بعض البحارة أمواتاً، ومثل القراصنة قد يقفز الجنود إلى داخل القوارب ويعتقلون الصيادين. القرصنة في البحر كانت متعبة ومرهقة للصيادين الذين وجدوا، توارثاً عبر أجدادهم، في البحر صديقاً وولياً للنعم، فقل عدد المنتسبين للمهنة التي صارت تعني الموت في مرات كثيرة، ولم تعد جذابة بما فيه الكفاية، كما أنها لم تعد مصدراً آمناً لكسب ثابت فالجيش قد يغلق البحر لأيام ومرات لشهور، ويتعذر على أحد عبور الموج إلى مواطن السمك. في جعبة يافا الكثير عن ذلك فعملهم الآن ينصب على إعداد تقرير عن حالة الصيد في غزة. غزة لم تكن مدينة بحرية بالأساس، بل إن أطراف المدينة السكنية حتى عام 1948 ونزوح عشرات آلاف اللاجئين لها، كانت عند منطقة السامر عند نهاية سوق فراس. وكانت المسافة بين المدينة والبحر عبارة عن كثبان

رملية واسعة. وكانت المدينة تمتد نحو الشرق باتجاه حي الشجاعية والتفاح والزيتون والدرج وهي الأحياء القديمة فيها. ثم بدأت تزحف ببطء باتجاه الغرب، حيث يرقد البحر الذي سيجد له أصدقاء جدد من اللاجئيين الوافدين من يافا ومن القرى الساحلية مثل الجورة، خاصة هؤلاء الذين سكنوا في مخيم الشاطئ على البحر تماماً. الإدارة المصرية التي حكمت غزة بعد حرب 1948 وحتى هزيمة 1967 واحتلال إسرائيل لغزة شجعت السكن في المنطقة الرملية التي تفصل المدينة عن البحر، وأطلقت عليه حي الرمال نسبة لهذه الكثبان الرمالية، ووهبت الأراضي والمباني التي أقامتها للضباط والعاملين في إدارتها، وصار الحي مركزاً لصناعة القرار وحركة المال حيث أن مبني السرايا الحكومي كان ضمن حدوده، وانتقل للعيش فيه رجال الأعمال والميسور حالهم. يافا لن تنسي أن تذكر لكل من تحدثت لهم أن جدها كان صياداً في يافا. وإذا أراد المستمع المزيد فلديها من ذلك عن قصصه في البحر، وكيف كان يصل هو ورفاقه في مرات كثيرة إلى قبرص ومالطا وشواطئ اليونان ناهيك عن اللاذقية والاسكندرية وبورسعيد وصيدا وبيروت. كان يمضي أياماً طويلة في قلب البحر، يعود بعدها محملاً بالخير الكثير. لديها الكثير من القصص، فقط عليك أن تكون مستمعاً جيداً. و هل ستجد هي أفضل من سليم ليستمع لقصصها، التي لم يمل سماعها منذ التقاها أول مرة منذ إحدى عشرة سنة في المركز الثقافي. منذ ذلك الوقت وهو المستمع الأكثر التزاماً لتلك القصص. ليس الأمر كما لو أنها اكتشفت قصة جدها الصياد، إذ أنها كانت دائمة الإشارة لها حين تتحدث عن تاريخها الشخصي، لكن هذه القصص

صارت الآن ذات نفع في إضفاء شرعية على مهنتها الجديدة، فهي لم تعمل صدفة في المجال، بل إن ثمة تاريخاً شخصياً ودوافع ذاتية وعائلية وراء هذا الاهتمام. جدها لم يورث والدها مهنته. يافا تكشف الكثير من حياة والدها الحاج خليل، خاصة أنها اكثر جرأة منه في الحديث عن تاريخ العائلة. ومع تلك القصص التي صارت تحكيها لسليم والتي لابد أن الحاج رواها لها في طفولتها، فإن سليم ربما صار من القليليين الذين يعرفون التاريخ الحقيقي للحاج.

الخلاصة أن الحاج خليل كان يمكن أن يكون صياداً لولا القدر، إذ أن الصياد اليافاوي لم يورث مهنة الصيد إلا لولده البكر، الذي التحق بالمقاومة في الستينيات وعمل على تهريب السلاح للفدائيين، وبعد أن طاردته قوات الاحتلال هرب عبر البحر بقاربه الصغير إلى لبنان، حيث ساهم في تأسيس قوة الفدائيين البحرية واستشهد في عملية فدائية داخل البحر قبالة شواطئ حيفا. أما عمها الثاني الذي عثرت عليه في لبنان فقد ذهب للدراسة في الأردن ولحق الفدائيين من هناك إلى عين الحلوة حيث يعيش. لابد أنه شيء متجذر في العائلة فجدها أيضاً ساهم في تهريب السلاح للثوار الفلسطينيين خلال أربعينيات القرن الماضي وكانت تربطه علاقة مع عبد القادر الحسيني، بل إنه سجن بسبب ذلك من قبل القوات البريطانية، وداهموا بيته في يافا أكثر من مرة. كاد يمضي بقية عمره في السجن خلال إضراب 1936. هذه قصص بطولة تبرع يافا في الحديث عنها فهي تضفي طابعاً أسطورياً لهذا التاريخ العائلي. لا أحد يدق الخزان كما كررت يافا على مسامعه. «عليك أن تسمع قصص الصيادين لتعرف»، لا أحد يلتفت لهم. حياتهم مأساة، فهم

يحافظون على مهنة من الانقراض. بعد أن شددت بوارج الاحتلال على تحركاتهم، صاروا الآن يذهبون باتجاه الشواطئ المصرية، ويشترون الأسماك الطازجة التي اصطادها الصيادون المصريون ويعودون بها إلى غزة. صارت المبادلة داخل البحر بالنسبة لكثيرين أكثر جدوى من المبيت في قلب البحر في ظل المخاطر الكثيرة التي يواجهونها. وأصبحت الأسماك المصرية تملأ أسواق غزة. ليس من فرق كبير إلا أن الاحساس بكون السمك من بحر البلاد أحلى، كما قالت يافا.

ارتشفت آخر ما تبقى في كأس الكابتشينو وهي ترد على جوالها بإنجليزية رشيقة، وتخبر محدثها في الجانب الآخر عن معرض صور تعد له عن حياة الصيادين في غزة. قالت لسليم إنها ستضع صورة قارب جدها على بروشور المعرض. فتحت أحد الكتب التي تحملها وأخرجت صورة بالأسود والأبيض لقارب يرسو على الشاطئ، وقالت إنه قارب جدها في بحر يافا، خلف القارب هناك أطفال يلعبون وقوارب في الأفق القريب تموج فوق الماء. ضحكت وهي تقول كان يمكن أن اكون أنا وأنت أحد هؤلاء الأطفال. حصلت يافا على صورة القارب من البوم عمها في عين الحلوة. طوت الكتاب وقد انتبهت أنه لم يتفوه بكلمة خلال النصف ساعة التي جلساها سوية. «ستأتي للمعرض». ثم وبخبث قالت بعض الصور قد التقطتها «صديقتك» نتالي. ابتسم وهو يدرك مرماها. واستطردت بأن «نتالي بنت لطيفة»، تساعد في جمع تبرعات للجمعية، وهي نشطة على الفيس بوك، ولديها صفحة تخصصها في الدفاع عن الصيادين، وتضع على اليوتيوب وتويتر ووسائط

التواصل الإجتماعي المختلفة مقاطعاً درامية حول عمل الصياديين في غزة. وفي آخر مراسلة بينهما أبلغت نتالي يافا إنها بصدد إعداد فيلم وثائقي عن حياة الصيادين، وهي بحاجة لمساعدتها. لم يلفت الأمر انتباه سليم كثيراً بقدر اكتشافه كيف عادت المياه إلى مجاريها بينهما. وبخبث أيضاً استغربت أن نتالي لم تبلغه عن قصة الفيلم. «مش معقول». هز رأسه وقال إن نتالي مشغولة بأشياء كثيرة، أبلغته انها ستأتي إلى غزة قريباً دون أن تتحدث عن الفيلم.

فتحت اللاب توب، وهي تقول له إنها ستسعد لو زارها في المؤسسة. «مش بعيدة من هون جنب المينا». كانت تلك المرة اليتيمة التي لم يتحدثا فيها عن نفسيهما، لم يتطرقا إلى أي شي له علاقة بالسنوات الطويلة، التي ربطهما خلالها شعور لم يقدرا على مقاومته، حتى بعد أن تزوجت وتطلقت، وبعد أن غاب وغاب عن غزة لسنوات. هذه المرة لم يكن ثمة تواطؤ ولا اتفاق ضمني ولا حتى مقاومة ذاتية، حدث الأمر مثلما يمكن أن يحدث دون ترتيب. تحدثا عن الصيادين، وعن المؤسسة والمتضامنين الأجانب، وعن القصف الأخير، وعن معبر رفح وعناء السفر، عن الإنقسام والمصالحة الداخلية، عن الربيع العربي والديمقراطية المتعثرة، لم يتحدثا عن يافا وسليم. غابا في زحمة المواضيع. قالت له مرة لو أنهما يصبحان أصدقاء وتخفت مشاعرهما، وتعود إلى حالة السكون مثل النار تتوهج ولا تشتعل. أن تفيق في الصباح ولا تفكر فيه، أن تمر ساعة ولا يأتي على بالها، أن لا تشعر بالعجز وهي لا تستطيع أن تراه، أن لا تحاول تخيله يطرق الباب وهي تدرك أنه ليس حتى في البلاد كلها، أن لا تخربش أسمه فجأة، أو تبحث في «جوجول» عن اسمه،

وهي تعرف أن «جوجول» لن يأتي لها إلا بخبر صحفي عن دورة تدريبية شارك فيها قبل سبع سنين. أن يتحولا إلى صديقين، أن تتحرر من قسوة الحب، من لسعة النار، من اللهفة إلى اللقاء. غير أن يافا تغيرت، أصبحت فتاة أخرى. لم تعد تشكو، ولم تعد تعيد نفس الاسطوانة عن الواقع، وعن غزة وعجزها عن التأقلم مع الحياة. صارت تتحدث عن مساعدة الصيادين وعن حب الخير، والوفود الأجنبية التي تستقبلها، واللقاءات التي تقوم بها. قبل أن يستدير قالت له إنها سترحب لو قبل دعوتها لمشاركة فريق المؤسسة في رحلة صغيرة في البحر للإطلاع على عمل الصيادين في ساعات الفجر.

كان ياسر يتمدد على الكنبة في بهو مكتبه في برج الشروق. لم تعد غزة خلال العام المنصرم مخبزاً للأخبار الساخنة، لذا لم يعج البرج الذي كان في لحظة مركزاً لنقل الأحداث من غزة إلى العالم بالحركة، محلات الاكسسورات ومقهي رنوش على الطابق الأول تصنعان حركة أكثر من كاميرات الصحفيين الغافية مثل ياسر الآن. وقف لأكثر من دقيقة أمامه دون أن يشعر به. دخل المطبخ وأخذ يحضر فنجاني قهوة وعاد بهما. كان عامل المونتاج في الغرفة الداخلية يداعب أزرار الجهاز ببرودة تتوافق مع الصور الهامدة التي يركبها سوية. ارتشف القهوة معه، وقبل أن ينتهيا كان ياسر قد أفاق. نزلا إلى الطابق الأول من البرج وجلسا في مقهى رنوش في البلكونة، حيث يبدو شارع عمر المختار أسفلك، تنظر إلى تفاصيل الحركة فيه عن قرب، وتظل منشغلاً بها، فيما أنت جزء منها.

سحب ياسر نفساً عميقاً من النرجيلة. بالطبع هو يعرف خميس فهو أيضاً درس معه حتى الثانوية، لكنه يعرفه أكثر من خلال

العمل اليومي في الصحافة، فخميس مسؤول كبير الآن، وياسر بحكم العمل يلتقي به. أول مرة تقابلا تردد في استخدام الصداقة القديمة والجيرة. بعد ربع ساعة ضحك المسؤول معاتباً «يا راجل نحن أولاد حارة». هذا أفاد ياسر في عمله، حيث إن خميس مصدر هام للمعلومات، كما للاتصال وفتح قنوات تواصل وعلاقات عامة مع المسؤولين الآخرين. لم يكد ياسر ينهي عبارته حتى رن جرس جوال سليم. كان رقماً خاصاً. على الطرف الآخر كان الصوت ودوداً واليفاً، ودون ان يعرف بنفسه دخل في العلاقة الشخصية والسؤال عن الحال والأشواق. كان ذلك خميس. لقد قام يورو بكل المطلوب وأكثر. فقد راوده أن سليم سيتحجج ولن يتصل بخميس وهذا سيعني فوات فرصة السفر، أو أنه يتعذر بضياع رقم الجوال. دائماً يمكن خلق الأعذار، لذا قرر أن لا يترك له أي عذر أو سبب يمنعه من استخدام علاقاته في تقديم هذه «الخدمة» له. الحل الأنسب كان في مبادرة يورو الاتصال بخميس، والقول له إن ثمة صديقاً عزيزاً على قلبه يريد أن يتحدث إليه لكنه محرج، لذا سيكون لطيفاً منه أن يقوم هو بذلك. لم يكن المتحدث فاعل خير، كما قد يود المرء أن يزعم في مثل هذه الحالات. عرّف على نفسه، فخميس يعرف يورو جيداً، فهو أيضاً وقبل سنوات طوال كان من رواد المقهي ولم يشغله عنه إلا المسؤولية، وربما التدين المفرط الذي تطلبته هذه المسؤولية. سعد يورو بالترحاب الذي لقيه من خميس وتذكره له، وهو ما سيعني تخفيف مهمة سليم في «الوساطة» له بالسفر. فهو لن يتدخل لنكرة، بل لشخص معروف لدى الطرف الآخر. المهم أن يقوم بالخطوة المطلوبة. إن أسهل الطرق هي المسار المباشر. يورو

رسم هذا المسار المباشر حين أعطي خميس رقم هاتف سليم. كانت تلك مفاجأة. اقترح خميس أن يشربا القهوة سوية ويتحدثا. كان اول مكان تبادر إلى ذهن سليم المقهي «عند يورو». خميس اقترح مكاناً على البحر. «عند يورو زحمة». الامر لم يكن له علاقة بالزحمة بل بالشكل والمسؤولية، وخميس لا يحب أن يرى في المقاهي الشعبية.

وضع ياسر مبسم النرجيلة، وهو يبدأ بكشف طبقة جديدة من المعلومات عن حياة خميس الثري، الذي أصبح يمتلك ثروة تذكر في البلاد. فهو كان من أول من عملوا في تجارة الأنفاق بعد إغلاق إسرائيل للمعابر البرية مع غزة. خميس حسبها صح كما سيقول ياسر، وبحكم علاقاته مع الحكومة حفر نفقاً وبدأ يهرب البضائع منه. والنفق حفر أنفاقاً والدينار صار مليوناً، وأصبح خميس ثرياً بشكل كبير. بل يقال إنه اشترى أحد الفنادق على البحر، بجانب المدينة الترفيهية التي أقامها في منطقة خانيونس، وجلب لها الحيوانات المفترسة في أقفاص مهربة من مصر. تجارة الأنفاق مربحة وثمة مليونيرات جدد في غزة بنوا ثروتهم من اسطورة الحصار والحاجة لفتح معابر تحت الأرض، يتم من خلالها تهريب البضائع حتى صارت المنطقة الحدودية بين رفح الفلسطينية ورفح المصرية مثل غربال أو شبكة عنكبوت تحت الأرض. لم تكن ثروة الأنفاق تكتسب بالتعب والجهد أو من خلال ثروة موروثة، بل هي صدفة وحظ. فبعض الشبان ممن صدف وأن وقعت بيوتهم المتواضعة على الحدود، حفروا أنفاقاً تبدأ من داخل غرفة في البيت وتنتهي في غرفة في بيت مصري على الجانب الآخر. البعض الآخر دخل اللعبة من أول الشوط، فكان له الكسب الكبير، قبل أن يرتاد تجارة الأنفاق

مئات التجار والسماسرة والمسؤولين والراغبين في الثروة والباحثين عن المال. المليونيرات الجدد صاروا يجوبون غزة بسياراتهم الفارهة التي يهربونها أيضاً، وقد يكون أحدهم قد تعلم السواقة قبل أيام ليصبح قادراً على استعراض ثروته. العشرات ماتوا خلال عمليات الحفر المضنية، إلا أن الملايين التي تجنيها الأنفاق تطوي ذكراهم تحت جشع الملايين المتراكمة للآخرين. خميس لم يكن يعاني، بل كان محظوظاً ... محظوظ في كل شيء. فالثروة الجديدة حققت له دفعاً قوياً في عمله الحكومي، حيث أن الملايين التي صار يتحكم بها، بجانب تأثيره في السوق تطلبت أن يتم تربيط هذا النفوذ بموقع حكومي. في حقيقة الأمر سيبدو هذا الكلام مجحفاً بحق خميس، الذي عمل في أذرع الحركة المختلفة، وتنقل في المواقع من عضو عادي في الكتلة الإسلامية إلى أمير مسجد الحي، إلى مسؤول في العمل الجماهيري على مستوى المحافظة. لكن من النادر أن يجتمع المال والنفوذ والطموح. كل ذلك توافر لخميس.

في اللقاء الحميم في أوله والحذر في آخره، على عكس صيرورة الأشياء، دافع خميس عن تجارته الجديدة، وجعل منها مهمة وطنية وعملية إنقاذ للناس من جوع كان يحدق بهم. الرجل جازف بالعشرة آلاف دولار الأولى التي كانت لديه حين باشر بحفر النفق الأول.

«انت تعرف والدي، لا يؤمن بالمجازفة». في الحقيقة هو لم يبلغ والده برغبته بالتجارة عبر الأنفاق، بل قال أنه سيفتح سوبرماركتاً في حي النصر. بعد استجداء وتوسل ووساطات وافق الحاج.

تخيل لو أن الأمر فشل، «لأصبحت على الحديدة». لم يكن يتوقع شكراً من أحد، كان يدرك، كما قال، بأن ثمة مهمة لابد أن

294

تنجز. إنه يشبه شعوره الأول حين اندفع في المسيرة حين كان عمره سبع سنوات، ووقع من صغر حجمه بين أرجل المتظاهرين الغاضبين. شكل هذا الشعور بطارية شحن لكل مواقفه ونضالاته اللاحقة. وهي رواية يبرع خميس في جعلها نموذجاً للشعور النقي والمندفع نحو التضحية. لا يمكن تخيل كيف اختلف هو وزوجته حين علمت بنيته المجازفة بعشرة آلاف دولار لحفر نفق يربط بين بيت في رفح الفلسطينية وآخر في رفح المصرية. كانت تعرف أن هذه الآلاف العشرة أهم من تحويشة العمر لو وجدت، فبعدها لن يحصلوا على شيء من العم يوسف. وإذا ذهبت سدى قد لا يجدون ما يعينهم في المستقبل. المال الوحيد الذي استطاعوا ادخاره صرفوه حين قاموا بشراء بيت لهم، ليخرجوا من بيت العائلة الذي عاشوا فيه منذ زواجهما قبل إثنتي عشرة سنة. صحيح أن بيت العم يوسف كبير وواسع، وأنه ابتنى لكل ولد من اولاده طابقاً لوحده، بعد ان كانوا يعيشون في غرف منفصلة. لكن زوجة خميس لم تتوقف يوماً عن التشاجر مع سلفاتها على الطلعة وعلى النزلة، وأصرت على الخروج في بيت مستقل. ونجحت في دفع زوجها لشراء بيت من غرفتين في الطابق الأرضي من بناية من أربعة ادوار. «احسن من بيت العائلة!»، قالت لخميس وهي تغطي الأطفال المكدسين في غرفة واحدة.

كان الأمر مقامرة صغيرة، لكنها نقلت العائلة من تلك الغرفة إلى فيلا في منطقة السودانية، كما ومنحت الزوجة سيارة، والأطفال انتقلوا إلى مدارس إسلامية خاصة. الحياة تغيرت، لكن هذا لا يغير كون الامر مجازفة وعمل بطولي في نظر خميس، وهو يسرد على سليم قصة الحياة الجديدة. «تخيل لو فشل كل شيء». ثم

عاد يتحدث عن الشعور الذي يشحذ همته كلما فترت، شعور الطفل الذي يخرج غاضباً مثل الآلآف متجهين إلى مقر الجيش حيث ستدوسه الأقدام. شعور لا يقاوم. كما أنه لا يريد أن يتنازل عنه. تصلح هذه قصة لتروى سيرة غزة في السنوات الخمسة الأخيرة. عموماً لم يقتصر الأمر على ذلك إذ أن لدى خميس الكثير ليبرر فيه حكايته، وهو ليس بحاجة لفعل ذلك، لو لا أن الأسئلة الكثيرة التي تهرول على رموش صديقه تستفزه للحديث. «انت تذكرني بياسر اول مرة التقينا بعد أن صرت مساعداً للوزير». دون أن يسأل ياسر سؤالاً شرع خميس في تقديم الاعذار والتبريرات والتفسيرات. كان يدرك أن تلك الاجابات الشخصية «البحتة» تساعد ياسر أيضاً في عمله. بل إنه لم يتورع في منح ياسر، في مرات لاحقة، بعض التصريحات الخاصة وفي مرات سمح له بتسجيل مقابلات حصرية.

«هل تستطيع تصور غزة بدون أنفاق»!! أيضاً هذا سؤال حمّال أوجه، والإجابة عليه يمكن أن تكون مراوغة بذات القدر الذي ينطوي عليه السؤال من مراوغة. هز كتفه، وهو يشعل سيجارة، ويعدد أصناف البضائع التي تدخل غزة من مشروبات وعصائر إلى الملابس والأجهزة الكهربائية والسيارات والإلكترونيات. في الماضي لم يكن يوجد في غزة إلا بعض الأصناف من العصائر، وهي تلك التي تمتلك الشركات ماركتها ورخصة لاستيرادها، وكان ذلك مقصوراً على الاستيراد من إسرائيل أو الأردن أو مصر، الآن يمكن أن تجد في أسواق غزة أي شيء. «تصور عصير وألبان سعودية وإماراتية». وضحك. «البزنس بزنس». خميس الآن لم يعد بحاجة لتجارة الأنفاق، فهو في طور إنشاء موول تجاري ضخم في

شارع الشهداء على غرار «موول الأندلسية» الجديد، يقدم فيه للناس كل ما يحتاجونه. لم يترك الأنفاق كلياً، فهي لم تعد مصدر دخله الوحيد. الموول المزمع بناؤه سيتألف من عشرة طوابق وسيكون على مساحة دونمين. هذه خدمات يؤديها للبلاد. أيضاً تصور غزة دون مشاريع جريئة مثل تلك تسعف المدينة من الحصار ومن بؤس الحياة، كما سيقول خميس. بمقدوره أن يذهب لمصر أو لدبي ويعيش هناك، لكنه لا يفضل ترك البلاد. مرة أخرى قصة شعور الطفل الذي داسته الأقدام.

كان البحر هادئاً، وقوارب الصيادين بدأت تضيء فوانيسها، وصارت مثل شارع مضيء ممتد في عتمة البحر، وخميس يرفع يده بين فينة وأخرى يرد تحية رواد الكافتيريا. رغم ذلك فإن الجلسة عند يورو لا تعوض ولا يمكن مقارنتها بأي شيء جديد في غزة. عندها انتبها إلا أن يورو هو من أعاد جمعهما، وأن عليهما أن يفياه هذا الدين. سرد عليه رغبة يورو في السفر، خاصة وأن هناك دعوة له لزيارة أسبانيا، والرجل يريد أن يرى العالم خارج غزة. الحركة على المعبر صعبة بسبب الازدحام الشديد، وعدم انتظام فتحه بجانب الواسطة والمحسوبية في الدخول. ما يريده يورو هو القليل من التدخل لضمان السفر. لا يريد أي عثرات في اللحظة الأخيرة. هز خميس رأسه فالقصة بسيطة، ولكنه يريد تاريخاً محدداً، يريد يورو أن يغادر فيه. وهو ما لا يمتلكه يورو، الذي لم يعرف عن سفره إلا ما قالته له نتالي عبر الهاتف، إنها دبرت له رحلة إلى أسبانيا للمشاركة في افتتاح معرضها في قرطبة. لا دعوة مكتوبة ولا فيزا ولا تذكرة سفر ولا شيء. الشيء الوحيد الذي على يورو أن يفعله خلال الأسابيع

القادمة، كما اقترح خميس، هو أن يتردد على المسجد في حارتهم، حتى «يطمئن قلب الإخوان»، ولا يقفون في طريق إجراءات سفره. فقط عليه أن يذهب إلى المسجد خلال فترات الصلاة، ويتأكد أن مسؤول المسجد أو ما يسمى بأمير المسجد يراه ويوده، فيرفعون فيه تقريراً إيجابياً. وهذا شيء صعب على يورو كما يمكن التخمين، فالرجل يفيق الساعة السابعة صباحاً ويقف طوال اليوم على رجليه حتى العاشرة مساءً. لا يستطيع ترك رزقه بشكل دائم هكذا. بالنسبة لخميس فإن هذا أمر ضروري، حتى لا يشعر بالحرج أمام «الإخوان». وفجأة سأل «ألا يصلي يورو!!». سليم لا يعرف ولم يخطر بباله أنه بحاجة لأن يعرف ذلك، فهذا أمر خاص به وليس من حق أحد أن يحاكم أحداً بسبب تدينه. الأمر نسبي. «ولكن الصلاة مهمة»، رد خميس. وهي مهمة بالقدر الذي بات يشكل ممارستها مقياساً لرفض أو تسهيل سفر يورو، كما يبدو من كلام خميس. سيشرح بدفاع مستميت أن الامر ليس كذلك، بل إن طبيعة عمل أجهزة الحكومة تتطلب هذا التحري حول سلوك المواطن الطالب للخدمة، حتى يتم تقديم الخدمة بأفضل شكل له. كي لا تنخدع الحكومة بالمواطن. «ولكن يورو مواطن بسيط»، كما أنه لم يتقدم لوظيفة وزير أو رئيس وزراء، كما أنه لا يطلب خدمة فهو يريد أن يسافر. لا يطلب رأس كليب ولا تحرير فلسطين. بدا خميس مقتنعاً بشكل مقلق فيما يقول، حين تطور الأمر إلى جدل في التفاصيل بعيداً عن يورو ورغبته في السفر. طلب سليم نرجيلة وبدا عليه أيضاً التوتر وهو يرى صديقه يدافع عن الخطأ، يطلب محاكمة شخص وعقابه في الحياة لأنه يصلي أو لا يصلي. بالنسبة لخميس فإن ثمة حدود لا يمكن تجاوزها، وهو

«فعلاً» جاد في خدمة يورو، فهو لا ينسى كيف كان يعتني بهم حين كانوا يرتادون المقهى. «كنت بحس حالي في البيت». طلب منه أن لا يقلق، فهذا طلب بسيط يمكن تلبيته. كل ما في الأمر أن على يورو أن يذهب للصلاة في المسجد، ولو حتى صلاة واحدة في اليوم. «يمّثل يعني!». الأمر ليس مادة للنقاش بقدر كونه مستفزاً بالنسبة لخميس: كيف لا يرى سليم أهمية الصلاة في حياة الإنسان، وكيف لا يمكن ليورو أن يؤدي هذه الصلاة طالما أن فيها خلاصه وتحقيقاً لمبتغاه في السفر. أما بالنسبة لقضية الوقت فيمكن ليورو أن يصلي صلاة الفجر في المسجد، ويكون بذلك أكثر ثواباً واكثر قرباً لأمير المسجد، فصلاة الفجر تقتضي مشقة لا يقدر عليها إلا المؤمنون حقاً. «بشر المشائين في الظلم» كما روى خميس عن النبي. ولاختتام الجدل، وعد خميس إنه سيعمل جهده، وأن يورو سيسافر، ولكن عليه أن يساعده أيضاً. وبكلمة أخرى فهو لا يريد أن يأتي رفض ليورو من الأجهزة الامنية بناء على تقرير كاذب، الصلاة في المسجد ستساعد كثيراً. ما لم يفهمه سليم كيف يستيطع خميس الجمع بين كل هذه البطيخات بين يديه: السياسة والأمن والبزنس والدين. يبدو أن سليم لا يفهم جيداً، كما يرد خميس. فهي مترابطة بشكل عضوي ولا يمكن فصل أحدها عن الآخر. كان اقتراح سليم منطلقاً من حرصه على صديقه، أن يترك الأمن ويعمل فقط في السياسة. هذا أفضل له ولمستقبله. كأن سليم حقاً لا يفهم أن لا فرق بين السياسة والأمن في هذه البلاد، فالسياسي ضابط أمن ببدلة أنيقة، ورجل الأمن يرى دوره إلى جانب الأمني سياسياً. «شو الفرق؟». لا شيء. لا يمكن لخميس إذا أراد أن ينجح أن يغمض عيناً من عينيه ويسير

بعين واحدة، عليه أن يفتحهما بشكل واسع حتى يتمكن من السير في الطريق آمناً. «الطرقات في غزة وعرة» وكثيرون يقعون بسهولة، وخميس ليس واحداً من هؤلاء.

خميس باغته هذه المرة بالسؤال عنه. ضحك سليم وهو يشرح «الساجا» الطويلة التي مر بها منذ مقتل والده على باب مطبعته المتواضعة في المخيم، وقصة الجنازة والبوستر والبطولة الكبيرة التي نضفيها حول الأشياء. الناس في غزة تشبه بعضها، وما يقوله خميس لا يختلف كثيراً عما يعتقده معظم الناس، وإن رددوه بكلمات مختلفة، مرة مشبعة بالدين والقرآن، ومرة مشبعة بالعبارات الوطنية، وتارة بمصطلحات فكرية معقدة. الكل قرأ على يد شيخ واحد. لم يقرر بعد ماذا سيفعل، صار له قرابة ستة أشهر في غزة، ولزاماً عليه أن يقرر حتى لا يجد نفسه مسحوقاً تحت عجلة الحياة هنا. في مرات يشعر أن الحياة سرقته، التفاصيل الصغيرة المملة لكل شيء نجحت في شده تحت لحاف الاستمرار، فلم ينتبه لمضي الوقت. الألم مازال يباغته حين يتذكر والده الذي مات صدفة. الرجل الجميل بحيويته وبعيونه الثاقبة تظن أنهما ستخترقان ستار المستقبل، لم يعش يوماً جميلاً. جاء المخاض لوالدته والرصاص وقذائف المورتر تنهال في الشوارع، ويافا تتداعي تحت وطأة العدوان عليها، والناس محاصرة تندفع باتجاه البحر او عبر الطرق الرملية قبالة الساحل، بحثاً عن ملاذٍ من الموت المحقق. كان ذلك في العام 1948 حين ولد نعيم. في ساعات ذلك الصباح من شهر نيسان شعرت الشابة الثلاثينية بأن الطفل سيخرج من بين فخذيها، ليصرخ صرخته المدوية في

أرجاء المدينة المنهكة. أسرع بها زوجها إبراهيم إلى عيادة الطبيب في الطرف الآخر للشارع والموت يحيط بهما من كل ناحية، فكانت مغلقة مثل كل شيء في يافا في هذا اليوم العصيب. تمددت على سريرها في البيت وبمساعدة بعض الجارات جاء الطفل يصرخ ناعياً المدينة الجميلة. أسماه والده نعيم تيمناً بالنعيم الذي شعر أنه يفلت من بين أصابعه مثل الماء. كانت الناس تهرب من الموت، وكان عليهما أن يحملا طفلهما بعد أن لفاه ببطانية بنية اللون. ما أقسى الذاكرة وما أفجع نزيف الماضي، حين كان سليم يروى قصة الميلاد المؤلمة والمشاهدات الأخيرة للعين. وهي قصص كانت عائشة الجدة بروفسورة في سردها، حيث تجعل منها أسطورة من نوع جديد. كانت يافا في عشرينيات وثلاثينيات القرن الماضي مدينة ناهضة تشهد تطوراً وإعماراً وازدهاراً وتجارة واعدة. وكانت حياة عائشة وإبراهيم قد بدأت في التحسن بشكل كبير مع نجاح التجارة التي بدأ إبراهيم في العمل بها، وصار له محلان في قلب المدينة في سوق اسكندر عوض. انهار كل شيء فجأة. هذا النعيم الذي لم يعشه نعيم، ولم يُقّدر له أن يتمتع به إلا عبر حسرات عائشة في ليالي البرد تحت سقف الغرفة اليتمية التي اعطتهم إياها وكالة الغوث. كان خميس مشدوداً لقوة الحكاية، وللدموع المتخيلة فيها، وللألم الطافح على جلدها. لم يكن نعيم بطلاً كان ضحية قسوة الحياة. الرجل توفيت زوجته في ريعان شبابها ولم يتزوج. نذر حياته لتربية أطفاله، وقال هذا أكبر وفاء لذكرى آمنة. نصحوه أن يتزوج، بل وضغطوا عليه، فهو مازال شاباً والحياة طويلة أمامه، كما أنه لن يقدر على تربية

الأطفال والمتاعب المصاحبة لعملية التنشئة والتعليم، خاصة أن سمر آخر الأطفال لم تكن قد تجاوزت العشر سنوات حين رحلت آمنة. رفض، وقال لو كنت أنا من مات لن تتزوج آمنة ولظلت أرملة تعتني بأولادي. رد مختار الحارة «بس انت راجل يا نعيم». «ما بتفرق كتير يا مختار صدقني». كان ابوهم وأمهم وكان مدرسهم وصديقهم وعمهم وخالهم وجارهم. كان كل شيء. وكانوا هم أيضاً كل شيء في حياته. تزوجت البنت البكر ولحقت زوجها المهندس، الذي وجد عملاً في شركة إنشاءات في السعودية. الولد البكر سالم دخل السجن وهو لم يبلغ العشرين ولم يخرج منه منذ أكثر من عقدين. أما الولد الثاني سليم فقد وجد ضالته في الدراسة، فلم يعد يلتم عليه لسنوات من بيرزيت إلى بريطانيا إلى إيطاليا. فيما ظلت سمر آخر العنقود، تكبر معه.

حياة مترعة بالألم.

خميس تنحنح محاولاً ان يخرج الحديث من هذه الدراما الجافة، فقال مبشراً أن ثمة صفقة تبادل أسرى تلوح في الأفق بين الحكومة في غزة وإسرائيل. «صفقة شاليط».نعيم مات متحسراً أن كل اتفاقيات السلام مضت وانتهت ولم تجلب له ابنه، لم تمنحه فرصة العناق الأبدي، أن يضمه بين يديه. يتحسس شعره الدهني، أن يشتم فيه رائحة آمنة فهو أكثر ابنائها شبهاً بها. كان يحب الولد بشكل كبير ففيه أشياء كثيرة من آمنة: الغمازة الصغيرة أسفل خده الأيسر، شرود عينيه، لون شعره، ضحكته. كاد سليم ان يقول «وشو الفايدة!» فقد مات والده دون ان يحقق حلمه. كان كلما أعلن

عن إطلاق دفعة أسرى بعد اتفاق سلام توقعه السلطة مع إسرائيل، يخرج إلى حاجز إيرز متزيناً بأبهي ما يجده في الخزانة، متعطراً متأنقاً، ويقف على الحاجز مع مئات الاهالي ينتظر ابنه، وفي كل مرة يعود خالي الوفاض، يحمل الصورة المؤطرة لابنه التي كان يحرص على حملها معه في كل مناسبة، خاصة في التجمع الأسبوعي يوم الاثنين أمام مقر الصليب الأحمر في شارع الجلاء. وحتى حين كان يعلن عن أسماء الأسرى المزمع الإفراج عنهم، ولا يجد اسم ابنه، لم يكن هذا يمنعه من الخروج إلى الحاجز، لعل خطأً ما يغير الحقيقة ويأتي له بابنه. حين يعود في المساء جاراً خيبات الانتظار، كانت تبدو الاحلام أثراً بعد عين.

بيد أن أحلام يورو لن يقدر لها أن تكون مجرد أثر بعد عين، فنتالي قدمت له المزيد من التفاصيل عن الرحلة المرتقبة إلى أسبانيا، وصار يمتلك الكثير من المعلومات حول سبب الزيارة ووقتها ومدتها. خلال إقامتها الماضية في غزة، التقطت نتالي مئات الصور لوجوه أناس كثيرين قابلتهم في غزة. كانت ترى في الوجوه صورة عن المجتمع، وكما قالت في إحدى تغريداتها على التويتر إن الوجوه أصدق حكواتي يخبر عن قصص الناس. أعجبت الصور مدير لمركز ثقافي محلي في قرطبة، فاقترح أن ينظم لها معرضاً للصور، وهي فرصة تتحدث فيها عن تجربتها في الشرق الأوسط. قال لها وهو يتفقد الصور «بالضبط هكذا يبدو الشرق». حاولت تقديم وجهة نظرة موازية «الوضع في غزة يختلف». رد بحركة ايمائية من يديه «كله شرق». صمت ثم اردف: «تقصدين .. صحيح... هناك ملمح عام لمنطقة المتوسط». كيف دخل يورو على الخط إذا؟ كان وجهه

الأكثر تكراراً بين الوجوه. لم يكن الأمر مجرد صدفة، فقد حظي يورو بصور لا تعد ولا تحصى، حتى حين قام مدير المركز باختيار الصور، التي سيتم عرضها، وجد نفسه يختار أكثر من عشر صور ليورو. لم يعلم «الساندرو» مدير المركز الثقافي حين اقترح ان يتم استضافة «يورو» خلال المعرض ليتحدث هو الآخر عن غزة، أنه مثل من يرمي حبة من الكرز في فم نتالي. بلعت ريقها، وارتشفت كأس الماء المثلج، فيما عيناها تتأملان الشارع من خلف زجاج النافذة. كانت محطة القطار الرئيسية مصدر الضجيج والحركة الكبيرة التي تملأ الشارع. هربت ابتسامة من دماغها إلى شفتيها وقالت «فكرة جيدة».

لم تكن هذه كل الحقيقة. فنتالي وجدت نفسها تميل ليورو، وخلال فترة إقامتها في غزة كانت في مرات كثيرة تذهب للمقهى كي تقابله. لا تعرف لماذا. لكن يبدو ان نبضاً صغيراً بات يدق في قلبها كلما خطر ببالها. ذات نهار أصرت أن تعزمه على العشاء. لم يكن ذلك ممكناً، لأن عمل يورو لا ينتهي إلا متأخراً. نجحت في إقناع صاحب المقهى ان يدع يورو يغادر عمله مبكراً. قالت إنها تود عمل مقابلة معه في بيته. جلست معه في مطعم على شاطيء البحر وفيما كان يلتهم السمك المشوى وزبدية الجمبري، كانت نتالي تمارس معه عربيتها الجديدة بحذر. يورو لم يفهم كثيراً مما قالت، لكنه بعد ان أنهى الطعام احس ان الامر ليس عادياً. انتبه إلى فتحة قميصها، حيث يرفع نهداها قبابهما يتلصصان على العالم. امسكت به متلبساً يتأمل صدرها. لم يرتبك حين اكتشفت امره. عدم ارتباكه هذا أثارها أكثر. طلبت منه أن يوصلها إلى الشقة التي تستأجرها مع

مجموعة من الأجانب بجوار المركز الثقافي الفرنسي. في الطريق تسللت يدها إلى يده. أحست برجفة جسده، وهو يتحسس باطن يدها بأطراف أصابع يده. لأكثر من شهر، لم يكن إلا هذا الوصل العابر طريقة تلامس بينهما، إلى أن صعد معها ذات ليلة. ارتبك حين اكتشف أنهما أصبحا وحيدين في الغرفة. واصلت لعبة الأصابع ومن ثم الشفاه. لم يعد نهداها يتلصصان عليه، بل هاهما يغوصان تحت صدره ينزان شهوة ونشوة.

صارت تلك السهرات لقائهما المفضل، وصارت ممكنة مع اتفاق «يورو» مع صاحب المقهي على العمل يوم الجمعة مقابل ان يغادر أبكر بساعة كل يوم. وحين تأتي نتالي في ساعات الصباح للمقهى يرتبك «يورو»، وهي تحدق به، وفي كل مرة تهمس له وهو يقدم لها الشاي «اشتئتلك». وكان يحس العالم كله يحسده على هذا الحب.

ولم يكن احد يعرف العلاقة الجديدة التي نمت في ضجيج المقهى بين صبي المقهى الأربعيني وبين الفتاة الأسبانية. صاحب المقهى وأمام تلك الزيارات اليومية حاول التودد لها. سحب كرسياً وجلس بجوارها، وبدأ بأسئلة كثيرة من هذا النوع الذي تنفر منه النساء: هل انت متزوجة؟ كم عمرك؟ لماذا لم تتزوجي؟ ثم انتقل إلى تلك الأسئلة الروتينية التي اعتاد الأجانب على سماعها في غزة: بتحبي غزة؟ كيف شايفة غزة؟ انت مع القضية؟ وبالطبع فإن الاجابات أيضاً تكون متوقعة. كان يورو يقوم بتهوية الفحم في الموقد الكبير، وعيناه تخترقان المارة نحو طاولة نتالي. احس بشهوة صاحب المقهى الطافحة. رمت له نتالي بنظرة مطمئنة. أحست

بغيرته الفطرية وأثارتها، خاصة عدم مقدرته على التصرف امام صاحب عمله. صاحب المقهي أطلق الكثير من عبارات الغزل الفاحش في نتالي، وتحدث عن أردافها ونهديها ورغبته فيها. كانت الكلمات تسقط على يورو كالسهام.

لم يكن سليم يعرف بزيارات نتالي الصباحية للمقهى. يورو كان يعرف أن نتالي تعرف سليم ، لكنه لشيء لا يعرفه لم يكن يأتي على ذكرها أمامه. في الحقيقة أحد أصدقاء سليم قال له إنه رأي يورو مع فتاة أجنبية في شارع البحر في الليل. استبعد سليم الأمر، فيورو لا يتحدث الإنجليزية. لم يعرف كيف قرر أن يطرح على يورو سؤالاً عن نتالي، إذا كان يراها. قال إنها تأتي في الصباح. وبتردد «مش دائماً». كان ثمة ما يقلقه فربما ما أخبره به صديقه صحيحاً، حيث تكون نتالي قد وقعت عينها على يورو. هو يعرفها أكثر من أي شخص آخر في غزة، تصيبها لحظات جنون غير معقولة. يذكر كيف قالت له في أول لقاء لهما في غزة كيف تحب المقهى، وأنه مكانها المفضل وأشارت ليورو، وقالت إنه صبي مقهى محترف يذكرها بلوحة رأتها لفنان فرنسي عن مقهى في القاهرة في القرن الثامن عشر. وأمام هذه الغيرة الخفية التي أخذت تخرج من داخله، مع سحب الدخان المنطلقة من فمه، سأل يورو مرة أخرى «صاحبي شافك مع أجنبية في شارع البحر»؟. ضحك يورو بارتباك وقال «أنا.. يااااااا ريت»، ومضى يواصل توزيع الجمرات على نراجيل الزبائن.

لم يكن يورو يعرف بقصة الحب القديمة، التي جمعت بين سليم ونتالي أيام الدراسة، حتى هو لا يعرف أنهما كانا صديقيين في

السابق. اعتقد أنه قابلها في غزة. لكن بعد أسئلة سليم تلك، أخذ يورو يفكر إذا ما كان سليم يعرف نتالي، فهو عاش في أوروبا وقد يكون قابلها في مكان ما. استبعد ذلك. قال لا يبدو أنهما يعرفان بعضهما، ثم أن في أوروبا لم تكن نتالي وحدها في وجه سيلم، فالحياة والصبايا كثر. اطمئنت نفس يورو لهذا التحليل. لكنه وحين اتقدت النار عالياً وشبت في الفحم، برق له أنه لو دخل أي منافسة مع سيلم على نتالي سيخسر، فهو لا يملك شيئاً من مقوماته الجاذبة لأي فتاة أجنبية. سليم يتحدث لغات، وهو أكثر وسامة ويلبس بشكل جيد ومتعلم، ويبدو وضعه المالي مستقر، أما هو فعكس كل ذلك تماماً كما قال لنفسه. ليس من المعقول أن يكون سليم يرتبط بنتالي بعلاقة سرية. لفت انتباهه أنه حين أبلغ نتالي خلال قصدرتهما في الليل بأن سليم سأل عنها، انتبهت بشغف، وسألت ماذا قلت له. لكنه قرر أن فتح الباب للظنون والشك سيسرقه الفرحة القصيرة التي يعيشها هذه الأيام. نتالي راقها أن سليم سأل عنها، لكنها كانت تعرف أنه عاود لقائاته مع صديقته القديمة يافا، دون أن تعرف أن الأمر يتحول تدريجياً إلى صداقة. تؤمن نتالي أن هذا مجرد خداع، فالحب لا يمكن انتقاصه إلى صداقة، فيما الصداقة قد تتطور إلى حب. فكرت أن سليم قد يفكر في العودة لها، وربما أصابته الغيرة من علاقتها مع يورو. أيضاً لمحت الغيرة في عيون يورو. كل ذلك جعلها تمضي أكثر في هذا الشغف الذي بدأ يأكل قلبها، وتفكر كيف يمكن لها أن ترتبط أكثر بالمكان.

لكل ذلك لم يستبعد سليم أن يكون موضوع سفر يورو له علاقة بنتالي، خاصة أنه ذكر شمال أسبانيا. في الحقيقة يورو لم يعرف

أن قرطبة في جنوب أسبانيا، لكنه وبسبب تشجيعه لفريق برشلونة لكرة القدم اعتقد أن كل شيء في شمال أسبانيا. بعد أن اتفق مع خميس على ضرورة مساعدة يورو، عاد في اليوم الثاني للمقهى. كأن يورو كان يعرف أن الأمر تم تسويته. سأل:

بشّر!!!

تمام. خميس قال راح يساعدك. بس قال لازم تصلي في الجامع، عشان يشوفك أمير الجامع.

بصلي الفجر ما تقلق، وبقعد إذا بده بدرس الدين بعد الصلاة. المهم نسافر.

غاب يورو، وانشغل بالزبائن، وعاد له بالنرجيلة وكأس الشاي بالنعناع. سأل سليم فجأة:

شو ما عرفت وين السفرية؟.

قرر يورو أن يناور: يومين بأسبانيا ويومين بإيطاليا وثلاثة أيام باليونان وأسبوع بفرنسا.

استطاع أن يخمن أنه يكذب عليه فسأل: شو صاير سفير نوايا حسنة.

لأ، هاي مجموعة صحفيين عملوا كم من تقرير زمااااان عن القهوة، وعني وحابين اشارك بكم فعالية عن فلسطين.

حتى «يورو» صار يعرف كيف يلتقط أرغفة الخبز والمعجنات الساخنة من مخبز غزة دائم الاشتعال. انتهي الحوار دون تعليق

إضافي. صار يورو يعرف أن موعد السفر بات قريباً، فقد قام بإرسال جواز سفره إلى القنصلية عبر مكتب خدمات، وقالت له نتالي إن السفر سيكون خلال ثلاثة أشهر. بات كل شيء قريباً. سليم عاد إلى البيت سارحاً، فهو الذي جاء في زيارة غير سعيدة ومكرهاً بعد وفاة والده، يجد نفسه دون أي سبب ودون أية رغبة منه، يمضي أكثر من نصف سنة ويربط نفسه بمشاريع ومشاغل تلزمه البقاء في المكان. كانت قوافل السيارات تتجه غرباً جهة البحر، فيما يدفع خطاه بين أكوام الحجارة والأسمنت والرمل المنتشرة في الشارع الذي بدأت البلدية برصفه. كان الغبار يملأ حذائه، والعمال منشغلون في ترتيب عدتهم مع انتهاء يوم عملهم الشاق، والشارع لم يكتمل رصفه بعد، وخطواته وحدها تبحث عن الطريق أمامها وسط هذه الضوضاء.

الفصل التاسع

زمن التلة

ثار جدل كبير عندما جاء العميد صبحي، وقال لأهل الحارة إن الحكومة تنوى بناء مقر للشرطة على التلة ومسجد كبير، وستنفق موازنة معقولة في تطوير المرافق المحيطة، مثل رصف الطريق الصاعد إلى قلب التلة ،حتى يتمكن سكان المخيم من الوصول إلى مقر الشرطة. وبذا سيكون في المخيم مقران للشرطة، كما أن المقر الجديد سيخدم الحارات الجديدة التي توسعت خارج حدود المخيم. بصعوبة كبيرة شرح وجهة نظره أمام نظرات عيون الحضور المتوترة. قال إن مقر الشرطة على التلة سيكون ذا فائدة جمة للناس، فهو سيسهل حياتهم. ولم يفته التذكير، وهو يرتشف الشاي أن قرارات الحكومة ليست للمشاورة ولكن نظراً لكونه ينتمي للمخيم يود أن يشارك الناس الرأي. «فنحن أهل» كما ختم حديثه. لا أحد يختلف في ذلك، فالعميد صبحي واحد منهم، فهو ابن المخيم ولد فيه بعد النكبة بسنة والتحق بالعمل الفدائي، وكاد أن يموت أكثر من مرة، ولم يكن أمامه من خيار إلا عبور الحدود البرية مع مصر والالتحاق بقوات الثورة في الأردن. عاش حياته بعد ذلك كلها في القواعد ولم يسمع عنه أحد خبراً. وظن الجميع أنه ربما قتل في إحدى المعارك.

حين وطأت قدماه تراب المخيم بعد أكثر من ثلاثين سنة، استقبله سكان المخيم باحتفال مهيب. انحنى على التراب وقبله. زغردت النسوة وأطلق المسلحون النيران في الهواء. أولم له ناظر المدرسة وليمة تليق بالابن العائد.

كانت أم صبحي تعيش وحدها بعد خروج ابنها من البلاد وزواج بناتها الثلاثة، رفضت كل دعواته لها اللحاق به. ظلت وحيدة في بيتها الصغير في المخيم تجلس تحلم بعودته. تسرد لأطفال الجيران حكايات قريتها التي خرجت منها في عز الصبا، وكانت عيناها تدمع وهي تحلم بالعمر الذي سرق من بين يديها. في حقيقة الأمر عاشت أم صبحي حياة صعبة، فهي لم تكن تملك مصدراً للدخل، ولم يكن صبحي حتى بعد أن استقر به الحال يقدر على ارسال أموال لها لتعتاش بها. كانت تمضي حياة الشظف بمعاناة واضحة. كن بناتها يعطينها ما تيسر لهن من بواقي مصروف منازلهن. بيد أن ناظر المدرسة لم يكن لينساها من أية معونة يوزعها، كما كان قد نجح في اقناع مدير تموين وكالة الغوث في إدراجها ضمن المستفيدين الدائمين من إعانات الوكالة. كان بيتها، الذي لم يزل القرميد الأسود يغطي أسطحه، يذوي مع الزمن كلما ارتفعت بيوت الأسمنت في المخيم حوله، كما كان يذوي عمر أم صبحي حين يتقدم السن، وتأكل الوحدة وقسوة الحياة بريق عينيها. يذوي العمر مثل نبتة في صحراء قاحلة.

أخيراً ضحك الزمن، فتح ذراعيه، أشرقت شفتاه بالحب والأمل. لم تصدق أذنها حين جاءها المختار راكضاً من بيته في

312

الشارع الخلفي بالبيجامة ليخبرها أن صبحي سيصل يوم غدٍ لغزة. كانت المرة الأولى التي يري فيها الناس المختار بالبيجامة. كان عادة ما يخرج ببدلته وبربطة العنق حتى لو كان يجلس في الديوان يحادث الناس. هكذا كانت هيئته ولم يكن يغيرها. حين رن جرس الهاتف في بيت المختار، كان المتحدث صبحي، الذي تمكن من الحصول على رقم المختار من صديق في العريش، حين كانت قوات المنظمة تستعد لدخور عزه عام 1993 بعد توقيع اتفاق أوسلو. قال صبحي إنه يود إبلاغ أمه أنه قادم غداً. لم يصدق المختار، نسي نفسه. وضع سماعة الهاتف وركض عبر الزقاق الضيق الذي يربط شارع بيته بشارع بيت العجوز، الذي سيحقق لها القدر أمنيتها، أن تحتضن إبنها بعد سنوات الفراق القاهرة، خلالها كانت تتلقط أخباره لماماً. كاد يضحك الزمن أخيراً. لم تنم أم صبحي طوال الليل، ولم يتوقف شريط الذكريات عن استعادة اللحظات العديدة. كانت تلك المرة الأولى التي تبستم وهي تتذكر. انهمرت الدموع وتبللت الخدود وأهل الحارة ينظرون إلى الحزن، الذي كسا وجهها حين لم يتحقق العناق الأبدي، الذي كادت يداها الهرمتان تلتقطان فيه جسد ولدها الذي عاد.

لكنه لم يعد. رفض الجيش الإسرائيلي الموافقة على دخوله إلى غزة. عاد أدراجه إلى المنفي مرة أخرى، بعد أن كان بينه وبين بيته امتاراً لو اجتازها لضمته يدا أمه. ماتت أم صبحي بعد ذلك بسنتين، والحسرة تظلل البيت الذي لم يلتم شمل ساكنيه حول طبلية الطعام منذ عقود. أبلغوه بعد وفاة أمه بسنة أنه تم تسوية أمر منعه من دخول غزة مع الجانب الإسرائيلي، وأن بإمكانه العودة. رفض وقال

«أصلاً، أوسلو كلها مش ملية عيني»!! وقال لن يدخل غزة بتصريح من الإسرائيليين.

بعد ذلك بسبعة سنين عاد صبحي، بعد أن كان الجيش الإسرائيلي قد غادر غزة، ولم يعد له وجود في معبر رفح الحدودي. استقبله الناس على المعبر استقبال الأبطال. لم يسكن في بيت العائلة الذي ترك على حاله منذ وفاة أمه. قال له ناظر المدرسة والمختار إن الشباب سيرممون البيت، وإن سكناه بينهم يريح روح الفقيدة في القبر. اشترى شقة في أحد الأبراج السكنية في حي تل الهوى وسكن فيها. امام ضيق الحال طلبت منه أخته ان تسكن في بيت العائلة، بدلاً من استئجار بيت لم تعد تقدر على دفع أجرته، بعد انعدام أي دخل لها ولزوجها واولادها الستة، بعد أن اصبح زوجها عاطلاً بلا عمل. لأكثر من عشرين سنة عمل في أحد المصانع قرب تل أبيب، وجد بعدها نفسه مثل عشرات آلاف عمال غزة عاطلاً بلا مصدر للدخل يقتات منه.

عمل صبحي مسؤلاً في الشرطة، ولم يكن يزور الحارة إلا في المناسبات حين يزور أخته، كما لم تعد تربطه بالحارة إلا التحية التي يلقيها من خلف زجاج السيارة «المرسيدس» التي يركبها ملحوقاً بسيارة حراسات. طرأت تغيرات كثيرة على صبحي منذ ذلك الوقت. بعد انتخابات 2006 صار بعد أقل من ستة أشهر له لحية طويلة، وعمل مع الحكومة الجديدة، وترّفع في سلم المسؤوليات وزادت حراساته وأشغاله.

كانت تلك المرة اليتيمة التي يجد سكان الحارة العميد صبحي بينهم. نزل من سيارته محاطاً بالحراس المدججين بالسلاح. طرق

باب بيت المختار، ودلف إلى الغرفة الجانية التي تشكل ديوان المختار ومجلسه. جاء الناظر والعم يوسف وسليم ونصر . كانت الغرفة مكتظة بلفيف من رجالات الحارة. استدعى المختار الجميع بناء على طلب العميد صبحي. بدأ مداخلة طويلة حول انتمائه للحارة وذكرياته فيها ورمى ببعض الفكاهات التي خطرت له من الذاكرة عن أيام الصبا. صارت الحارة بالنسبة له، كما تبين من حديثه، قبلة الحياة، فهو لا يجد راحته إلا حين يكون بين أهله فيها. صحيح أنه لم يكن يزور الحارة كثيراً، ولكن الأشغال كثيرة والمسؤولية أمانة يجب ان يقوم بها على أكمل وجه، وهم لابد أنهم يتفهمون ذلك. لكز نصر سليم بكوعه، وهو يذكره بأن العميد صبحي انتقل قبل شهرين إلى فيلته الجديدة التي ابتناها على قطعة أرض تزيد عن أربعة دونمات في حي الشيخ عجلين على طريق البحر. صبحي لم يكن مرتاحاً كما بدا من نظراته لوجود نصر وسليم أصلاً وهو لم يطلبهما بالاسم على العكس مما فعل حين سأل بضرورة حضور العم يوسف والناظر. عموماً كانت تلك المقدمة التي استغرقت أكثر من ساعة، شرب فيها الحضور الشاي والقهوة السادة، فاتحة الحديث الصادم الذي جاء العميد صبحي من أجله. لم تكن أي عبارة سيختارها ستلطف مما سيقول أو تخفف من وقعه على مستمعيه. قال ببساطة إن الحكومة قررت أن تعيد ترتيب التلة. ستجعل منها مكاناً ذا نفع للناس. ذكر مستمعيه بحادثة الحريق الذي شب في خيامهم في بداية اللجوء. أشار للمختار وهو يقول «لابد أنك تذكر يا مختار». جاء الرد من جهة نصر الذي قال لكن على التلة قتل الضابط الإسرائيلي. «لابد أنك تذكر يا مختار». رد المختار «هداك يوم». التلة عزيزة على

قلب العميد صبحي أيضاً، كما أوضح وهو يشاطر أهل الحارة عاطفتهم نحوها، لذا لابد أن تتحول إلى شيء ينفعهم. الحكومة تسهر على راحة الناس كما قال، وهو بوصفه احد أبناء الحارة دفع باتجاه تطوير التلة كي يستفيد الناس منها. «انتمائي للحارة كبير يا جماعة». لم يرق لأحد ما يقول، تنحنح ناظر المدرسة وقال:

التلة جزء من الحارة.

بالضبط هذا قصدي

قصدك يختلف عن قصدنا يا صبحي

ربما لم استخدم الكلمات المناسبة. ما اريده هو تطوير التلة.

اذا صار عليها أي شيء لا تعود تلة. هي تلة لأنها على هذه الحالة.

تدخل نصر: ذاكرة الناس لا يمكن تغييرها.

العميد صبحي (متجاهلاً تدخل نصر): يا جماعة هذا قرار من الحكومة ولا تملكون تغيره.

سليم: إذا لا تقول لنا انتماء ومشاعر. قل إنك جئت تفرض علينا رأي الحكومة.

العميد صبحي: أعرف أنك مازلت غاضباً بسبب سوء التفاهم الذي حدث معك .

المختار: سوء تفاهم! يرمونه في التحقيق والتعذيب عشرة أيام وتقول سوء تفاهم.

العميد صبحي: بتصير وحياتك يا مختار، سوء التفاهم وارد.

ناظر المدرسة: ارجع للحكومة ربما أيضاً يكون اقتراحهم بالبناء على التلة سوء تفاهم.

سليم: الحكومة لا تسيء التفاهم عند مصالحها، فقط تسيء التفاهم مع الناس.

تناول ورقة من أحد حراسه الشخصيين، وفردها على ركبتيه، توضح المخطط الهندسي الجديد للتلة. أشار إلى مخطط المسجد الكبير الذي سيبنى على التلة، وقال إن قبته ستكون أيضاً مطلية بلون قريب من الذهب. سيكون نموذجاً عن المسجد الأقصى، بل إن رئيس الحكومة امر وزارة الأشغال أن تحضر منبراً من خشب «الأبانوس» شبيه بمنبر صلاح الدين ليوضع في المسجد. «سيكون تحفة». بالطبع لم يفته أن يقول إن المسجد سيبني بتبرع كريم من أحد أمراء قطر. على الجانب الآخر، ومقابل المسجد مباشرة، سيبني مقر إدارة الشرطة في المحافظة، سيكون مقراً واسعاً ومهيباً لأنه يمثل الحكومة وقوتها الشرطية. ستكون التلة عنواناً يفد إليه الناس من كل المحافظة، وهذا سيعود بالنفع على الحارة. بل إن الحكومة تفكر في بناء محال تجارية على جانبي الطريق الأسفلتي الجديد، الذي ستشقه ليربط الحارة بالتلة، وستكون أولوية التاجير لسكان الحارة. الحديث يدور عن أربعين محلاً تجارياً. «سوق جديد». «لقد ناضلت من أجل أن تخصص الأموال للتلة، كان بعض الوزراء يريدونها لمناطقهم، انا أصررت على أن تكون في التلة». مد الخريطة نحو ناظر المدرسة، وهو يقترح أن يتم تأجير أحد المحلات المزمع إنشائها لإقامة محل لبيع القرطاسية. «الحارة بدها مكتبة تتوفر فيها الكتب مش قرطاسية» رد الناظر.

317

المهم يا جماعة أن يتم التخفيف عن الناس.

أي تخفيف يا صبحي اللي بتحكي عنه؟

شرح مرة أخرى أن ما يقوله ليس اجتهاداً منه أو وجهة نظره، بل هو موقف الحكومة، وإن مواقف الحكومة ليست للنقاش، وان عليهم التفكير في الاستفادة من مبادرة الحكومة تلك. «كيف نستفيد». «لا أحد يقف في وجه الحكومة». «حتى لو كانت على خطأ!». «الحكومة لا تخطئ». «إذا ما فائدة النقاش معنا إذا كانت قرارات الحكومة للتنفيذ وإذا كانت الحكومة لا تخطئ، وإذا كان لا جدوى من محاولة توضيح وجهة نظرنا!!». كان ذلك سليم.

حتى الآن لم يأت على ذكر ما ستفعله الحكومة في بيت الراحل نعيم وبيت الحاج خليل وبقية البيوت على التلة. كما أن وقع المفاجأة أو ربما الرفض المطلق للفكرة جعل الجميع لا يناقش التفاصيل. إلا أن هذه التفاصيل ستأتي وحدها على السطح.

اجاب العميد صبحي على هاتفه النقال دون أن ينبس ببنت شفة، ثم قام وهو يقول لأهل الحارة أن يفكروا جيداً، وأن لا يثيروا أزمة مع الحكومة، فالتغيرات التي ستعمل على التلة هي في صالح الناس، وستجلب المزيد من الرفاه للحارة. رد المختار «الرفاه! يا سيادة العميد (بتهكم) أن توفر الحكومة الكهرباء بدلاً من أن تقطعها لأكثر من نصف النهار، أن تخفف الضرائب، حتى معسل النرجيلة المهرب عبر الانفاق بفرضوا عليه ضرائب، الرفاه، أن لا يسجن الناس بسبب سوء تفاهم، (قام وصار وجهاً لوجه مقابل العميد صبحي) فاهم قصدي!».

المهم تفهموا انتم قصدي!!

وقبل أن يدلف خارج الغرفة، التي ارتفعت درجة حرارتها من النقاش والجدال الذي دار بين جدرانها لأكثر من ساعتين، سأل نصر عن البيوت المقامة على التلة.

التفت نحوه وسأل: تقصد الخمسة بيوت بيت نعيم والحاج خليل والآخرين! أنت تعرف أن البناء على التلة غير قانوني من أساسه، فهي أراضي حكومية، وليست ملكاً لأحد. بكلمة أخرى فإن الحكومة حتى لا تنوي تعويض المقيمين على التلة ببيوت أخرى يسكنون فيها. خرج العميد صبحي تاركاً الغضب يفترس وجوه الحاضرين.

لم تنم الحارة ليلتها ودارت احاديث كثيرة وعرضت مواقف متنوعة لكن الإحساس بسطوة العميد صبحي كان مهيمناً. اقترح البعض أن يتقدم سكان البيوت الخمسة على التلة باحتجاج للنائب العام يثيرون القضية يقاومون قرار الشرطة. آخرون اقترحوا تنظيم مسيرات احتجاج وتبليغ الصحافة للضغط على الحكومة. طرف ثالث اعترف بأن الحكومة ستفرض رأيها وأن المقاومة صعبة، ومن الأفضل التحاور مع الحكومة. كان الموقف صعباً، ولم يكن من السهل الاتفاق على قرار. في المؤسسة، اقترح سليم على السيدة تهاني أن تتبنى المؤسسة قضية التلة قانونياً كقضية رأي عام لها علاقة بحقوق الإنسان، سيما أن الأمر يتعلق بطرد أناس من بيوت يعيشون فيها منذ سنين. أطرقت ملياً وقالت إن الامر لا يقع في نطاق عمل المؤسسة.

ولكننا مؤسسة تعنى بحقوق الإنسان!.

319

صحيح ولكن حقوق الإنسان حقوق متنوعة.

ونحن مهمتنا الدفاع عن الناس... الأساس في ذلك الإنسان.

انت تعرف أن الحكومة لن يعجبها ذلك لديهم حجج جاهزة للدفاع عن مواقفهم. ثم أن الحكومة تقول إنها تقصد تطوير الحياة في المخيم كما قلت أنت.

الحكومة تدعي ذلك، لكن الناس تقول إن هذا يضير بمصالحهم.

انت تعرف أن أي موقف نتبناه يزعل الحكومة سيؤثر على سهولة عملنا. هناك في الحكومة من يدعو أصلاً لتقييد عمل المؤسسات. عشرات المؤسسات أغلقت. لنفكر بروية.

فكرت السيدة تهاني قليلاً، ثم تسللت إليها حماسة باهتة وقالت:

نحن سنساعد الناس في الاجراءات القانونية مثل أن نقدم لهم استشارة قانونية، لكننا لن نتصدى للقصة.

هذا واجبنا يا ست تهاني.

زعل الحكومة مش نافع.

احنا بدنا نزعلها.

مش كتير، انتبه.

هو لم ينتبه، الست تهاني انتبهت، وبالفعل لم تتبن القصة. اقتصرت مساهمتها في معركة الناس على الاستشارات القانونية.

عادت يافا إلى لبنان. نجحت في اقناع المؤسسة التي تعمل بها أن تنتقل للعمل في فرعها في بيروت حتى تقضي أطول وقت ممكن مع عائلتها التي عثرت عليها في عين الحلوة. وبين اليوم والآخر تربك والدها الحاج بالمزيد من الأخبار عن اخيه وأبنائه وبناته. بل إنها اقنعت الحاج أن يذهب لبيت سليم كي يتحدث بالصوت والصورة مع أخيه وعائلته عبر «السكاي بي». ضحك الحاج بصوت عال وهو يسقى الوردات في حديقة البيت وهو يستعيد الحوار الطويل الذي أجراه مع أخيه وعائلته.

في المخيم، قام سليم بجمع توقيعات سكان الحارة، ووكلل محامياً يقوم بالترافع لدى الجهات المختصة. إلا أن النائب العام رفض قبول الشكوى من الأساس ولم يتمكن أحد من متابعة القصة قانونياً. كما أن الاستشارات التي وفرتها المؤسسة لم تنفع، إذ أن الجانب القانوني من وجهة نظر الحكومة باطل ولا أساس له. تبرعت السيدة تهاني بالحديث مع مساعد وزير الداخلية، الذي اكتفى بالقول إن هذا الامر لا علاقة للمؤسسة به، وأن التلة أرض حكومية والناس تسكنها بدون غير حق. لم يفد الحديث معه. شكل شباب الحارة خلية أزمة لمتابعة القصة ووزعوا الادورا فيما بينهم. بعضهم والأصغر سناً قالوا أنهم سينشئون صفحة على الفيس بوك ويقومون بحملة إلكترونية لتوضيح الامر. البعض الآخر قال إنه سيتحدث لأصدقاء له يعملون في الصحافة لدفعهم للتنويه للأمر. فريق ثالث انيط به مهمة التواصل مع الجهات الحكومية خاصة أعضاء التشريعي والوزراء من المحافظة. فوجيء الجميع وفيما هم مجتمعون في منزل الحاج خليل بقدوم نيفين ابنة العميد صبحي. لم

يكن نصر قد قابلها منذ أشهر، كما لم يهاتفها حتى فهي لم تعد تملك جوالاً. علمت نيفين بأمر التلة من خلال مواقع التواصل الاجتماعي. لم تكن تخرج من البيت بالمطلق. جعلها والدها تعيش في سجن حقيقي هو الفيلا الجديدة التي ابتناها في الشيخ عجلين. فقط كانت تستخدم الانترنت، حيث نجحت في اقناع أمها في تهريب لاب توب صغير لحجرتها، كانت تخبئه تحت السرير حتى لا يكتشف والدها وجوده. فقط حين تغلق الغرفة على نفسها تخرجه وتتواصل مع العالم الخارجي. منذ تلك اللحظة، لن تنقطع زياراتها ومشاركتها لسكان الحارة يوماً واحداً إذ كانت تاتي بشكل مستمر، وتشارك في كل ما يخططون له. لم يكن العميد صبحي يعلم بكل ذلك إذ أن ابنته اقنعته اخيراً بانها تأخذ دورات في اللغة الإنجليزية في الاميديست.

هل ركد الماء داخل القلب؟ وهل تقدر النظرات المسروقة التي تبادلتها مع نصر أن تشعل النيران في الغابة؟ إحساس مرير بالفقد الاجباري، ما أن ترفع رأسها، وتلتقط عينيه تتلصصان عليها وسط الضوضاء، التي تحيطهما حتى يهوي قلبها في قاع بئر سحيق، لا تقوى على استعادته، وحين تغمض عينيها وهي عائدة للفيلا تشعر بأن ماءً مثلجاً قد سكب على قلبها بخفة فراشة. في مرات كثيرة يمكن لنا أن نستسلم، أن نسلم بمرارة الواقع، بوقعه القاسي علينا، بضرورته، ببطشه. بعد الزيارات لبيت الحاج تمكنا من اللقاء في المؤسسة حيث يعمل سليم. اقترح عليها سليم أن تتقدم للعمل في المؤسسة، خاصة أنها تتحدث ثلاث لغات غير العربية، ضحكت فالعميد صبحي لم يعد مؤمناً حتى بضرورة وجود المرأة خارج غرفة النوم، وكادت الدمعة تنزل من عينيها، وهي تخرج من المؤسسة

حيث الفتيات أصغر منها وربما اقل خبرة وعلماً يجدن أنفسهن في العمل.

كان الامر أكبر من كل ما حدث، ولم يكن مجرد وقعه مؤلماً فقط، بل إن الطريقة التي تطورت فيها الأحداث وآلت إليها النتائج ستكون ذات وقع اكبر. فليست الحقائق التي ستنكشف وحدها سترفع من وتيرة الصراع، بل إن الحدة التي جوبه بها احتجاج الناس، ستدلل على طبيعة تلك العلاقة الهشة غير القائمة على اعتبار مصالح الناس بين العميد صبحي ابن الحارة، والمسؤول الكبير في الحكومة، وبين اهله وجيرانه التاريخيين في الحارة. والمؤلم في ذلك ان سكان الحارة صاروا يدركون انهم كلما مضواً أكثر في عنادهم لمقاومة مشروع مصادرة التلة، باتوا أكثريقيناً بخسارتهم في المواجهة. لكن حتى هذا الشعور لم يفت من عزيمتهم، ولم يثبط من معنوياتهم.

ما فات العميد صبحي أن يذكره لأهل الحارة، حين فرد أمامهم على الطاولة خارطة المشروع التطويري الجديد على التلة، هو المركز التجاري الضخم الموضح في الخارطة على يمين مركز الشرطة جهة الشمال. كان مخطط المركز التجاري يقوم على قرابة ثلاثة دونمات محاطة بالساحات الواسعة. المركز اكبر المباني المزمع انشاؤها على التلة. مسؤول في البلدية لم يفته الإشارة صراحة للمركز التجاري في برنامج على فضائية محلية حول المشروع. قال المسؤول البلدي إن المركز التجاري سيكون الاكبر في قطاع غزة، وسيشكل وجوده تحدياً للحصار ولسياسات إسرائيل في عزل قطاع غزة،

حيث ستتوفر في المركز كل البضائع. مج المختار مبسم نرجيلته، وهو يشاهد المسؤول في التلفاز وقال لمجالسيه «كانه بحكي عن فتح مصنع». في الحقيقة كانت تلك المرة الاولى التي يسمع فيها الناس صراحة من مصدر مسؤول عن وجود مركز تجاري ضمن خطة مصادرة التلة. وكان هذا مثل البنزين على النار. وصار ذكر المركز التجاري في النقاشات عن التلة امراً عادياً، وبدا أنه غاب سهواً عن حديث العميد صبحي، ولم يكن الأمر مقصوداً. قال ناظر المدرسة إن الموضوع تجاري بحت، وان الحكومة يهمها هذا الجانب من المشروع. تململ الناس أكثر، رغم ان البعض انبهر بفكرة التلة المطورة بمبانيها الجميلة الجديدة، حيث ستضم اكبر مقر للشرطة في المحافظة، واكبر مسجد، واكبر موول تجاري، بجانب المحال الانيقة على جانبي الطريق المسفلت الصاعد للتلة. لكن هذا البعض، وامام حركة الاحتجاج الواسعة، لم يجرؤ على المجاهرة بتأييده للمشروع بل كان يكتفي بمحاولة تسليط الضوء بحياء وتردد على بعض جوانبه الايجابية. كان من هؤلاء مثلاً زوج اخت العميد صبحي، الذي نجح الأخير بتوظيفه في إحدى دوائر الحكومة. أيضاً عضو المجلس التشريعي الذي لم يتمكن من إبداء موقف من الامر، فهو كما قال لمحدثيه من الخواص بين نارين: فهو مطالب بالالتزام بموقف الحكومة، حتى يضمن ترشيحهم له المرة القادمة، كما أنه يعرف أن اصوات الناس هي من تحمله إلى مقعد التشريعي وليست رغبات الحكومة فقط. لذا فقد وجد الحل، كما يمكن لكل متابع ان يعرف، من خلال وقوفه مع كل الأطراف. فامام الوزير يؤيد المشروع؛ وبين أهل الحارة يعارضه. لكن حيرته تظهر مرتبكة حين

324

يحاول أمام الوزير التعبير عن هموم الناس، ويطالب بأن تراعي الحكومة مطالب الناس، فالتلة تعني الكثير لهم. ولن يفوته ان يضيف إنه ترعرع في المخيم على قصص التلة. وامام أهل الحارة يحاول الكشف عن بعض محاسن المشروع، وينصح بأن بمشاركة الجميع في سبل البحث عن تقليل الخسائر وتخفيف وطأة الحديث.

أثارت فكرة إقامة مركز تجاري على التلة المزيد من النقاش والغضب، إذ أن الأمر يدور عن مشروع تجاري. بدأت المعلومات تتسرب للناس معلومة معلومة، دون أن يتمكن الناس من الاطلاع بالكامل على الحقيقة. لكن هذه الحقيقة سيجدها الناس فجأة ومع تراكم المعلومات المسربة امامهم بوضوح. بعد ظهور قضية المركز التجاري، تبين أن المركز هو أساس المشروع التطويري على التلة. كما أن المحال التجارية، التي ستمنح فرصة استئجارها لسكان الحارة، تتبع للمركز وملكيتها تعود له. القصة الثانية التي تسربت، وبعد تقصي وبحث ونبش هي إدعاء مصدر مجهول بأن رجل الأعمل الذي سيبني المركز هو من تبرع ببناء مقر الشرطة والمسجد الكبير الذين سيقامان على التلة. فالرجل أراد ان ينتفع الناس اكثر حين يقدمون للتلة فيجدون المسجد فيصلون، ومركز الشرطة ليفضون خلافاتهم فيه. ثم وعند السؤال قيل إن الرجل اشترى التلة من الحكومة ودفع مقابلها مبلغاً معقولاً من المال. غير أن مصدر آخر قال إن الحكومة لم تبعه الأرض، بل أجرته إياها، فيما تمسك مصدر ثالث برواية الحكومة، بأن ملكية التلة لم تتغير، وهي للحكومة وكل شيء يتم عليها من إنشاءات حتى المركز التجاري لا تعود ملكيته المطلقة لأحد.

تغير الامر مع تسرب الحقيقة الأكثر وقعاً على الناس، حيث تسلل خفية أن رجل الأعمال المشار إليه كمالك للمركز التجاري، هو خميس ابن العم يوسف. بدا الأمر غير مستغرب في البداية، إذ أن خميس وبعد انشغاله في العمل الوزاري وبعد ان فتح الله عليه في التجارة والأشغال، لم يعد يراه الناس في الحارة كثيراً. فهم قد يعرفون أنه في الحارة من الجيب الذي يأتي به لزيارة والده. فقط حين يرون الجيب واقفاً على مدخل الشارع المفضى لبيت العم يوسف، يعرفون أنه في الحارة. ابتنى خميس بيتاً في منطقة السودانية، وصار نادراً ما يُرى في الحارة. أول المصدومين كان والده العم يوسف. قال للمختار لابد أن هذه شائعات. هاتف ابنه، وقال إنه يريده في أمر عاجل. بطريقته استطاع خميس امتصاص غضب والده، دون أن يعطيه اجابة شافية وافية حول السؤال الذي ثارت ثائرة والده لأجله. ما فهمه بعد أن اغلق جهازه الخلوي ان الولد بريء من التهمة. عاد للمختار وبقايا الغضب على وجهه، ليقول إن ابنه ليس شريكاً في المشروع. في المساء، وفيما العم يوسف يلهو مع احفاده والقلق يسيطر على يديه وحركاته، دخل خميس وقبل أن يكمل إغلاق الباب، كان السؤال فجاً يقفز في وجهه: «إنت مقاول مشروع التلة؟!!». تردد خميس قليلاً، وقال إن الامر ليس بهذه الصورة. جلس فيما التوتر بدأ يجري أكثر في دماء يوسف، الذي صار اكثر يقيناً من الشائعات التي انطلقت في الحارة وفي كل المخيم، حول مشاركة ابنه في مشروع التلة. لم يعرف أية صورة التي يتحدث عنها ابنه، فالسؤال واضح، وهو يتطلب جواباً قاطعاً بالنفي أو الإيجاب. شعر بأن إجابة ابنه اقل من مستوى توقعه المامول بالنفي

القاطع. كانت عيناه تفترسان الولد الذي بدا عليه الهدوء اكثر مما يجب.

بدأ حديثه بأشياء جانبية، قال مثلاً إنه سيساعد «يورو» عامل المقهى في السفر لأسبانيا عبر المعبر، وانه لم يكن ليساعده لولا تدخل سليم، كما أنه يسعى لدى الجهات الحكومية لتطوير المدرسة الثانوية وتوسيعها فهي مكتظة بشكل كبير. اما الخبر الأهم لديه فكان قيام الجميعة الخيرية التي يرأسها بتوزيع الف كابونة إعاشه على الفقراء في المخيم. وابتسم وهو يقول إنه طلب من مساعده ترك خمسين منها له (أي لوالده)، كي يوزعها حسب معرفته. كل ذلك لم ينجح في ترويض قلق الرجل الثمانيني، وهو يحس اليقين الذي يريد أن يكذبه يعض قلبه، يقول له إن الأمر ليس مجرد شائعة فحسب. أعاد الوالد طرح السؤال، هذه المرة وهو يقف هاماً بالخروج «هل أنت مقاول مشروع التلة؟». عندها بدا أن المواجهة حتمية، وأن على خميس أن يبتدع استراتيجية جديدة في الاجابة. قال هو ليس شريكاً، لكن الشركة التي له نصيب من رأسمالها هي الشريكة. يمكن له أن يبتدع القصص والحكايات، وربما يرسم على وجهه علامات الدهشة ويتصنع الاستغراب، وهو يروى كيف اكتشف أن شركته شريكة في المشروع، لكنه لن يفلح في انتزاع احساس والده بعدم تصديقه في كل ما يقول.

عاد يوسف إلى هدوئه المعهود، وقال وهو يحاول أن يستغل محاولات ابنه في التهرب من الجريمة، إن على خميس أن يسحب رأسماله من الشركة، إذا أصرت على مواقفها في استكمال المشروع

327

على التلة. اوضح له خميس أن الامر ليس بيد الشركة، بل بيد الحكومة. «الشركة مجرد منفذ للمشروع مقابل اتعاب تتلقاها». كانت اجابته دليل آخر بالنسبة للوالد على تهربه من الحديث بصراحة.

– اذاً تحدث للوزير!

– مش شغلتي احكي معاه في هالموضوع. راح يقولي يعني عشان الموضوع بخص حارتكو.

– وشو لو حكيت بموضوع بخص حارتكو، وإلا بس مسموح تحكي بحارات الناس.

– يابا الوزير جزء من الحكومة، والحكومة بدها هيك.

– وانت يا خميس يابني، واضح انك فعلاً جزء من الحكومة.

– انا شو دخلني، هو مجرد عطاء ومناقصة رست على شركتنا

– بس انت ما شاورتني. انت ما بتعرف خجلي قدام أهل الحارة!!!

وهنا كان مربط الفرس، فالعم يوسف يشعر بخجل كبير ويشتم في احاديث البعض اتهاماً مبطناً له بالتواطوء مع الحكومة من خلال ابنه. رغم أن أحداً لم يقل له ذلك إلا أن فكرة كون ابنه المقاول الذي سينفذ المشروع على التلة، لا تتركه بريئاً ولو في شكوك الناس، وإن لم يصرحوا بذلك علانية. وحده خميس ورث عن والده هذا العقل التجاري، ووحده سيوّرث والده المتاعب من وراء ذلك. هزه المختار من كتفه، وهو يقول يا يوسف «كلنا عارفين انه هالولد مغلبك». الناظر همس له بشيء مثل ذلك، لكن هذا الشعور الخفي

328

بالاتهام يأكل استقراره، فهو ليس بريئاً تماماً فخميس صنيعته، لكنه يعرف أن آخر شيء في الدنيا كان يريده لخميس أن يجمع بين السياسة والمال. فهو مثلاً أثار الدنيا ولم يقعدها حين عرف أن الولد يعمل في تجارة الأنفاق. في أخر المشادة العنيفة قال خميس لوالده «بزنس إز بزنس يا حاج... تجارة اليوم بتختلف عن تجارة امبارح». وقضي الأمر، وسلم الحاج بأن من العناد مكابرة الأقدار.

ذات المشهد وذات الاحساس، الذي نقله لنعيم حين شكى له سفر ابنه الدائم وشغفه بترك غزة. كان ذلك قبل اربع سنين من حواره مع ابنه خميس حول تجارة الانفاق. هز رأسه. كان منظر نعيم مستسلماً لقدر ابنه يبعث على الحزن، لأن في قبول الأشياء تسليماً بعجزنا دائماً، او على الأقل بعدم مقدرتنا على مجاراة قوة القدر.

لم يعد الامر إشاعة، بل صار حقيقة. خميس ليس المقاول فحسب؛ إنه مالك المركز التجاري. اما ما سينشكف من معلومات بعد ذلك فسيصب في توضيح الصورة. فخميس سيقوم ببناء كل شيء على التلة من مقر للشرطة ومسجد ومحال مقابل أن يبني المركز التجاري الأضخم في قطاع غزة على التلة. وتسرب ان عراب الصفقة كان العميد صبحي، الذي مارس نفوذه الكبير في الشرطة من اجل ان يقنع الحكومة بحاجة المنطقة لمثل هذا المشروع. اما الجزء الحقيقي في دفاع خميس امام والده، ونفيه أي صلة مباشرة له بالمشروع، فكان صحيحاً. فهو ولأسباب سياسية لا يستطيع ان يكون مقاولاً مباشراً للمشروع، لذا فقد انشأ شركة صورية وضع اسهمها باسم والد زوجته. قامت الشركة بالتقدم للعطاء المعلن

وربحته بنفوذ ودعم خميس. أما العميد صبحي فرشح أنه وعد من خميس بثلاثة محلات داخل المركز التجاري، ستقوم زوجته بافتتاح بوتيك للازياء المستوردة فيها. وقيل إن خميس وعد بان يسهل عملية استيراد هذه الأزياء عبر الانفاق.

بعد المشادة الكبيرة في بيت المختار، لم يعد العميد صبحي يأتي للحارة، بل صارت وفود الحارة تذهب إليه. كان حازماً فيما قال، وهو يغادر الحارة بأن الحكومة لا تتراجع عن قراراتها. ومع مرور الأيام بات واضحاً بأن مشروع مصادرة التلة واقامة المشروع عليه يسير على قدم وساق. فعضو المجلس التشريعي قال في آخر حديث له في الحارة، إن الموضوع كبير، وان كل جهوده لاقناع المسؤولين باءت بالفشل. لم تنفع كل استفسارات سكان الحارة عن هؤلاء المسؤولين الذين لا يستمعون لكلام ممثل الناس في المجلس التشريعي. بل إن بعضهم غمز من قناته، فهو طرف مع الحكومة في المشروع. ويمكن للبعض ان يتخيل الفوائد المادية التي سيجنيها عضو المجلس التشريعي من وراء صمته على المشروع. لكن ثمة شيء يبقى ضمن هواجس الشك في كل ذلك.

استدعي العميد صبحي مجموعة الشباب في الحارة لمكتبه. ذهب نصر وسليم وياسر وآخرون. لم تدم طويلاً عبارات الترحاب والمجاملة، إذ سرعان ما دخل الجميع في قلب الموضوع. اخرج زجاجة المسك من جيب سترته الداخلية، واخذ يمسد ذقنه بباطن يده المبلل بالعطر. حدج نصر بنظرة عميقة:

- انت لو قالت الحكومة انه السماء لونها أزرق، راح تعارض ...

- مصلحة الناس.

- لأ، مش مصلحة الناس، انت تنظيمك بيعارض الحكومة عشان هيك لازم تعارض. مصلحة التنظيم.

تدخل ياسر: طيب ليش الحكومة ما تعمل اللي في مصلحة الناس حتى لا نعارضها.

- انت كمان خليك بحالك، عامل حالك صحفي وعندي تقارير كثيرة (فتح يديه في إشارة لكبر كومة التقارير على مكتبه) حول نشاطاتك المعادية للحكومة...

فغر ياسر فاه: معادية للحكومة انت كل شيء مش معك ضد الحكومة. لولا عملنا يا سيادة العميد ما انفضحت جرائم الاحتلال.

- كل شيء احتلال، شماعة بنعلق عليها كل شيء ما بعجبنا.

نصر محدقاً في سقف المكتب المطلي بالبرونزي: صار الاحتلال شيء جميل!!!

- ما قلت هيك. بس صاحبك (يشير لياسر) مش بس بفضح جرائم الاحتلال ...

- ياسر (مقاطعاً) وبفضح ممارسات الحكومة ضد الناس.

- الحكومة لا تعمل إلا لمصلحة الناس.

- نصر: وين مصلحة الناس في تخريب التلة.

331

- تخريييييييب!!!! بل تعمير التلة. بدل ما تستفيد منها خمس عائلات بيصير نفعها لكل الناس.

- سليم: هي الناس شكتلك، ولا شكت للحكومة!!

- الحكومة لا تنتظر شكوى الناس. الحكومة بتحس بالناس وبتعرف مشاكلها.

- ما هو يا سيادة العميد كل الناس رافضة لسياسة الحكومة بخصوص التلة.

- لأنها ما بتعرف مصلحتها.

- ياسر: وشو هالمصلحة هاي اللي ما بحس فيها أصحابها.

- بالضبط الناس مش حاسة.

- طيب ليش ما بتحس الحكومة بمشكلة الكهربا، ولا بمشكلة الغاز، ولا بمشكلة المياه، ولا باكتظاظ الفصول الدراسية، ولا بالشوارع الوسخة، ولا بالبطالة وخريجي الجامعات...

- الحصار يا أفندي، الاحتلال يا محترم.

- انت وقت ما بدك بيصير الاحتلال هو السبب.

- هي هيك.... بعدين الكهرباء والماء والغاز والشوارع والبطالة قضايا كبرى، الحكومة بتعمل جهدها وربنا بعين وبساعد في حلها...

- اذا كان ربنا بعين ليش فيه حكومة. بلا من هالحكومة وربنا بعين.

(صمت طويل)

- بتعرفوا يا ولاد نصيب الحارة إني واحد منها، لولا هيك لكانت الحكومة أصلاً لم تشاوركم. فكروا في الأمر خلي هالموضوع يمر على خير. فكروا كيف تستفيد الحارة منه.

- زي ما استفاد خميس..

- خميس رجل اعمال كبير ومشاريعه في كل مكان.

- رجل أعمال كبير ... انت ما بتعرفه قبل تجارة الأنفاق

- بعرفه أو ما بعرفه مش مشكلتي. المشكلة الآن هو كيف نمشي هالموضوع... (صمت طويل) ساعدوني

- نساعدك ضد حالنا!

- انتو ناسيين انا واحد منكم.

- شكلك انت اللي نسيت يا سيادة العميد.

- انت يا سليم ما بتتصرف من واقع المسؤولية بل من واقع ردة الفعل. يا رجل قلنا لك، إنه اللي صار معك كان بالغلط وما كان مقصود. شو الناس ما بتغلط.

- لأ بتغلط... بس مش عشرة أيام تعذيب وشبح وضرب... زي عشر سنين.

- غلطوا الشباب وتم توبيخهم. وانت فاكر لولا تدخلي كان الله اعلم متى خرجت.

333

- سعيك مشكور يا سيدي. بس انا ما بتصرف بردة فعل. فكر انت بعقل شوية. اطلع برات البدلة هاي اللي لابسها. انس النسر والنجم اللي على كتفك. فكر زي واحد منا، بتلاقي حالك بتتصرف زي ما بنتصرف احنا هلأ. فكر شوية.

- ساعدنا انت وانضم لأهل الحارة. دافع عن الحارة... عن اهلك... عن التلة... (صمت) كنت بالنسبة لنا واحنا اطفال بطل. ابن الحارة اللي حمل السلاح وجري ورا الثورة في كل مكان.

- انت كان لازم تشوف امك وهي بتحكي عنك. كان لازم تحس فيها وهي بتوصفك. كان لازم تسمع تنهيدتها وهي بتتخيلك.

- خلتك عايش بينا ومعنا وصرت جزء من حياتنا.

- امك اول مرة شافتني وانا حامل السلاح في الانتفاضة الاولى باستني من بين عيني، وقالت ما شاء الله عليه زي صبحي في شبابه.

أصابه الحديث في مقتل. صمت. أشار لهم بالخروج.

النتيجة لا نتيجة.

رفض الشيخ حسن أن يخصص خطبة الجمعة في مسجد المخيم عن فوائد مشروع التلة. غضب مدير الأوقاف في المحافظة وهو يذّكر الشيخ بان من لا يعنيه امور المسلمين ليس منهم. عدل من قفطانه الشيخ، وهو يقول «ليتك تعرف معني هذا». في الليل لم يجد الشيخ حسن أي عذر يجعله يدافع عن رأي يخالف موقف سكان حارته ومخيمه. فالمؤمن الحق هو من يقف مع جماعته، لا من

يخالفها الرأي، فالأمة لا تجتمع على ضلالة. في الصباح طرق باب ناظر المدرسة. أراد من يبث له قلقه. انتهى من ارتشاف كأس الشاي وطلب من الناظر ان يملأه له، وهو يسرد عليه دواخله وقلقه. قال صراحة إنه ليس مع التصعيد الذي يدعو له الشباب ضد الشرطة إذا داهمت التلة، فالحكومة تعمل ما تظن أنه خير. كما أنه من حق الحكومة البحث في خير الناس وتطبيقه. أما الشباب فيغالون في تصوير ما يتم. «لو اطلعنا للجانب الإيجابي،» لأمكن للناس أن تكتشف ذلك. صمت ثم واصل حديثه الداخلي بصوت مسموع: ولكن حتى الحكومة لا توفر اجابات على الكثير من الأسئلة. «هل تصدق يا حضرة الناظر أنهم سيبنون مركزاً تجارياً بجوار المسجد!!!» لم يعلق الناظر بل واصل ارتشاف كأس الشاي.

في المسجد كرر المؤذن التنويه للشيخ بضرورة الحديث عن انجازات الحكومة حتى لا تغضب الأوقاف. تفقد الشيخ كتب القرآن المبعثرة على الرفوف وبدأ يرتبها. المؤذن شدد على أن هذه تعليمات، وفي النهاية الاوقاف تتحمل المسؤولية أمام الله. نفض الشيخ رأسه رافضاً المنطق. المؤذن يبدو مقتنعاً بضرورة التعاطي مع مطالب الاوقاف، وحتى لو من باب الخوف من عقاب الأوقاف ففي النهاية فالشيخ يتلقى راتباً من الاوقاف، كما درجت العادة.

تواصلت نشاطات أهل الحارة المناهضة لمشروع التلة، وتوسعت ونجحت حملات المناصرة والتحشيد، التي نظمها الشبان في جعل قضية التلة قضية رأي عام. نجح الشباب المندفع بروح العمر في تطوير ادوات نضال جماهيرية باتت تشكل قلقاً أكبر للحكومة التي

335

جندت خطباء المساجد في الدفاع عن المشروع إلا الشيخ حسن. ومع الوقت وفيما كانت الدوائر الرسمية تنهي معاملات وقرارات إطلاق المشروع على أرض الواقع، صارت التلة محجاً للمناصرين، ومزاراً لمجموعات الشباب والحركات السياسية، وموضوعاً للكثير من القصص الصحفية المصورة والمكتوبة. نظم الشباب صاعقة كروية على التلة، حيث توافدت الفرق الكروية الشعبية من كل نواحي قطاع غزة، وأقيمت مسابقة كأس التلة الذي تبرع بثمنه العم يوسف من خالص ماله. كما نظمت إحدى المجموعات مخيماً شبابياً لثلاثة أيام على التلة. الكتّاب الشباب نظموا أمسية شعرية حشدوا لها المئات، حيث قدموا قصائد ونصوص متنوعة. إحدى الجمعيات النسوية نظمت يوماً طبياً على التلة، ساعد في علاج اكثر من مئتي مريض من المخيم، ووفر لهم الادوية المجانية. صفحة «لا لمصادرة التلة» استقطبت أكثر من مائة ألف إعجاب، وأصبحت منبراً للتفاعل في القضايا الوطنية خاصة المطالب بإنهاء الإنقسام. وصارت مناهضة مشروع التلة تساوي مناهضة الإنقسام، وصار الشعار الأكثر شيوعاً «لا لمصادرة التلة لا للإنقسام».

لم يمض وقت طويل، حتى بدأت اجراءات الحكومة ترى النور على الأرض. إذ ان الطريق الترابي المفضى للتلة بدأت سيارات الشرطة باغلاقه وعدم السماح بالمرور منه إلا لسكان التلة. مُنع الصحفيون من الاقتراب من التلة، ناهيك عن الصعود إليها، وقام مسؤولون كبار في الحكومة بزيارات متكررة للتلة. العميد صبحي الذي رقي وصار لواءً في مراسم، بث جزء منها في نشرة الأخبار المحلية على الفضائية الحكومية، طلب وجهاء الحارة للقاء عاجل،

على ان يقتصر الاجتماع على «الكبار» كما قال للمختار على الهاتف. وقال إنه ينتظر الجميع في المكتب. ذهب كبار الحارة غير أن الحاج خليل اصر على قدوم نصر معهم وقال «مش صبحي اللي بقرر مين الكبار ومين الصغار». لم يكن لديه الكثير ليقوله، سوى ما اعتقد أنه بشرى سارة يحملها لهم، حيث نجح في اقناع وزارة الإسكان ببناء بناية من خمسة طوابق للعائلات الخمسة التي تسكن على التلة، وستكون البناية على جانب الطريق الصاعد للتلة من الحارة. ابتسم وهو يقول إنه في النهاية من الحارة، ويعرف كم الامر حساس لسكان الحارة. وقف الحاج خليل وقال بصوت جهوري «الاقتراح مرفوض». ابتسم صبحي، وهو يشير أن هذا ليس اقتراحاً، بل قراراً. لم يكن هذا مقصد صبحي من وراء استدعاء كبار الحارة. كانت غايته ان يبلغهم بضرورة البدء باخلاء التلة، كي لا يحدث الصدام الذي لا يرغبه بينهم وبين الشرطة. لكنه لم يقل ذلك. اعاد التذكير بمقترح البناية ذات الطوابق الخمسة ونوه إلى أن الطابق الأرضي سيكون مخصصاً للحاج خليل حتى ينتفع بالأمتار القليلة المحيطة بالبناية، يزرعها ويربي دجاجاته وماعزته فيها.

لم يعد الأمر سراً، إذ ان نيفين ابنة صبحي أصبحت المتحدثة باسم الحملة المناهضة لمصادرة التلة، وصارت التصريحات التي تدلي بها تنتشر على المواقع الإخبارية وصفحات التواصل الاجتماعي. في البداية كان الامر صادماً، فصبحي شاهد ابنته في نشرة الاخبار على إحدى الفضائيات العربية. كان في مكتبه حين اوردت الفضائية تقريراً عن الصراع على التلة تخلله شهادات لبعض كبار السن من المخيم حول التلة، والحكايات التي ارتبطت بها منذ حريق الخيم

وقتل الجندي الإسرائيلي حتى الانتفاضة. ثم فجأة كانت نيفين تلبس بنطالاً جينز وقميصاً سكني اللون، وتلف كوفية على رقبتها تحت الشال الازرق الذي تلف به رأسها، تتحدث عن نشاطات الحملة المناهضة لمصادرة التلة من اليوم الطبي إلى المسابقات الرياضية والمخيم الشبابي، وفي الختام اوردت مطالب اللجنة، التي يقف سكان الحارة خلفها، برفض مشروع مصادرة التلة. فغر فاه حين رن جرس هاتف المكتب مستفسراً إذا كانت تلك ابنته ام لا. انتشر الخبر كنار الهشيم في الدوائر الحكومية. لم يتخيل صبحي أن الصدام بينه وبين ابنته سيصل إلى هذا الحد. إذ أنه حين لطم ابنته على خدها، وجد نفسه في صدام حاد مع زوجته أيضاً. خرجت نيفين وأمها من البيت وسكنتا مع عائلة خالها في حي الرمال. في تلك الليلة لم يقو على الاستيقاظ لصلاة الصبح. كانت تهاليل الفجر تتسلل من تحت الشرشف الرقيق الذي يغطي جسده به من قدمه حتى أخر شعرة في رأسه. تقلب في الفراش مرت حياته امامه مثل شريط نيجتيف تتقافز فيه الصور عمراً من الشقاء والترحال والعذاب والدموع والفراق، لا يمكن له أن ينتهي بهذه الحياة التراجيدية. جردة الحساب مؤلمة أيضاَ. فالاولاد فضلوا المنافي والغربة وتزوجوا من اجنبيات ورزقوا اطفالاً لا يتحدثون العربية حتى. والدته ماتت قبل ان تضمه بين يديها وتبلل جبينه بدمع عينيها، وها هي ابنته وزوجته تهجرانه. وشباب الحارة يتحدثون عن البطولة التي جسدها لهم في الماضي، ولا يعرفون أن الأشياء التي تصبح من الماضي لا تعود موجودة. نهر الحياة بحاجة لمياه متدفقة. وأصدقاؤه القدامي الذين قاتل معهم معارك الثورة كلها يستهجنون ما يصفونه بشهوته للسلطة والمواقع.

لا أحد يفهمه ولا احد يريد أن يستمع له. لم يحمل البندقية يوماً من اجل حزب، او تنظيم، بل من أجل فكرة ولم يهمه يوماً من يرفع لواء الفكرة، طالما كان صادقاً. لا يجوز ترك الساحة حتى لو فاز الآخرون في الانتخابات، فالبلاد اكبر من مجرد صندوق انتخابات. أي مواقع هذه التي يبحث عنها. زوجته التي تناصر ابنته عليه هي من تحدثت لخميس عن المحال التجارية في المركز التجاري، التي ستفتتحها بوتيكاً دون علمه. الجميع يرسي عليه، يبررون أخطاءهم الجسيمة من خلال النظر لأخطائه الصغيرة بميكرسكوب البلاغة.

هذه المرة طُلب منه شخصياً قيادة حملة الشرطة لإخلاء التلة. لم تنفع كل اعتذاراته وتبريراته للوزير، الذي أصر على ضرورة التنفيذ الفوري والسريع. قال الوزير إن ظهور ابنته على شاشات التلفاز، في المظاهرات المعادية للحكومة، أمر مرفوض. «عليك أن تضع حداً له». لم يستطع الدفاع عن موقف ابنته، لكنه قال إن على الحكومة أن تفكر في قوة المظاهرات، التي تعترض تنفيذ مشروع التلة. أكد أنه مؤمن بجدوى قرار الحكومة، فهو كان أحد أشد المدافعين عنه، لكن الناس ترفضه. أمسك الوزير بمسبحته وأخذ يتأمل حباتها اللامعة، وسأل: «هل تشك في قدرة الحكومة على التنفيذ!». المشكلة ليست مشكلة تنفيذ، بل مشكلة اقناع الناس. نصح صبحي الوزير بان رأي الناس مهم. احتد النقاش، حين طالب بإعفائه من مهمة إخلاء التلة. قال إن هؤلاء جيرانه وبعضهم أصدقاء طفولته، ولا يصح أن يذهب في قوة ربما تلجأ للعنف لإخلائهم من بيوتهم. لم تنفع جميع شروحاته، ولا رجاءاته للوزير. قال له في النهاية إن مهمة التنفيذ يجب أن تنجز.

سيحدث في ذلك المساء من شهر حزيران ما لم يكن يتمناه صبحي. سيقول لنفسه لاحقاً إنه تخيل الامر وشاهد الكارثة بأم عينيه وحاول منعها بكل ما اوتي من قوة، لكن أحداً لم يستمع له. كان عليه أن ينفذ الأوامر، فهو قد قبل منذ البداية المشاركة في العرض، حين قبل ان يكون ضابطاً سامياً، وحين وافق مع المسؤولين على مقترح تطوير التلة الذي لم ير منه كما سيقول لنفسه أكبر من كلمة «تطوير». كانت الأفكار تتزاحم في رأسه وهو يقود قافلة سيارات القوة الخاصة التي اوكل لها مهمة إخلاء التلة. لم يعرف من أين يبدأ. كان الناس يتجمعون في شوارع الحارة بعد ان اعلنت حملة مناهضة مصادرة التلة حالة الإستنفار تخوفاً من مداهمة التلة. لم تفلح حواجز الشرطة الاولية التي نصبت قبل أيام في منع الناس من الوصول للتلة. تجمع المئات على التلة، وبعضهم نصب خياماً ونام هناك.

اختفى ياسر فجأة، منذ ثلاثة أيام لم يسمع عنه خبر. كان يسير في أحد الشوارع في المخيم، فجأة وقفت سيارة فلوكس بيضاء ابتلعته وسارت به. لم يحس احد في الشارع بما جرى. فقط حين جاء الليل وانتصف، ادرك والده ان ثمة مكروه أصاب الولد. هاتفه الخليوي مغلق، وأصدقاؤه اكدوا أن آخر ما يعرفون عنه أن كان عائداً إلى المخيم، بعد أن شارك في حلقة تلفزيونية عن دور الشباب في الربيع العربي. بعد أكثر من نهار، سيعرف ياسر الذي قضى الوقت كله معصوب العينين، أن من قام باختطافة جهة امنية لم تحدد اسمها ولا صفتها. وما لم يعرفه أن هذه الجهة الامنية تتخذ إحدى الشقق السكنية وكراً للتعذيب. صادر المحققون كاميرته الكانون، وسألوه عن نشاطات الحملة، وعن الصور التي يتم وضعها كل يوم على

الصفحة، وعن نيفين ونصر ويافا. كانت الأسئلة دقيقة وغطت كل الحارة. كانت الرسالة واضحة لم يترك الخاطفون فيها مجالاً للتفكير.

ذهب أهل الحارة لصبحي للشكوي دون فائدة. بدا الرجل عاجزاً عن فعل أي شيء. قال إنه سيتحدث مع المسؤولين. اجرى مجموعة من الاتصالات التي كان يعبر فيها عن غضبه مما يجري لياسر، فقد مرت أيام ثلاثة ولم يعرف من هي الجهة التي تقف خلف عملية الاختطاف. عاد بخفي حنين. أغلق الهاتف، وقال لضيوفه إن الجهات الأمنية المختلفة نفت علمها بالموضوع. «شو يعني» قال العم يوسف. لم يملك صبحي إجابة غير الصمت. طبع الشبان عشرات الصور لياسر وهو يحمل كاميراته، وصارت المطالب بإطلاق سراح ياسر والكشف عن المختطفين جنباً إلى جانب المطالب بإنهاء الإنقسام ووقف مشروع مصادرة التلة. هز نصر رأسه والشباب يجلسون تحت شجرة الجميز الهرمة «يبدو القائمة راح تطول مع الوقت». يقصد قائمة المطالب. من يعرف. لكن المؤكد أنه في صبيحة تلك الليلة التي كانوا يجهزون فيها لتصعيد الحملة تحت شجرة الجميز، كان قرار تنفيذ الاستيلاء على التلة يكسر البيضة ليرى النور في ساعات المساء الاولى.

العم يوسف، ودون ان يبلغ أحداً من الحارة، ذهب في الليل إلى بيت ابنه خميس. صب خميس الشاي لوالده وهو يقسم أغلظ الأيمان أنه لم يعرف من قبل بموضوع ياسر. كان القلق يأكل الرجل وهو يحدق في عيني ابنه، يحاول أن يتبين صدقه من كذبه. لم يعد يثق فيما يقول. فابنه صار من أقوى رجالات البلد. يسمع اسمه في

الكثير من النقاشات في الحارة. يعرف أن اهل الحارة قد يتجنبون ذكره بشكل واضح في وجوده، لكنه يحس من عباراتهم بوجوده. قال أنه لا علاقة له بالأمن، فهو يعمل مع الوزير فقط، وان علاقاته مع المسؤولين في الأمن علاقة بزنس. انفجرت شفتا الوالد وهو يشتم خبث حديث ابنه. قال لا يهمه هذا كثيراً ما يهمه أنه لا يريد المزيد من الفضائح. سأل الابن: أي فضائح؟ ساد صمت قطعه خميس، وهو يستغرب كيف يقوم والده بتحميليه كل أخطاء الحكومة. لم يرد الوالد. انكمش أكثر، وهو يحس ان ابنه سيخذله مرة اخرى. قفز خميس إلى الكنبة بجواره، وقال لا تقلق ياسر سيعود إلى البيت الليلة. وفعلاً عاد ياسر إلى البيت مع الفجر.

في بداية الأمر، عملت قوة الشرطة على منع الصحفيين الاقتراب من المكان، صادرت جميع الكاميرات حتى الشخصية ثم بدأت في الانتشار على جانبي الطريق. يبدو من المؤكد ان ثمة لحظة مواجهة قادمة مع السكان. قرر صبحي أن يوكل مهمة قيادة الحملة للضابط المساعد وفضل الوقوف بعيداً. يعرف أنه لم يلتحق بالشرطة لهذا السبب، ولم يكن يفكر يوماً حين عاد إلى غزة أنه سيقمع الناس، وليست سنوات الغربة والقهر ونضاله كان من اجل هذا. كانت الشرطة تندفع شاهرة هراوتها على التلة، فيما الناس العزل يقاومون الغزو بثباتهم في أماكنهم. بعد اقل من ساعة بدأت الشرطة بدفع الناس بالقوة خارج التلة.

يمكن لرجل يقف في مكان مرتفع، أو ربما يطل من نافذة طائرة مروحية، أن يقول أن ما يحدث على التلة في هذه اللحظة يشبه

معركة في فيلم تاريخي قديم حيث العراك والتدافع والهراوات تسقط على اجساد الناس. صراخ وزامور سيارات الشرطة وهرولة وشتائم.

سقط الحاج خليل على الأرض بعد ان ضربه شرطي بالهراوة على كتفيه. لم يحتمل جسده الهرم القسوة. وصلت الاخبار كل البيوت أن الحاج مات على التلة. حملت سيارة الإسعاف الجسد الذي اثقله الزمن، وانطلقت باتجاه المستشفى فيما الشرطة تواصل طرد الناس عن التلة. مات الحاج، قتلته الشرطة، ضربوه حتى الموت.

كان العميد صبحي يسند جذعه على شجرة الكينيا فيما الصور من أرض التلة تتقافز أمام عينيه مثل لقطات مبعثرة في كابوس يود لو يفيق منه، أن يكون كابوساً حقاً. الشرطة ترفع هراواتها، والشباب تهلل، والفتيات يمسكن أيدي بعضهن بعضاً في سلسلة بشرية تمنع الشرطة من الاقتراب من بيت الحاج خليل. كان يرى الكوفية تتدلى من رقبة ابنته نيفين، يرى جسدها يتماوج مع عنف الشرطة، التي تحاول تفريق أيدي الفتيات عن بعضها. رأى الحاج خليل، رآه يقف وسط مجموعة من الشبان يحاورون الضابط المساعد. سمع الصراخ، حين بدأت الشرطة بدفع الفتيان الذين صعدوا على الجرافة لمنع سائقها من التقدم باتجاه البيوت. بعض أفراد الشرطة أطلقوا العيارات النارية في الهواء. طارت الحمامات والعصافير من أعناق أشجار الكينيا، ولم تعرف أنها للمرة الأخيرة سترى هذه الأعشاش الدافئة في عب الشجرات الوارفة، حيث ستهوى أسنان المنشار الكهربائي وتطيح بشجرات الكينيا العشرين أرضاً.

أحس أن ثمة مصاباً حدث. عرف من الجلبة التي ثارت فجأة أن مصيبة وقعت. رأي الحاج خليل مع الشبان يحاورون الضابط المساعد، ورأى الشرطة تنهال بالعصي على مجموعة أخرى من الشبان، ورأى مجموعة أخرى من الشرطة تحاول تفريق أيدي الفتيات لكسر السلسلة البشرية حول البيت، ورأى الشرطي يطلق الرصاص في الهواء، رأي الكابوس كله، لكن قشعريرة باردة سرت في جسده أفلحت في دق جرس الإنذار. سمع كلمات متفرقة تقول الحاج مات... الشرطة قتلت الحاج... الشرطي ضربه على كتفه... سقط على الشبان ثم هوى على الأرض. ارتطام جسده بالتراب هز التلة، وكان يمكن لشخص يقف في مكان مرتفع، مقابل للتلة فوق مئذنة الجامع الكبير في المخيم مثلاً أو فوق بناية عالية على الطريق المؤدي إلى مدينة غزة، القول إن التلة ترنحت وارتجت وتمايلت في الاتجاهات الأربعة. كل من كان على التلة يؤكد أنه شعر بزلزال خفيف ضرب التلة، حتى العميد صبحي شعر به.

مات الحاج.. ضربه الشرطي. كيف؟ لماذا؟ ماذا فعل الحاج؟ ضربه بالهراوة؟ تقصد ضربه بكعب المسدس على رأسه؟ لا الضربة على كتفه. على كتفه ويموت!!! مات، مات أم أنه مازال يتنفس؟ لن يصل المستشفى... الضربة قوية... أنا رأيت الشرطي وهو يهجم عليه... الحاج أهان الشرطي... سمعت الشرطي يقول له لا تشتمني... لست ابن كلب... في الحقيقة أنا كنت واقفاً... الشرطي لم يقصد الحاج خليل.. لكن الهراوة فلتت منه، ونزلت على كتف الحاج خليل... كان يجب أن تنزل على كتف الشاب الذي سب على الشرطي. يبدو أنك لم تر جيداً. الشرطي انفعل حين رأي زميله

يهوى على الأرض أثر حجر ضخم رماه عليه الشباب الذين تسلقوا الأشجار.. فجن جنونه وفقد صوابه، وبدأ يضرب كل من حوله. ولكنه كان يناقشهم!! صحيح لكنه رأى دماء زميله تجري مثل جدول أمامه فانهار... لم تر الحجر الضخم الذي نزل على رأس الشرطي الآخر. الحاج لم يكن مقصوداً؟ لا تفرق كثيراً فهو مات.. نزلت الهراوة على كتفه مثل القدر، لم يصمد دقيقة، ترنح ثم ارتمى على الأرض.

الضابط المساعد ركض نحو صبحي ليخبره بأن الناس تهاجم الشرطة بشراسة، وأن هيبة الحكومة في خطر، يجب استدعاء المزيد من القوات لتفريق الناس وإخلاء التلة. كانت قطرات العرق تنزل على عينيه فتحرقهما، فيما قدماه المتوترتان تقتلعان عشب الأرض بعنف واضح. «المواطن الحاج خليل» كما قال «حاول الاعتداء على الشرطي. الشرطي لم يكن عنيفاً ولكن الحاج لم يحتمل». فغر صبحي فاه سائلاً «الحاج خليل حاول الاعتداء؟!» رد الضابط المساعد «بكل تأكيد». تركه صبحي وذهب إلى حيث قلب التلة، حيث الشرطة تواصل عملها، فيما الشباب والفتيات بدأوا بالنزول عن التلة خلف سيارة الأسعاف التي تملأ المخيم زعيقاً وهي تحمل جسد الحاج إلى المستشفي.

نزل عن التلة يجر ظله، فيما نظرت نيفين من خلف زجاجة نافذة السيارة التي تنطلق بها من التلة تتسلل إليه، واهنة لكنها كفيلة بأن تنزل عليه مثل صاعقة تضربه بالأرض. كانت الشرطة قد بدأت في بسط قوتها على التلة، فيما المئات من سكان المخيم يلتفون حول

سيارة الأسعاف التي يرقد فيها جسد الحاج، قبل ان يهرول به المرضون محمولاً على «النقالة».

مات الحاج

خيم الوجوم على الوجوه، حط الصمت فجأة حين ابتلعت الغرفة الكبيرة الجسد المسجى. ضاعت الأفكار في زحمة الحزن، حتى العيون هامت في التحديق في الأسفلت أمام مبني غرفة العناية المركزة، وارتخت الأجساد تسليماً بالقدر الصاعق الذي نزل فجأة. الناظر أخذ يرسم بغصن شجرة قاس على وجه العشب الناعم حيث يجلس وحوله لفيف من ابناء الحارة في الساحة أمام قسم الإستقبال. مع الوقت بدأت حركة الممرضين والأطباء من خلف زجاج نوافذ صالة الاستقبال تهدأ، فيما القلق وحده ينتفض في قلوب الجالسين انتظاراً لخروج الطبيب معلناً يأسه من إحداث المعجزة.

الفصل العاشر

عودة الميت

عاد الحاج من الموت.

مرت أشهر ثلاثة عليه ممداً على سرير المستشفى يعيش على المحاليل والعلاج، ويتنفس بواسطة كمامة الاكسجين. لم يتغير عليه شيء. في الليلة الماضية، كان سليم وشباب الحارة يلتفون حوله فيما نظرات الممرض تنفي وجود أي تقدم في حالته. تأكد من تدفق المحلول من الكيس المعلق، واكتفى بالنظر إلى الوجه الغافي في الموت وسار خارج الغرفة، وهو يشير للشباب بضرورة المغادرة قبل السابعة موعد انتهاء الزيارة. لا شيء يتغير. باقة الورود الملونة الموضوعة بجوار رأسه على الطاولة الصغيرة بدأت بتلاتها بالتساقط، بعد ان ذبلت وتيبست. الورود التي قطفها سليم مما تبقى من حديقة منزل الحاج على التلة. كل شيء كان يقول إن النهاية اقتربت. كل مرة كان الطبيب أو الممرض يقولان نفس العبارة إن الأمر مسألة وقت ليس إلا. وكان زوار الحاج يعودون إلى بيوتهم، وهم ينتظرون اللحظة التي سيسيرون فيها خلفه إلى المقبرة. الطريق ذاتها التي ساروا فيها خلف نعيم في ذلك المشهد المهيب.

قطعت يافا إقامتها في لبنان وعادت إلى غزة. لم تخبر عمها بحادثة موت والدها السريري. قالت إن المؤسسة التي تعمل بها طلبت عودتها لفرعها في غزة. لأول مرة تشعر أنها قد تخسر كل شيء. ثمة أشياء لا نحس بنعمتها إلا حين نفقدها. ولدت يافا والحاج قد تجاوز الخمسين. والدتها توفيت بعد صول العائلة للتلة بسنتين. وظلت وحيدة لم تبلغ العاشرة مع الحاج. كان يبدو مثل جدها وليس والدها. لم تشعر يوماً أنه فرض عليها شيئاً. كان صديقاً مرشداً وناصحاً. لم يسلبها حرية منحتها إياها الطبيعة. وقف معها حين قررت عدم لبس الحجاب ودافع عنها، رغم أنه كان يرغب في قرارة نفسه أن تكون مثل بقية فتيات المخيم. وحين تزوجت لم يعترض قال لها «هذا رأيك وانت حرة». كما لم يخذلها حين قررت أن تتطلق. وقف نصيراً لها مقاتلاً في سبيل حريتها. كان الحارس الأمين على مصالحها. لم تذهب إلى البيت، هرعت إلى المستشفي من المعبر مباشرة. انهارت على الجسد الغافي في ملكوت الصمت. شدتها زوجة المختار بعيداً عن الجسد.

كان الجسد المسجي في انتظار الموت لا يبدو عليه أية رغبة في العودة إلى الحياة، إلا تلك الاطياف المسافرة في اللاوعي تستحضر الماضي، كانها تعيشه، فيند عن الجسد حركات وارتعاشات متباعدة مثل أن يتحرك إصبع اليد أو ترتجف الشفاه وربما تصطك الأقدام. وحدها تلك الاشارات القليلة كانت تدفع الجالسين حول السرير للاعتقاد بأن ثمة حياة يحياها الجسد الآن، فيما هو منقطع عنهم، لا تصله بعالمهم إلا أنابيب المحاليل تلك والقطرات البطيئة التي تنزل من كيس المحلول لتجري في أوردة الجسد. كان يمكن للجالس أن

يجد نفسه تائهاً في التذكر، يبحث عن لحظات جميلة وأخرى حزينة مر بها مع الجسد تعيد الحياة والحيوية في اوصاله الهامدة، وقد يحدث أن تمر أطياف تلك الذكريات في تقاطع مذهل وغير مقصود في مخيلة الجسد، مسافرة في لاوعيه، فيحدث التواصل غير المقصود أيضاً ولكن المرغوب. وهي حالات لم تكن تحدث كثيراً، لكنها كانت تحدث رغم كل شيء. وكان الجالس يحس وقتها بتواصل فيزيائي مع الجسد، وقد يحدث الآخرين بعد ذلك أنه تواصل مع الحاج، وانه فعلاً تحدث إليه وأمسك بيده، وأن ثمة حياة دبت للحظات بينه وبين الجسد المسجي. كانت تلك كيمياء مهولة تتفاعل في لحظات، سرعان ما يمسح الجالس جبينه، ويقول إنها لم تكن حلماً. في البداية كان الأمر يشبه الرغبة أو التخيل. إحساس غريب، لكنه خفيف وشفاف. فجأة يشعر الجالس أن ثمة تواصل حدث مع الجسد، مثل أن تضع شاحن الجهاز الكهربي (الثلاجة أو الغسالة أو أي شيء) في الكهرباء فتدب الحياة فيه. هكذا كان هذا التواصل يهز الجالس فجأة فيرتعش وترتجف أوصاله بهدوء. يشعر به يمسه، يصيبه من الداخل، فيندمج فيه بكل أعضائه. لم يكن هذا حلماً، مثل أن تغمض عينيك وتتخيل، بل كان يحدث والجالس بكامل هيئته ووعيه، ينساب في التواصل بخفة ودعة. نعم كان يحدث هذا بهدوء، لا يثير شكاً، ولا يستدعي القلق.

الملفت أن هذا التواصل لا يمكن ان يحدث عن قصد، ولا يأتي بعد انتظار. بل هو يحدث فجأة، وعليه لم يكن وقوعه دائم التكرار، ولم يقع بانتظام ولا ثبات. فلم يكن من الممكن لأحدهم أن يجلس ويقول لنفسه سأتحدث مع الحاج. في الحقيقة لم يكن أحد

يستخدم كلمة «تواصل» أو «اتصال»، بل إن الأمر كان يدور عن معايشة حقيقة مع الحاج، تشمل الحركة والحديث. الصمت الرهيب والأسى الحارق والزفرات المتعبة من الانتظار وحرقة الفقد والقلب المفغوص في قبضة الوقت، كل ذلك لم يكن كافياً لكي يجد الجالس نفسه يعايش الحاج أو يتواصل معه. مجرد التفكير في الأمر يجعل وقوعه مستحيلاً؛ وليس متعذراً فحسب. لذا كان هذا التواصل يحدث فجأة ودون أن يتقصده أحد. كما أنه لم يكن يتم بشكل جماعي، فمجرد وجود أكثر من جالس حول سرير الحاج يجعل فرصة وقوعه أكثر تعذراً. ليس هذا قانوناً، ولكن القوانين تقع بعد تكرار الظواهر.

في أول الأمر، بدا الحديث عن ذلك مقلقاً رغم كل شيء. كان سليم أول من تحدث عنه بتردد، ولكن بفرحة واضحة على تقاطيع وجهه، فهو تواصل مع الجسد، بل إن الحاج تحدث إليه. فقط في مثل هذه الحالات، يتماهى الماضي مع الحاضر، وتتداخل الأحداث في صوغ متقن، فلا يمكن للمرء أن يفصل بين ذاكرته وما يحدث معه، أو أن تتعطل الذاكرة فجأة ويصيبها فايروس الحاضر. لكن كل هذا ليس مفيداً الآن. ففيما يسترسل سليم في الحديث عن مشاعره وفرحته وعن هيئة الحاج حين تواصل معه، كان الآخرون ينفجرون بنفس صيحات الدهشة، وهم يقولون بعبارات مختلفة إن الأمر ذاته حدث مع كل واحد منهم، لكن أحداً لم يجرؤ عن البوح بالأمر كي لا يكذبه الآخرون. وبدأت القصص تنهال وتنسكب مثل حليب مراق في وعاء كبير منقوع فيه قصعات خبز فتذوب. هكذا كانت تذوب الحكايات مع بعضها وتتداخل روايات الجالسين،

حتى ينسى الجميع أن الحاج يرقد في سرير المستشفي منذ دفعه الشرطي في العراك الكبير حين استولت الشرطة على التلة، وأنه بالمعني الطبي ميت كلينيكياً وأن الأمر مجرد وقت.

قيامة الجسد تلك كانت تحدث بشكل متقطع، لكن الحديث عنها لم ينقطع منذ اكتشافها، فما أن يكاد الجالسون ينسون تواصله مع أحدهم حتى يتواصل مع آخر وهكذا. لذا لم تنفع كل مطالب الأطباء والممرضين بعدم تكرار الزيارات لعبنيها وعدم جدواها. ومع الوقت صارت، مثل كل الأشياء، شيئاً عادياً، ولم يعد الحديث عنها مغرياً ولا لافتاً للنظر، إذ أنها كانت على تكرارها تؤكد حقيقة مؤلمة بات يدركها الجميع أن الحاج ذهب في عالم الموت حقاً، وأنه في انتظار تصريح المرور إلى العالم الآخر. بات كل شيء يؤكد هذه الحقيقة حتى قصص التواصل مع الحاج صارت جزءاً دامغاً من الحقيقة الجديدة، فلو كان الجاح حياً حقاً لقام من سريره، وسار على رجليه، وحضنهم بيديه، لكنه يمسك بقشرة الحياة بأطراف أصابعه، ولا يكاد يقوى على ذلك.

تباينت الآراء، وتنوعت وجهات النظر في تفسير ما يجري. سليم قال إن إرادة الحاج قوية، وهو يصارع الموت حتى الرمق الأخير، وأنه سينتصر عليه لا محالة واستشهد بعشرات الحالات التي قرأ عنها وعادت إلى الحياة بعد أشهر من الموت الكلينيكي. لكنه في حقيقة الأمر لم يستخدم كلمة الموت بل استعاض عنها بكلمة «كوما» بالانجليزية. هذه الغيبوبة تحدث في الكثير من الحالات، والحاج قوى وقادر على التغلب على الموت، حتى لو غاب في غيبوبة

كتلك، سيفيق منها يوماً. وبدأ بإعادة سرد حكايات من حياة الحاج تدلل على قوته الخارقة. ألم يكن الوحيد الذي تجرأ وعاش على التلة قبل أن يلحق به نعيم! لم يكن عليه أن يعاني كثيراً في إيصال فكرته لمستمعيه فكلهم يحب الحاج ويعتقد مع سليم أن له إرادة صلبة وقوية لكن الأمر، كما حدثتهم أنفسهم، لا علاقة له بالإرادة، فثمة ما يمكن للطب أن يقوله، كما ثمة ما للحياة وتجارب الناس أن تعلمنا إياه. وهو ما استند إليه ياسر مستعيراً من القصص الصحفية الكثيرة التي قرأها أن الموت لمثل هذه الحالات حتمي، وأنه سيحدث، فالناس قد تمر بمراحل تفقد فيها أعضاؤها وظائفها، ولا يبقى من الحياة إلا شعرة صغيرة ستخرج في أية لحظة. وأن ما يحدث ليس بهذه الصورة لولا تقدم العلم ووجود الآلات الكهربية والتنفس الصناعي. في الماضي كان الإنسان يقع مغشياً عليه في حالة فقدان للوعي ويظن الناس انه ميت، الطب وحده الذي اكتشف بأن ثمة حالات يكون الموت فيها متأخراً على عملية فقدان وظائف العقل. ولكن بأي حال الموت سيأتي اليوم أو غداً. الشيخ قال هذه كرامة من كرامات الحاج. نعم الكرامات لا توهب من الله العلي القدير إلا للصالحين، والحاج لا بد كان رجلاً صالحاً. ما اجمل أن يتأرجح الإنسان بين نعم الله فهو بين صحو الدنيا وإفاقة الأخرة. بالنسبة للشيخ فإن مثل هذه الحالات قد تكون امتحان وعذاب من الله، وقد تكون كرامة من كراماته، وهي في حالة الحاج كرامة لا محال، ففم الحاج متبسم دائماً، فهو سعيد في حالته تلك. وكانت شفاه الحاج حقاً منفرجة كأنه يبتسم، او لعله لتوه قد أنهي حديثاً شيقاً.

رغم ذلك لم تنقطع حالات التواصل تلك، رغم فتور الحديث عنها بين الجالسين، فقد اكتفوا بالسعادة الشخصية التي يثيرها هذا التواصل مع كل واحد منهم على حدة، ولم يعد تبادل الحديث عنه ممتعاً، بقدر كونه استدراكاً لحالة الموت التي يريد الجميع أن يهرب من وقوعها الحتمي، كما بات يتسلل إلى نفوسهم. هذه الانتكاسة صارت تأكل أملهم في قيامة الحاج الفعلية، وصارت تؤكد لهم ما يقوله الأطباء والممرضون علانية كل صباح ومساء، أن الأمر مجرد وقت ويمضي.

أشهر ثلاث مرت. تبدلت التلة ونهشت الجرفات جسدها، فيما جسد الحاج مسجى في سبات الحياة. الحياة التي اختفت من علاقة الناس بالتلة. الشغف والحكايات والأساطير، إذا جاز القول، لم تعد قائمة بل صارت جزءاً من ذكريات يتم استحضارها بقليل من الألم، ولكن برغبة في التغلب عليه. هي ذات الحياة التي ظن الجالسون حول الجسد أنها غادرته، لكنهم بقوا متعلقين بقيامة صار تكرارها في لحظات «التواصل» مع الجسد تذكيراً لهم بأن الجسد لن يقوم من رقاده، وأن الوسيلة الوحيدة لهذا البعث هي هذا «التواصل» فقط. وكان هذا إدراك مؤلم. وعليه صار «التواصل» لعنة وجمرة نار كبيرة تلسع الوعي وتحرق الذاكرة. هل كان الأمر مجرد تذكر واندماج زائد في لحظات البحث المحموم عن الماضي. كأن أحدهم يقول لنفسه بألم: آآآآآآخ لو أنني لا أتذكر. وما نفع ذلك، إذ أن قصة رقاد الحاج وقياماته المؤقتة صارت شغل الناس الشاغل وهمهم الأساسي. حتى بعضهم صار يزورو مرقد الحاج في المستشفي كما يؤتي إلى مزار القديس. والفلسطينيون حياتهم مليئة

بالمزارات، فكل قرية حولها مزار وعلى أطرافها أو في قلبها مرقد لقديس أو نبي. ذات نهار قال سليم لنتالي إننا نجلس القرفصاء على قارعة طريق تمر منه عربات التاريخ، وتقصدر عليه خيالات السماء. ولم يكن الحاج إلا مجرد حدث جديد في بقعة ملتهبة بالأحداث. الخلاصة أن مرقد الحاج في المستشفي صار مزاراً، وصارت الناس تتوافد من كل المخيم لتزور الولي الجديد. بعض النسوة قد ينذرن له إن هو حقق لهن أمنياتهن وروى عطشهن بالحمل والميلاد. ثم امتد الأمر إلى خارج حدود المخيم، وصارت الناس تتوافد على السرير تزوره من كل أرجاء قطاع غزة، يحلمون بتحقق الأمنيات وحلول البركة ونزول الكرامات عليهم. الصحافة المحلية تبارزت في نقل كرامات الجسد المسجى، وصار الناس يسردون القصص، التي مروا بها أو شاهدوها بأم أعينهم خلال طوافهم حول المستشفي في الليل، فمنهم من رأى فانوساً ضخماً يطير من فوق غرفة الحاج إلى السماء، ومنهم من رأى شعاع نور يضيء من نافذة الغرفة، ومنهم من قال إنه أحس برعشة تسري في جسده حين اقترب من غرفة الحاج. أخرون قالوا إنهم رأوا الحاج يسير في الهواء في وضح النهار دون أن تلامس قدماه الأرض. قصص كثيرة وحكايات أكثر غرابة لكنها كانت تجد من يصدقها دائماً، إذ أن المزاج العام، مع تكاثر هذه القصص واهتمام الصحافة بالأمر وبعد ذلك العناية التي أولتها الحكومة لقصة الحاج، صار خصباً ومشجعاً لكل ذلك.

لم يعد الأمر مقصوراً على الجالسين حول السرير من أبناء الحارة في المخيم. صار الحاج ملكاً عاماً لحكايات الناس وأساطيرهم. اضطر الأطباء لتنظيم حركة الناس في الجناح الذي يرقد فيه الحاج،

واستعانوا بدورية من الشرطة تمنع الناس من المرور حتى من حول المبني، الذي تحول لمزار تسافر إليه عيون الناس، وهم يمرون من الشوارع حوله وربما من نوافذ بيوتهم المجاورة أو تلك البعيدة عن المستشفي. بل إن بعض المصادر قالت إن الشرطي الذي دفع الحاج أصيب بشلل نصفي، وهو يرقد في مستشفي حكومي شرق المدينة لا يقدر على تحريك نصفه الأيمن. ولن يفوت راوي الخبر القول إن الشرطي دفع الحاج بيده اليمنى، وكان العقاب في محله. لكن أحداً لم يتمكن من التحقق من قصة الشلل النصفي تلك رغم أن صحيفة محلية حاولت، إلا أن الشرطة نفت كل قصة «الدفع» من أصله، ولم تعترف أن شرطياً قام بدفع الحاج في العراك على التلة، وأعادت تأكيد الرواية الرسمية أن الحاج وقع بسبب دفعه من قبل سكان الحارة على حجر وخز قلبه فأصيب بحالة الغيبوبة الدائمة تلك. لذا تعذر على أي متابع أن يعثر على اسم الشرطي والتحقق من رواية الشلل النصفي الذي أصابه. البعض سيهمس أن الشرطة تحفظت على الشرطي في مستشفي تابع للحكومة، وأدخلته إلى المستشفي باسم مستعار، لذا سيتعذر الحصول على الحقيقة. زار مراسلو الصحيفة كل المستشفيات الحكومية والخاصة، ولم يتم العثور على وافد جديد عمل شرطياً في السابق.

لم يكن أحد يبحث عن الحقيقة بل كان الجميع مجروفاً خلف الفكرة العامة التي سيطرت على عقول الناس. لم يعد شيخ الحارة وحده المشغول بتأويل ما جري للحاج، إذ أصبح النقاش في القضية خطبة كل منبر أيام الجمع، ولم يكن خطيب مفوه بمقدوره التغاضي عن الأمر وعدم المرور به. صار رقاد الحاج قصة رأي عام بامتياز،

للدرجة التي أصدر الناطق باسم الحكومة بياناً طالب فيه الناس بعدم الإنجراف وراء الشائعات وتصديق كل ما يقال، موضحاً بأن الحاج في حالة موت إكلينيكي وفق الطب، وليس للأمر علامة بالكرامات ولا بشيء. أثار هذا البيان عاصفة من الانتقاد والهجوم المضاد من الناس ومن بعض كتاب الرأي في الصحف المحلية، وحتى في الخطب القصيرة التي تلى الصلوات في المساجد إذ أن الناطق باسم الحكومة ينفي وجود الكرامات، ويكاد أن يصفها بالشائعة. وتم استخدام أبشع العبارات في توصيف هذا التنكر، طال بعضه شخصه وتاريخه ومواقفه السابقة. حتى ان البعض قال إنه لا يمكن له أن ينطق باسم حكومة إسلامية. مما دفع الحكومة إلى استخدام أبواقها الإعلامية للخروج من الورطة التي وقع فيها المتحدث باسمها سواء في الإذاعات والفضائيات أو في الصحف أو على منابر المساجد. وكانت الرسالة الجديدة هي أن ما قاله المتحدث لا ينفي إمكانية أن ينعم الله على الحاج ببعض الكرامات، فهذه مثبتة في التاريخ وواردة، لكن ما قصده المتحدث أن لا يشكل هذا شغل الناس الشاغل. وحقاً شكل هذا شغل الناس الشاغل لفترة، كادوا أن ينسوا خلالها أزماتهم المحلية ونقص الكهرباء والماء وغاز الطهي ناهيك عن الحصار وتبعاته وقضاياهم الوطنية الكبرى. بل إن بعضم صار يدعو الحاج في رقاده لتحسين الكهرباء التي تنقطع عنهم أكثر من نصف اليوم، وأن يعمل عند الله على تحسين الخدمة. ولم تتحسن الخدمة رغم ذلك، ولم يتحسن وضع الحاج. حتى الأطباء بات عليهم أن يتنازلوا أمام سطوة خطاب الناس عن كرامات الحاج ،عن يقينهم بالموت الكلينيكي، وصار الشك يراودهم بأن ثمة ما هو أكبر من ذلك.

وكعادة الناس، تم نبش الماضي في اعادة تفسير الحاضر، كما تم الاستعانة بهذا الماضي في تأكيد روايات الناس عما رأوا وترجمتهم لما مروا به. فالحاج الذي استوطن التلة الملعونة، التي هجرها الناس منذ قتلت العصابات الصهيونية عليها عشرات اللاجئين في بداية النكبة، حوّل التلة إلى مكان أليف في نظر الناس، ولم يعودوا ينظرون للتلة كمكان ملعون، بل بدأت أقدامهم رويداً رويداً تطأ ترابها الطيني. ألم يسقل نعيم العيش على التلة بجوار الحاج بعد ذلك بسنوات، بعده انتقل أبو جورج. ثم انتقلت أم فوزي والرجل العجوز وزوجته. منظر الورود في الحديقة الضخمة، التي أقامها الحاج حول البيت، صارت تبث الروائح العطرة سحباً تغطي سماء المخيم في مساءات الربيع. كما أن قصة أصل الحاج عادت للتداول مرة أخرى في مجالس الناس. فهو قد وطأت قدماه أرض التلة فجأة، ولم ينسب له أحد يوماً واحداً رواية مؤكدة عن سبب وصوله المفاجئ للتلة، رغم ان حكايات الناس وتفاسيرها رست على قصة النفي إلى غزة من جنين. لكن الحقيقة أن الحاج نفسه لم يتحدث في الأمر يوماً رغم حديثه عن ابنه المسجون. لكنه لم يكن يفعل ذلك إلا حين يتحدث الناس عن أبنائهم المسجونين، لكن أحداً لم يخطر بباله أن يساله عن السجن الذي يسجن فيه ابنه، أو لم يسبق لأحد من الأسرى المحررين يوماً قال إنه قابل ابن الحاج في أحد السجون، في نفحة أو بئر السبع أو رامون أو هداريم أو المجدل او النقب. لم يذكر أحد شيئاً من هذا القبيل. وأياً كان الحال، فقد تم استحضار هذا الغموض حول أصل وفصل الحاج، لتعزيز الحالة النفسية التي عمت الناس حول كرامات الحاج. فالحاج حط من مكان ما لا

يعرفه أحد وليس من المؤكد أن هبوطه حدث عادي، بل ثمة سر كوني وراءه. السر بحد ذاته ليس مهماً بل المهم هو هذا الغموض الذي يلفه، لذا ليس من المهم فك هذ الغموض، بل يجب تعزيزه. وعليه قد يكون الحاج هبط فجأة من مكان ما. سأل أحدهم «كيف يعني نزل من طيارة!!». وبخوه على السخرية التي بدت في عبارته، رغم انه لم يقصد إلا الاستيضاح وقالوا لمثل هؤلاء الصالحين كرامات لا يمكن لعقلنا أن يفهمها. وبالطبع نسوا غضبهم وقلقلهم وشكهم حول الحاج في الأيام الأولى لوصوله إلى التلة، ولم تعد الحكاية تتسع إلا للمزيد من البحث عن اللامنطقي في كل ذلك.

لكن للحياة حكماً لا يمكن فهمها إلا مع الزمن، كما أن لها أنماطاً لا ندركها إلا بعد أن نعيشها. فما أن يتعود الناس على شيء حتى يبدأون في التعود على آخر، وما أن تأخذ النفس على الهوى حتى تبدأ في التفكير في النسيان. فمع الوقت وبعد أسبوعين من ذيوع الخبر، أي بعد شهرين من رقاد الحاج، عادت الأشياء إلى عادتها، حيث نسي الجميع الأمر ولم يعد يهتم به إلا بعض المواطنين والمواطنات أصحاب الحاجات، الذين ظلوا يظنون أن التقرب من الجسد المسجي سيحقق لهم الأمنيات. لم يعد الخطباء يذكرون الأمر أيام الجمع، كما لم تعد الصحافة تهتم كثيراً بقصة الجسد المبروك، إذ أن تصعيداً إسرائيلياً لمدة ثلاثة أيام جرف بوصلة التغطية والاهتمام نحو البيوت المدمرة والمدارس التي أصابتها طائرة الإف 16. ولما نتج عن ذلك أغلاق لمعبر رفح البري، فإن الإزدحام وتعطيل حياة الناس والحقائب المنتشرة في وجه ريح الصحراء الوافدة من سيناء، كل ذلك غطي على الكرامات المنسوبة للجسد الراقد في المستشفي.

حتى سكان المخيم ما عادوا يهتمون لمواطنهم المبروك، ولا لتهويل وتضخيم كراماته، بل اكتفوا باهتمامهم الإنساني وبزياراتهم المتباعدة للسرير. ولم يعد ينتشر حديث عن فانوس يطير فوق المستشفي، ولا شعاع ضوء من النافذة، ولا تسابيح سماوية تتردد مثل الصدى في آذان المارة. لم يعد شيء يثير الانتباه. كما خف الزوار وراجو كرامات المزار إلا من مجالسي السرير السابقين، أبناء الحارة الذين ما تركوه يوماً منذ دفنه الشرطي في العراك الشهير. هكذا تبدأ الأشياء وتتلاشى. تبدأ قوية حتى تظنها ستهيمن على كل شيء وتغطي حياتنا بطبقة سميكة من التصديق، ثم وبذات السرعة التي تصعد بها الأشياء تتبدد تلك الطبقة وتذوب في قاع الحياة، كأنها لم تكن. وفي أحسن الحالات تصبح مجرد ذكرى لا يكاد المرء يستحضرها، إلا من باب الطرفة. إلا أن الحاج لم يرغب في التحول إلى مجرد ذكرى، إذ أن قصته سرعان ما تفتحت بتلاتها عن أحداث أكثر تشويقاً، أعادته إلى صدارة الاهتمام.

فقد كسر الحاج كل التوقعات. فذات صباح، وحين فتح الممرض باب غرفة الحاج ليتأكد من وضعه الصحي، وجده جالساً على حافة السرير ينظر من النافذة، يملئ صدره بهواء الصباح الطازج. كان ظهره للممرض، مكشوفاً بعضه ويداه تعانقان حديد الشباك. أعاد الممرض إغلاق الباب والخوف يأكل ساقيه المرتجفتين بذهول يطفو على وجهه. ذهب إلى غرفة التمريض حيث الممرضين والممرضات والأطباء يستعدون لنهارهم الجديد، وقف مثل صنم واجماً لم يقو على النطق، وهو يشير إلى غرفة الحاج. لم يفهموا عليه، لكنهم أدركوا بأن ثمة خطب ما وقع للحاج فأسرعوا وخوف على

الحاج يسيطر على خطواتهم المتزاحمة. وما أن فتحوا الباب حتى وجدوا الحاج قد أدار وجهه للباب يستقبلهم بابتسامة عريضة. وجلوا، وحطت الدهشة على وجوههم، ولم يقدروا على النطق. مرت أكثر من دقيقة كأنهم يقومون بحركة في مشهد إيمائي قطعه أحد الأطباء قائلاً «حمد لله على السلامة يا حاج»، وانفجروا جميعاً وبتتابع وتقاطع، بنفس العبارة. اكتشفوا أن الحاج عاد إلى الحياة وأنه أفاق من موته الكلينيكي وأنه شفي من غيبوبته. لم يكن الامر مزحة، ولا هو حكاية أخرى من حكايات المعجزات التي دارت حول الحاج بل هو حدث طبيعي، والطب الذي تعلموه في الجامعات يتوقع ذلك رغم ندرته. الحاج حي يرزق!! ليس الأمر حكاية أخرى. الممرض الذي كان أول من اكتشف الأمر، ظل لنصف نهار لا يقوى على النطق ظن أن الحاج يقوم بواحدة من كراماته إذ أفاق من الموت، ثم عاد له رغم أن كل المستشفى صار يتحدث عن شفاء الحاج من الغيبوبة، وأنه لم يعد للموت مرة أخرى كما ظن الممرض، إلا أنه لم يصدق. حتى حين جاءه الحاج يتكئ على عصاته يقبله من جبهته (قال لنفسه هكذا يفعل الصالحون)، على كل ما بذله في سبيل شفائه. في الحقيقة فعل الحاج ذلك مع كل الأطباء والممرضين والممرضات، ولسانه يلهج بالشكر والعرفان. وللمفارقة فإن هذا عزز قناعة الممرض بالمعجزة التي بات يؤمن بها أكثر.

وانتشر الخبر كنار الهشيم في غزة أن الحاج عاد من الموت. وعاد الحاج إلى صدارة الأخبار وحديث الناس وصار الرجل الأكثر شهرة في القطاع، وهي شهرة لم يفهم هو سببها. لم يعد مهماً كيف حصل هذا، كما لم يعد مهماً التفاصيل الدقيقة لهذا الغياب، بل إن

السؤال الأبرز الذي شغل بال الناس بأن من يقومون بذلك فقط أناس مبروكون. فالحاج ذهب إلى الموت وعاد، وهذه لا تحدث ولم تحدث على الأقل في حيوات كل من عاصر الحاج. البعض قال إن هذا قد يحدث، فسيرة الأولياء والصحالين مليئة بالكرامات، وبعضهم سرد قصصاً من التاريخ القديم ومن أيام ليست بعيدة إلا مئات السنين، وبعضهم جلب قصصاً من دول وإمارات تبعد آلاف الأميال، وبعضهم استعار قصصاً من اماكن قريبة. كان أقرب تلك القصص مثلاً إحدى التفاسير الشعبية لأسطورة «أبو المن» الذي طار، فسمى على اسمه جبل المنطار شرق مدينة غزة. التاريخ لم يستقر على رأي موحد حول سبب تسمية الجبل، الذي تهفو روح غزة من خلفه إلى فلسطين الكبيرة خلف الأسلاك الشائكة، إلا أن الرواية الشعبية حول طيران جثة الشيخ «أبو المن»، هي الأكثر قبولاً بين الناس، حيث يقع في الجبل مسجد يحمل اسم الشيخ. لم يسال أحد الحاج عن الأشهر الثلاثة التي قضاها في الموت: كيف كانت؟ ماذا فعل خلالها، هل قابل أحداً؟ هل يحمل رسالة ما معه؟ فمجرد عودته بالنسبة للناس هي الرسالة، أما تفاصيل الغياب فليست من شأنهم. حتى الأطباء تخلوا عن علمهم وعن التفسيرات العلمية الدقيقة لمثل هذه الأحداث النادرة في سبيل تدعيم روايات الناس. ثمة شيء أكبر من العلم. استسلم رئيس قسم الجراحة في المستشفي وهو يقول «وراء كل ذي علم عليم». هكذا يسهل استحضار التاريخ والنصوص والشواهد، وبعث الرغبات من رقادها في سبيل توطين الحكايات الجديدة في نسق الحياة العام. وهكذا حدث مع مرض الحاج وعودته من هذا المرض.

كانت الجرافات قد انتهت من تسوية أرض التلة ،وبدأت الكتل الأسمنتية في البروز من باطن الأرض ومئذنة المسجد الجديد ترتفع في علو شاهق نحو السماء، بحيث يمكن رؤيتها من كل جهة في المخيم. حملت سيارة رسمية الحاج من المستشفي إلى بيته في التلة. ذات البيت لكن التلة لم تعد ذاتها، وعليه لم يعد البيت ذاته. وما أن صعدت السيارة الشارع المسفلت الذي صار يقود إلى التلة، حتى بدأت الذاكرة تعود للحاج. كان المسؤول الحكومي بجواره بكرشه البارز مثل برميل، يرسم ابتسامة على شفتيه وهو يمسد لحيته المبقعة بالأبيض، ويقول للحاج «نورت التلة يا حاج». هز الحاج رأسه «أي تلة، مش شايف تلة». «هوهو يا حاج التلة اتغيرت. بفضل الله بنينا جامع كبير فيه أكبر مئذنة في القطاع. بركاتك يا حاج، هي اللي خلتنا نقدر نعمل هيك». «كان أحسن لو سيبتوها للناس يتنفسوا منها، تجيبلهم هوا طيب». «عملنا جامع، بقلك جامع يا حاج، والحكومة قررت يكون معك مفتاح الجامع». «ومخفر شرطة». «الشرطة شيء ضروري يا حاج. الأمن الأمن. ما انت عارف لازم نحمي الدين». «أي دين؟ شو علاقة مخفر الشرطة بالدين!!». ضحك المسؤول، وهو يعبث بسترته ويطلب من السائق أن يتوقف. فتح نافذة السيارة، وأشار بيده نحو مبني ضخم خلف سطر من شجر السرو. «شايف يا حاج سوق ضخم فيه كل شي. موول تجاري فيه من الحامض للحلو. يعني الناس ما ارح تحتاج تتبضع من برا». «والحكومة بتتبضع من وين!! مش من برا برضو». «يا حاج مش مشكلة، المهم الناس ما تتعب، الحكومة مش مشكلة تتعب، هي لله.» لأول مرة تنفجر شفاه الحاج عن ابتسامة عريضة، لم يعرف

محدثه قصده منها إلا أنه سرعان ما كييف الأمر على هواه وهو يقول «الله على رضاك يا حاج، الحكومة تريد هذا الرضا».

أعاد الحاج المشهد في ذاكرته. كانه حدث يوم أمس. وهو فعلاً يشعر أن العراك تم مع الشرطة يوم أمس، لذا وجد من الصعوبة هضم ما يحدث على التلة، فالبنايات قد أصبحت شبه ناجزة، ومحدثه يتحدث بثقة عن مشاريع أنجزت. كيف حدث كل ذلك. في الحقيقة لم يكن الحاج على دراية بأي من أحاديث الناس وقصصهم عن الموت والبعث الذين مر بهما، فهو يشعر أنه ذهب إلى المستشفى عقب ضرب الشرطي له على كتفه الأيسر، وها هو يعود من هناك. إلا ان سرعة التغيير الذي حدث على التلة جعل الأمر موضع حيرة بالنسبة له. يوم أمس، كما يذكر، جاءت سيارات الشرطة تصعد التلة وانتشر أفراد الشرطة مثل النمل في نواحيها. تقدم الضابط من الحاج الذي كان يقف في حديقة منزله وهو يقول له إن الحكومة قد اصدرت قراراً بوضع يد على التلة لغاية المصلحة العامة. التم خلق كثير ليشهدوا النقاش حامي الوطيس بين الحاج والضابط المساعد لصبحي، قبل أن تهوى هراوة الشرطي على كتف الحاج. في تقريره لقيادة الشرطة كتب الضابط المساعد إن الحاج حاول الاعتداء على الشرطي مما دفع الأخير للدفاع عن نفسه بأقل قدر مستطاع من القوة. أما صبحي فقد احتج على طريقة تعامل الشرطة مع الناس، وهو احتجاج سيجلب له نقمة الوزير الذي قرر أن يبقيه في البيت فترة يرتاح فيها.

وما أن دخل الحاج البيت حتى انتشر رجال الشرطة حوله في منظر أثار ريبة الحاج فسأل المسئول الحكومي «هل أنا مسجون؟».

363

ضحك المسئول وهو يقول هذه تعليمات من الحكومة بحمايتك. أثارت الكلمة ريبة الحاج أكثر وهو يقول: «حمايتي مِن مَن؟». «يا حاج أنا معجب بتواضعك، هذا تواضع الصالحين». لم يفهم الحاج. جلس مع يافا. اعدت له طعام العشاء. لم يشعر برغبة في أكل أي شي. كانت نظراته حائرة تسأل عن التلة وعن الناس. استغرب أن سليم وياسر ونصر والشاب ورجالات الحارة لم يفدوا إليه، بل إنه وحين تذكر كيف لم يأت أحد معه من المستشفي إلى التلة، ساوره شك بأن ثمة خطب ما. يذكر بالأمس أن الجميع كان حوله وهو يلف أشياءه، قبل أن يغادر الغرفة الكئيبة ذات الجدران الزرقاء، إلا أنه وما إن خطت قدماه باب الممر العريض حتى اختفي الجميع ولم يبق إلا يافا، ولم يعد يرى إلا المسؤول وبعض رجالات الحكومة. لم ينتظر أحد على التلة. التلة!! سأل يافا «أين التلة؟». كان صوت الباقر يغوص في الصخر يؤلم دماغ الحاج وهو يتامل مشهد الجرافات من خلف النافذة، ورجال الشرطة يسيرون بثقة حول البيت. الأشجار بدت ذابلة. لا ورود في الحديقة فقط شجرة الصبار تحمل بعض الألواح المكتنزة بالفاكهة وحمرة خفيفة تتنتشر فوقها. هزت رأسها وهي تقول «الصباح رباح يا حاج، نام والصبح بحكيلك». ابتسم الحاج وهو يرى المرارة في حديث ابنته. كانت شمس آب قد بدأت بالرقاد في قلب البحر، فيما صدر الأخير يعلو ويهبط بموج هادئ مثلما يفعل قلب الحاج، وهو لا يفهم شيئاً مما يحدث. كان التعب قد أكل كل راحة وطاقة متوفرتين لدى الحاج، فرقد على السرير يحاول تأمل ما حدث معه دون أن يفلح في التقاط أي شيء إذ أنه غفا قرابة نصف يوم، وأفاق مع وجه الصبح والشمس تبتسم خلف أعناق شجرات السرو.

كانت يافا نائمة حين أفاق الحاج والشمس بالكاد تظهر من سفوح الوديان خلف الحدود. قال لنفسه أن من الواجب الاطمئنان علي أهل الحارة. غسل وجهه ولبس حذاءه، وفتح الباب والتثاؤب يموج على وجهه. باغته الشرطي بصباح الخير عريضة ورشيقة، قبل أن يسأل «وين يا حاج؟». قال إنه ذاهب للحارة ليرى سليم. ضحك الشرطي وهو يقول « لا تقلق انا أحضر سليم لعندك». لم تنفع كلمات الحاج التوضيحية قال الشرطي إن واجبه يحتم عليه فعل ذلك. لم يفهم الحاج. قال إنه سيعتني بالحديقة إلى أن يعود الشرطي. هز الشرطي رأسه، وهو يطلب من الحاج أن لا يقلق، فثمة أخرون حول البيت وفي التلة. نظر حوله فوجد بعضهم منتشراً في نواحي مختلفة من التلة.

أفاق سليم على صوت طرقات عنيفة على الباب، ليجد ثلاثة رجال شرطة متأهبين يطلبون منه أن ياتي معهم. لم يقدموا المزيد من التفسير. حين رأي أن وجهة السيارة تتجه نحو التلة، سأل بقلق «هل حدث شيء للحاج». لم يجب احد. وقفت السيارة. أمسك أحدهم بيد سليم، وهو يقترب من الحاج وهو يقصف فروع شجرة الخوج الذابلة. في الغرفة شكا الحاج مما يحدث فالتلة تغيرت في يوم، والشرطة تحبسه في بيته ولم ير أحداً من أهل الحارة. بعد حديث طويل اكتشف الحاج أنه ذهب في غيبوبة لثلاثة أشهر، وأن الجميع يظن أنه عاد من الموت وأن هذه كرامة من الله، وأن الحكومة باتت تهتم كثيراً به، وان الشرطة التي حوله ليست حبساً له بل حراسة له من الناس. وأنه لم يعد ملك نفسه. عندها كانت يافا قد أفاقت. احضرت الشاي وجلست.

انتهى الجميع من شرب الشاي. الحاج يحدق في السماء عبر النافذة، وهو يشرح بأنه لم يمت، ولم ير شيئاً من الموت، فقد وقع على الأرض حين دفعه الشرطي وأفاق في الصباح فوجد نفسه في سرير المستشفي. كانت تلك لمحات وليست ثلاثة أشهر. لم يكن بحاجة لاقناع يافا وسليم، بيد أن التوتر الذي طفا فجأة على صوته أقلقهما وهما يهدئان من روعه. في طرف الحديقة كانت قطط كثيرة تلهو بين الأشجار تقفز ويموء بعضها وتعض بعضها الآخر، والحاج يبتسم وهو يضع لهن صحناً مليئاً بقصعات الخبز المغمورة بالحليب. ثم وبعد أن ينتهين من الصحن، تعاود القطط اللهو.

لم أحس بشيء، كما أنني لست شيئاً مما يقولون. أنا حتى لم أواظب على الصلاة إلا بعد الخمسين. غنماتي تلك وأشجاري هذه التي ذبلت من قلة العناية، ويافا ابنتي، وابني في السجن هما ما خرجت بهما من الدنيا. لم أشعر يوماً أن هذا شيء كثير، بل كنت أخاف عليه أن يضيع. تعرف ربما أموت ولا أرى ولدي. لا أعانقه. لا أفشي أصابعي بين شعره الخروبي أو ألاعبه الغميضة. العمر يمضي. هذا ليس بالكثير. غنماتي والشجرات عالمي الصغير. قصص الذين مضوا من الأهل والأصحاب. أبوك كان أكثر من صاحب. أنا لا أملك شيئاً. ولا أريد أن أكون شيئاً.

بس الناس والحكومة بفكروا إنك مبروك

كلنا مبروكون. الإنسان نعمة الحياة، هو هبة الأرض، من أعطاها معنى وجعلها الكوكب الأكثر تميزاً في السماء، هو صلة الأرض بالسماء.

بعد شهرين، وفي اللقاء المطول الذي جمع بين الحاج والمسئول الحكومي، كان الأخير مهذباً بشكل كبير وهو يتقرب من الحاج بحركات ودية تطفح حباً وتواضعاً فيما كان يختار كلماته بعناية فائقة ومبالغ فيها. طفح الشاي على الغاز من شدة الغليان، وقبل ان يتمكن الحاج من النهوض كان المسؤول يقف خلف الغاز يتناول ابريق الشاي بيده وهو يقول «خدامك يا حاج». كان الحاج يعرف أن ثمه قائمة من المطالب وراء هذا التصنع الزائف والمعاملة اللطيفة.

بدأ الحاج المواجهة. كان يجب على الحكومة مشاورة الناس فيما ستفعل بالتلة، فهي ملك للناس وليست للحكومة. «الناس موافقة وسعيدة، حيث سيستفيد الكثير من وراء المشاريع التي ستقيمها الحكومة على التلة». لكن الناس لم تكن سعيدة، ألم تتعارك مع الشرطة يوم دفع الشرطي الحاج وفقد الوعي. التلة هي متنفسهم الوحيد، خاصة مع تسارع النمو العمراني، وارتفاع البنايات مثل حقل شوك حول المخيم. لم تعد هناك أراضي مزروعة حول المخيم، كل بيارات البرتقال والليمون قد تم قصها وبيعها قطع لبناء المنازل. المخيم ضيق يقطنه أكثر من مائة وعشرين ألف نسمة، ولم يكن مخصصاً لاستيعاب كل هذا العدد. التلة هي المكان الوحيد التي يأتيهم منها الهواء النقي. قال الحاج تخيل قطاع غزة بدون بحر؛ هكذا المخيم بدون تلة من الصعب أن يعيش. «الناس موافقة يا حاج». لم يعرف الحاج كيف أصبح المسئول يتحدث باسم الناس ويحدد خياراتهم.

حيرة الحاج شجعت المسئول على الاستفاضة حيث قال « بس حضرتك زودتها يوم المشكلة، وحرضت الناس...» كأنه شعر أنه قال شيئاً محرجاً، فاستطرد «لا اقصد حرضت، بس موقفك شجع

367

الناس. بتعرف مكانتك في قلوب الناس». ثم ادرك أن عليه أن يستدرك أكثر «قصدي كمان في قلوب الحكومة. حتى وزير الداخلية قالي انه حابب يعزمك عنده ع المكتب». رد الحاج بقليل من التوتر «لا أحب المكاتب». بالطبع لم يكن هذا سبب مجئ المسئول في ساعات الليل وخلوته بالحاج، الزيارة التي لم يعرف بها أحد. بعد أخذ ورد في مواضيع مختلفة، جاء المسؤول للموضوع الأساسي، فالحكومة كما قال قررت أن يقوم الحاج على رعاية المسجد الكبير الذي تقيمه في وسط التلة. ضحك الحاج: مسجد كبير وتقوم الحكومة بتأجير المحلات في الطابق الأول. رد المسؤول «وقف يا حاج للمسجد». «وقف للمسجد وليس للحكومة!!». «الحكومة ترعي شؤون الناس يا حاج». ساد صمت كان يدعو للقلق، وهو القلق الذي طفا في البحة التي وشمت صوت المسؤول وهو يستكمل الحديث. سيكون الحاج وصياً على المسجد يرعاه وينادي للآذان فيه، وستصرف الحكومة له مكافأة جراء ذلك. أيضاً لم يكن هذا بيت القصيد. ابتلع المسئول ريقه وتماسك اكثر، وهو يكمل أن الحكومة ستشرع ببناء البناية ذات الطوابق الخمسة كما وعدت، «الحكومة لا تخلف وعداً». فرد بدون تفكير «لن اخرج من بيتي هذا إلا إلى القبر!!». «من قال إنك ستخرج؟ فقط تنتقل من بيت لبيت». كان موقف الحاج صارماً وهو يقول للمسئول إنه لن يناقش الأمر. رد المسؤول إن الحكومة تقدر بركات الحاج، لذا هي تريده ان ينعم بهذه البركات على المسجد حتى يؤمه الناس وينتشر الدين وتكثر عبادات الناس. وبعبارات ناعمة قصد منها استدرار عطف الحاج «هل ترى الناس لا تصلي إلا في رمضان، المساجد شبه فارغة، مهمة

الحكومة تشجيع الناس على العبادة». كانت فكرة المسؤول كما اجتهد ان يوضحها أن وجود الحاج في المسجد سيشجع الناس على الصلاة، للمكانة الكبيرة التي يحتلها في قلوبهم. «بركاتك يا حاج في خدمة الدين». انتفض الحاج وهو يقول بصوت يكاد يسمعه الناس في أسفل التلة «لست مبروكاً ولا شيء. لم أمت كنت في غيبوبة واكرمني الله وشفيت. كل يوم يشفي آلاف البشر من أمراض مستعصية. الله على كل شيء قادر». «هذه هي البركة التي نتحدث عنها!» «يا سيادة المسؤول انت عسكري، وبتفهم الحياة صح أنا مالي علاقة بكل البركات اللي بتحكي عنها، أنا نفسي اعيش حياتي صح وانت عارف كيف بعيش حياته الانسان صح». أصاب الحديث قلب المسؤول «أعرف بس يا حاج الدنيا غابة مليانة شوك ووحوش». انتشر الهدوء بينهما وفي العبارات المنتقاة في الحديث وحتى في نظرات العين. ثم فجأة قال المسؤول بتردد ان على الحاج تنفيذ قرار الحكومة ونصح نصيحة المحب كما قال بأن لا يعترض الحاج على قرار الحكومة وختم «حط راسك بين هالروس يا حاج». «طول عمرنا حاطين راسنا بين هالروس وضاعت البلاد وصرنا زي ما انتا شايف، وفلسطين ضاعت صرنا بنطالب بغزة وبالضفة ويا ريت نايلين». «هادا كلام كبير يا حاج وانت عارف انه العين بصيرة واليد قصيرة». «عشان هيك مش لازم الواحد يلبس ثوب أكبر من ثوبه، ومش لازم نعمل ملك وصولجان واحنا ولا شي».

المسؤول كان واضحاً، على الحاج أن يجنب الناس المزيد من الآلام. فالحكومة عازمة على تسوية أمور التلة، ومن الأفضل للحاج أن لا يدفع الحارة للتصادم مع الشرطة، هو وحده يمتلك أن يمنع

ذلك، وهو وحده إذا رفض عرض الحكومة سيدفع الأمور للتدهور.

لم ينم الحاج ليلتها. ظل مستيقظاً. لم يدر ماذا يفعل. هل يسلم بقرار الحكومة؟ هل يخبر أهل الحارة بقرار طرده من التلة، وبالتالي يؤجج الناس، ويحدث ما لا تحمد عقباه من اشتباك وتصادم مع الشرطة؟ بكي ليلتها. احس بالقهر. أسوأ شيء حين تحس بالعجز. الآن يحس بهذا العجز يشله. رحلة طويلة تجاوزت الثمانين عاماً، بحلوها ومرها. يافا فاجئته قبل يومين حين احضرت له ابن اخيه من لبنان. اخيراً يافا ستستقر. قالت له إنها ستتزوج ابن عمها:

شو رايك

هاي بدها راي!!

ضحك. ضم ابن الأخ العائد وهو يشتم فيه رائحة أخيه. لكن يافا كانت واضحة فهي لن تعيش معه على التلة، بل في شقتها في المدينة. لم يعلق فهو يعرف أن التلة لم تعد تلة، وهو يعرف أن الأمر مسألة وقت وستأتي له الحكومة لتطلب منه الرحيل. ولم يطل هذا الوقت إذ جاءه المسؤول الحكومي بعدها بيومين، ولم يترك مجالاً للشك برغبة الحكومة بهدم منزل الحاج. ليس مهماً ما تعرضه عليه الحكومة مقابل موافقته على الخروج من بيته، لأن النتيجة واحدة.

بدأ يطلع الفجر وهو مستيقظ. بعد صلاة الفجر أخذ يتفقد الشجرات المتبقية من الحديقة حول البيت. كان الضباب يلف التلة، والندي على أغضان الأشجار ورائحة الورود تستيقظ، تنشر عطرها

في النواحي. مع الصبح شعر بالتعب فتمدد على فرشته ونام. مرت ساعات طويلة لم يستيقظ. يافا ونادر نظرا إليه غافياً ولم يلتفتا إلى تاخره في النوم فهما يعرفان أنه نام متاخراً حيث لمحته يافا يسقي الأشجار حين استيقظت فجأة. انتصف النهار حين اكتشفت يافا أن الحاج غفا غفوته الأبدية.

نعم مات الحاج، ومثل ريح ثقيلة انتشر الخبر وملأ الحارة والمخيم. بدأ الناس بالصعود على التلة كي يحملوا جثمان الحاج الذي وقف فجأة ذات نهار امام التلة، وترجل من سيارة بيجو «504» وقرر بناء بيت على التلة. الآن يحملوه إلى بيته الاخير.

الفصل الحادي عشر
الحياة في الطريق

هل ترون لقد مات الحاج حقاً.

نعم هذه المرة لن يفيق من الموت، لن يفاجيء الناس بالعودة منه، لن يفتح عينيه فجأة، لن يستيقظ من إغفائته الطويلة، كما لن يقف الناس مشدوهين يتأملون بركاته. هذه المرة مات حقاً. لن تحدث معجزة.

ها هي الناس تتقاطر من كل أرجاء غزة إلى المنزل الوحيد المتبقى على التلة للمشاركة في تشييع جثمان الحاج. لم يقتصر الأمر على أهل الحارة، بل صارت الوفود تقدم إلى التلة من كل صوب وحدب.. مسجد الحارة يبث قراءات من القرآن منذ شيوع الخبر، بشكل متواصل. ونشرات الأخبار في الإذاعات المحلية تناقلت خبر وفاة الحاج «المبروك»، مذكرة مستمعيها بقصة قيامة الحاج من الموت قبل فترة، كأنها تذكرهم أنه قد يفعلها هذه المرة ويفيق فجأة.

لكنه لن يفعل هذا!

النسوة تجمعن في الجهة الأخرى من البيت يندبن ويبكين. ويافا ساهمة في الأفق، تقفز الدمعات مع عينيها مثل جمرات تتطاير

من قلب الحريق. اهتزت شجرة الزيتون في طرف الساحة خلف البيت. كانت حبات الزيتون على حالها لم يقطفها الحاج. طارت ورقة عن الشجرة وأخذت تتأرجح في حضن الريح. نظرت الأعناق نحو الورقة. ظلت معلقة في الهواء، تظن أن يداً خفية تحملها، ثم فجأة اندفعت مع هبة الريح الجديدة بعيداً، عالياً خلف أشجار السرو على حافة التلة.

خرج الجثمان محمولاً على الأكتاف. سار خلفه المئات من الرجال يتدافعون للمس النعش، وللمشاركة في حمله. هبطوا التلة نحو الشارع السفلي. لم يعد الطريق الهابط من التلة رملياً يثير الغبار. كانت مسفلتاً وعلى جانبيه محال تجارية، مغلقة بالطبع حداداً على الحاج. النسوة خلف الجنازة. المسئول الحكومي طلب أن يُصلى على الحاج في مسجد التلة الجديد. المختار وصفي قطع النقاش وقال سنصلي على الحاج في مسجد الحارة، والشيخ حسن من سيصلي فينا. وتم الأمر كما قال. خرجوا من المسجد نحو المقبرة بعد انتهاء الصلاة على الميت. صمت شديد يفرد جناحيه على الجميع، قد يقطعه نحنحة رجل عجوز، أو تنهيدة شاب. وبين فينية وأخرى يخرج صوت الشيخ حسن طالباً من الجميع «ذكر الله».

الشمس على وشك الغروب، وغيمات كثيرة تتجمع فوقهم في السماء، والخطوات بطيئة، كأنهم لا يريدون حقاً أن يواروا الفقيد التراب.

كان صبحي يهرول خلف الجنازة حاملاً عوداً ناشفاً اقتطعه من شجرة ليمون على الطريق. صار من المألوف أن تراه يركض في

الشوارع يدندن ببعض الأغنيات أو بحدث نفسه في حوار طويل، يصعب على المستمع أن يصدق أنه نابع من مشرد. كان الأمر صادماً. عاد في تلك الليلة من مقابلة الوزير الذي طلب منه أن يجلس في البيت. كانت مشادة طويلة ومرهقة. وجد نفسه وحيداً في البيت. البيت الذي ظن وهو ينتهي من تجهيزه بأنه الوطن الذي كان يبحث عنه منذ حمل السلاح وركض خلف الثورة. تنقل من مدينة إلى أخرى ومن ثكنة إلى أخرى. رحلة عذاب وترحال فقد فيها أصدقاء وأحبة، وحرم خلالها من عناقات كان يمكن أن تكون سرمدية. فتح جهاز التلفاز. يداه عبثتا بأزرار آلة التحكم بسرعة وبتوتر. صارت المحطات تركض خلف بعضها بعضاً، والمشاهد تنداح مثلها في ذاكرته. لم يفرق بين ما يجري في ذاكرته وبين التتابع المهول في سرعته لتقلب المحطات، وأصابعه تضغط بسرعة وهووس على آلة التحكم. رمى الآلة على الأرض وخرج من المنزل. كانت غزة نائمة. أراد أن يوقظها. ركض إلى الشاطيء ووقف قبالة المدينة. ظهره للبحر والريح تعوي وهي تكاد تحمله عن الأرض لشدتها، تقتلعه. وضع يداه بوقاً أمام فمه. وصرخ «اصحي يا غزة». لم تصحُ غزة. صرخ مرة ثانية وثالثة. ثم أخذ يركض في الشارع يصرخ «أصحي يا غزة». لم تصحُ غزة أيضاً. اخذته دورية الشرطة إلى المخفر ليكتشف الضابط أن المخل بالأمن لواء في الشرطة. أعادة في الصباح لفيلته، إلا أنه لم يعد لاستقراره.

قال لسليم إن عقله قد صحا أما الناس في غزة فنيام. «كلكم نايمين». لم تجد رجاءات نيفين ولا توسلات زوجته أن يعود إلى البيت. كان يمضي النهار في الشوارع والميادين يصرخ ويخطب

ويحادث المارة ويوبخهم، ثم يعود في آخر الليل يتمدد على بلاط غرفة الحراسة داخل سور الفيلا. بكتا دما عليه. تنقلتا به من طبيب إلى آخر دون فائدة. في مرات كثيرة كانت نيفين تذهب لتستلمه من مخفر الشرطة بعد أن يكون قد أثار مشكلة أو دخل عراكاً مع أحدهم. قبل شهر من موت الحاج صعد إلى التلة. لم تره الشرطة الواقفة حول البيت. طرق الباب بخفة. فتح الحاج. تناولا الشاي أمام الباب. تحدث عن أمه التي لم يرها وعن أحلامه التي لم تتحقق. قال للحاج «انا صدقت كل شيء. صدقت كتير. بس ولا شي زبط». شعر الحاج أن صبحي لم يفقد عقله كما يقال. قال له أننا جميعاً لا ننجح في كل شيء ولا يتحقق لنا كل شيء. فهو لم ير اخوته ولم ير ابنه المسجون. أشياء كثيرة لم تتحقق. تحدث صبحي عن ابنته وزوجته. قال إنه اعتدى عليهما بالضرب. لم يصدق نفسه أنه فعل هذا! «أنا لم أفهم الدنيا صح».

يقصد أنه فهمها الآن. هرول حين جاء الشرطي يقول للحاج أنه يشك ان أحداً حاول الاقتراب من البيت. صارت تلك الزيارات شبه متكررة حيث ينسل في قلب العتمة للتلة ويطرق الباب ويجلس مع الحاج يتسامران. فقط في تلك اللحظات يمكن لنا أن نقول حقاً إن صبحي لم يفقد عقله كما تزعم كل غزة.

لكنه لن يجلس مع الحاج الليلة ولا في الليلة التي بعدها ولا في أي ليلة قادمة. جاء إلى الحارة والدموع تبلل قميصه الأبيض المنقط ببقع سوداء. ارتمى أمام بيت الحاج فيما الشباب تحمل النعش إلى مثواه الأبدي. سار خلف الجنازة محافظاً على مسافة معقولة بينه

وبين المشيعين. ثمة نظرات لا يريدها أن تخترقه. أرد أن يكون وحيداً. أمسك عود الليمون وبدأ يرسم على وجه الطين، فيما جسد الحاج يوارى الثرى. بدت حياته لوحة مليئة التفاصيل لكنها لم ترسم جيداً.

بالمناسبة زوجة صبحي رفضت استلام المحلات في المول التجاري على التلة.

أما أولاد وصفي المختار فقد ضحكت لهم الدنيا كما سقولون. فبعد أن قلبوا بقالة والدهم محلات لبيع الجوالات ومستلزماتها، افتتحوا ثلاثة محلات أخرى في نواحي مختلفة في المخيم بفضل دعم عمهم في دبي لهم بالأجهزة وبالصرعات الحديثة في هذا العالم سريع التطور. في تلك الليلة التي كانت البقالة تتحول إلى محل جوالات ضخم لم ينم وصفي. كانت أصوات الآلات الكهربية تقدح ثقوباً في الجدران كي يتم تثبيت فاترينات العرض عليها، وكركعة نقل الأثاث الجديد للمحل، جلبة النقل والتنزيل والتحميل فيه تأكل الهدوء المصطنع الذي يحاول طلاء وجهه به. وضعت زوجته ابريق الشاي. كانت تحس بالنار تضطرم داخله. عرفت أن كل كلمات التسرية والمواساة لن تخفف من حدة الألم الذي يحس به. بعد صمت ساعتين قام وهو يقول «شو بدنا نسوي يا حجة الدنيا بتتغير!». كان كلما مر أمام المحل ابتسم حين تلتقط عيناه عيني ابنه منهمكاً بإدارة المحل. ابناؤه اسموا محلاتهم الجديدة ايضاً باسم جدهم «أبو عطا». خفف هذا من حدة الألم. بعد أن توسعت تجارتهم وصاروا من كبار تجّار الجوالات افتتحوا محلات أخرى لبيع أجهزة الكمبيوتر و«اللاب

توب» و«الآي باد» والمستلزمات المختلفة لها. ما أبسط الدنيا حين تضحك. قال له ابنه أنه سيفتتح له سوبرماركتاً في قلب المخيم. «اكبر سوبرماركت في الدنيا». ضحك وصفي وهو يشرح للولد المنتشي بفرحة النجاح إن القصة ليست في «أكبر» ولا «أصغر»؛ الدكانة الصغيرة التي ورثها عن والده كانت فعلاً أكبر دكانة في العالم. الأشياء بقيمتها وليست بحجمها. بالطبع لن يفوته سرد القصة الطويلة لتعلقه بالدكانة.

كان يدفع خطاه بين جموع المشيعيين وحنين جارف مثل زوبعة يلفه من اخمصه حتى طرف شعره. في لحظات تمر حياة المرء مثل شريط سينما أمام عينيه. وجوه أهل الحارة تسير خلف النعش، نواح النسوة يصل إلى أذنيه مثل هديل الحمام، صديقه الذي يمضى بعيداً ولن يراه بعد اليوم، الشعور بالمرارة... لا أحد يرسم ايقاع حياته بدقة. وصفي يدرك بأن الدنيا اخذت منه واعطته. فهو قد علم إخوته وعلم ابنائه، واستطاع من بقالة صغيرة أن يصنع قصص نجاح العائلة. في نهاية المطاف فإن محلات الجوالات والكمبيوترات التي افتتحها أبناؤه سيكون لها قيمة الدكانة بالنسبة لهم. فقيمة الأشياء لا تولد معها.

من يصدق أن وصفي يقتنع بذلك!! على الأقل هذا ما سمعته أذنا زوجته بعد أن عاد منهكاً من وطأة الموت الذي خطف الحاج وقبل ذلك نعيم. نعم وصفي يعرف أن ابناءه سعداء بعالمهم الجديد، لذا فإن حزنه لا فائدة منه. حتى اللحظة الأخيرة، نظل ننتظر معجزة ما تحدث، لكن علينا في لحظة ما التسليم بأن المعجزات

لا تحدث إلا نادراً. ووصفي يعرف هذا، وهو موقن بأنه لا يمكن حدوث أفضل مما حدث. لذا قرر أن يعود لعادته القديمة. يضع كرسيين وطاولة صغيرة أمام محلات أبنائه ويغلي ركوة القهوة ويجلس يشرب قهوة الصباح أو المساء بانتظار صديق أو جار يجالسه يبحثان في صفحات الماضي أو يقلبان جراح الأحلام.

أما الشيخ حسن فقد كان أكثر المشيعين انهماكاً بتفاصيل الجنازة. ما أن وصله خبر وفاة الحاج حتى صعد إلى التلة ليقرأ على روحه بعض القرآن. جلس خلف رأسه بعد أن وجهه للقبلة، وأخذ يقرأ والدموع تسح على خدوده. كانت الصور والذكريات تتسلل إلى شفاهه فتكاد تنطق، فيتلعثم. لم يقو على القراءة. جفف الدموع عن لحيته. قام بمساعدة مؤذن المسجد بتغسيل الجثمان. من الصعب أن ترى أحباءك جثثاً هامدة، ان تتصرف معهم وكأنهم فعلاً رحلوا، أن تكون من يختم جواز سفر موتهم إلى مثواهم الاخير، ان تطوي عليهم صفحة الدنيا حين تغلق بلاطة القبر الاخيرة وتبدأ بإهالة التراب. هكذا سيفعل الشيخ حسن، فهو من سيلحد الحاج وهو من سيبدأ بإهالة التراب عليه، وسيكون آخر من ينظر إلى وجهه من سكان الأرض.

كان غبار الطريق يغطي أطراف جلبابه، وهو لا يكل من النظر إلى السماء كأنه يشكو. أحدهم امسك بيده وطلب منه الانتباه فثمة حفرة عميقة في الطريق. تجاوزها حين تلاقت عيناه بعيني العم يوسف. أصعب شيء أن تنظر في عيون أصدقائك وانت تودع صديقاً. كأن حبة المسبحة بدأت تنفرط. فقبل فترة رحل نعيم واليوم

يرحل الحاج خليل، من غداً؟ لا أحد يعرف. كانت هذه أسئلة العيون الحيرى في معمعان الرحيل.

رفض الشيخ حسن قرارات الأوقاف في توجيه الناس لدعم مشروع تطوير التلة. بل إنه في إحدى مواعظه بعد صلاة المغرب قال لسائل إن الإمام يجب ان يأخذ برأي الرعية. في مكتب الأوقاف في المحافظة قال له مدير الأوقاف إن الخروج عن رأي الإمام معصية. هز الشيخ حسن رأسه وقال «ولا يجارى الإمام في المعصية». وقف مدير الاوقاف غير مصدق، وقال للشيخ حسن إن المديرية ستنظر في أمره. ونظرت فعلاً المديرية في أمره. قررت نقله للإمامة في مسجد في منطقة نائية على طريق البحر. المسافة من بيت الشيخ حسن للمسجد الجديد تستغرق نصف ساعة. كان ذلك عقاباً. لم تنفع نقاشات رجال الحارة مع مسئول الاوقاف. أوضحوا له أن الشيخ حسن ورث إمامة مسجد الحارة من والده الشيخ رياض. ضحك وقال إن المساجد لا تورث. وقف العم يوسف غاضباً: لقد ورثت قريش كل شيء. مدير الأوقاف قال إن الأمر اكبر منه. بعد شهر ذهب الشيخ حسن للمديرية وقدم استقالته. سيجلس في البيت، لقد تعب من هموم الإمامة ورعاية الناس. في الحقيقة لم يستوعب الشيخ ما حدث معه. فهو لم يفتِ بالخروج على الحكومة، بل دافع عن أهل الحارة. من حقه ان يدافع عن مصالح اهله وجماعته. ثم إنه متأكد أن ثمة غايات ربحية وتجارية خلف المشروع على التلة. بإمكان الحكومة ان تقول ما تشاء، لكن الحقيقة شيء آخر.

استقال الشيخ حسن، استقال الشيخ حسن، استقال الشيخ حسن.

انتشر الخبر في الحارة. جاءه الناس زرافات زرافات متضامنين، مؤيدين، محتجين، غاضبين. «هل تريد أن نفعل شيئاً.» سأل نصر. ربت الشيخ على كتفه «بارك الله فيكم». رغم كل شيء ظل الشيخ حسن بالنسبة للحارة ولأهل المخيم شيخهم. ومرجعيتهم، ومن يفتي لهم ومن يلجأون له عند اشتداد الأزمات للمشورة. لم يشأ أن ينفض التراب عن يديه بعد أن أهاله على القبر. كأن شيئاً من الحاج يريد أن يظل عالقاً به.

الآن يعود إلى البيت، سيتناول العشاء مع زوجته كما يفعل كل ليلة، وينظر في العمر الجميل الذي عاشه رغم قسوته، رغم الفراق، رغم الألم.

أما ناظر المدرسة فصدقوا أنه في نهاية الأمر اقنع إدارة مشروع تطوير التلة ببناء مكتبة عامة صغيرة على مدخل التلة مكونة من طابقين. قال للمختار وصفي في النهاية فإن المشروع تم ولم ننجح في مقارعته. «لا بأس لو استفادت منه الحارة». هذه المرة لم يحتج للكثير من الجهد في اقناع الجميع، الذين اكتفوا بالصمت أمام وجهة نظره. يافا ساهمت في تزويد المكتبة بثلاثة آلاف كتاب من خلال دعم صغير نجحت في جلبه من مؤسسة خيرية تعرف مديرتها. أطلقوا على المكتبة «مكتبة التلة». ناظر المدرسة أحيل للتقاعد مع نهاية العام الدراسي بعد قرابة خمسة عقود من العمل. بدا ذلك عمراً طويلاً. لكن فكرة المكتبة اعطته المزيد من الحماس والطاقة إذ تشكلت لجنة للإشراف على مكتبة التلة برئاسته. صار يزجي الوقت بالجلوس في غرفة الإدارة بالمكتبة ويتفقد رفوف الكتب وبعمل بعض الأنشطة

التثقيفية في غرفة المطالعة في المساء. الحياة لم تنته عند التقاعد. أجمل شيء حين لا نفقد القدرة على الحلم والامل، أن يظل دائماً عندنا ما نحلم به، أن تظل دائماً صنارة الأحلام في الماء تصطاد لنا ما نتمنى.

قد لا يعجب الكثيرون ما قام به ناظر المدرسة. من حق بعضكم ان يسميه استسلاماً، تراجعاً، انهزاماً، فتشوا في قواميس اللغة جيداً لتجدوا الكلمة الأقسى. ومن حق البعض الآخر أن يصفه بنعوت كثيرة، وربما استعار من الماضي للدلالة على أصالة تلك النعوت فيه، ناسياً أنه علمه في المدرسة وعلم ابيه. لكن حين تقاس الأمور بخواتيمها فإن ما قام به ربما كان انقاذاً لبعض أجزاء السفينة من الغرق. تخيلوا البشاعة التي تمت فيها مصادرة التلة، والقسوة التي عوملت بها أهل الحارة. في النهاية كانت تلك المكتبة تحقيقاً لشيء أراده أهل الحارة. وربما وبعيداً عن المجاز والبلاغة، فإنه لم يتبق من التلة إلا تلك المكتبة. فلم يعد شيء يشير إلى التلة إلا اسم المكتبة: «مكتبة التلة». فالناس، من غير أهل الحارة، مع الوقت صارت تشير إلى التلة بـ«الموول». ذاكرة الناس لا تتحمل المزيد من الصدمات، ففي المحصلة فإن الموول بات يشكل العامود الفقري للحياة التجارية في المنطقة.

كان وقع الخطوات على الطريق ثقيلاً، وكان عكازه يدق الأرض بألم وهو يمسح جبينه بمنديله. ثمة اوقات ينزل علينا التعب فيها فنحسه في كل شيء: في الخطوة، في النفس، في نظرة العين، في قدرتنا على تحمل من حولنا. شعر بالإرهاق، بضيق النفس. طلب من ابنه الذي يسير بجواره ان يعيده إلى البيت. انسل

خفيفاً من الجنازة بعد ان شارفت على الوصول إلى المقبرة. وقف على طرف الطريق يتأمل الحاج وهو يدخل عالمه الجديد. زفر زفرة عميقة ثم استدار عائداً نحو البيت.

استدار للخلف ينظر للتلة وقد تغيرت كل معالمها. الآن وبعد وفاة الحاج ستهدم الحكومة آخر ما تبقى من التلة القديمة. لم ير منها إلا المكتبة. كان مدخلها عبارة عن ممرٍ طويل مغطي بالقرميد الاحمر. كان ثمة حمامات برية في مناقيرها قش وأوراق شجر ناشفة. حطت على القرميد تبني أعشاشاً هناك.

على طرف المقبرة كان يقف خميس. أحس أنه يفتقر للشجاعة الكافية كي يسير في الجنازة. الناس تتهمه بالتواطؤ في مشروع التلة وربما فيما حدث للحاج. حتى والده لم يعد يتحدث معه. قال له آخر مرة إنه لن يغفر له وقوفه ضد أهله. التفت للخلف وهو خارج من بيت ابنه وقال إن هذه آخر مرة يدخل فيها بيته. وبالفعل مر شهران ولم يدخل يوسف بيت ابنه. حتى حين جاء يوسف لبيت العائلة في الحارة، خرج يوسف ولم تنفع كل محاولات الولد للتقرب منه. قال له «اعتبرها غلطة». لم يرد عليه. قال في نفسه «مصيبة وليست غلطة». ليست كل الأخطاء تغتفر. وصل إلى المقبرة قبل أن تصل الجنازة. وقف تحت شجرة ينتظر قدوم المشيعين. بان الجسد محمولاً بين الأيدي، مرفوعاً نحو السماء. تواري خلف جذع الشجرة كأنه يختبيء. لسعه الخوف حين رأى الناس بالمئات تتدافع تسبق الجثمان نحو مثواه. كانت عيناه تبحلقان في المشيعين. عقله شارد تتقاذفه الأفكار والمواقف والعبارات.

خميس الشاب الطموح، الذي كادت أرجل الناس أن تدوسه في المسيرة ضد الجيش وهو لم يبلغ السابعة، استطاع أن يحقق ذاته ويكون ثروة ونفوذاً لم يقدر عليهما كل أقرانه. لقد هب الولد من تحت الأرجل وأخذ يركض في براري الحياة. والده لا يستطيع أن يفهم أن الحياة كفاح مرير، ومن ينظر تحت قدميه يقع. لم يفعل شيئاً مخالفاً للدين ولا للقانون. فهو تاجر والتجارة حلال. نظر للناس، مط شفتيه، «لولا تجارتي لماتوا من الحصار». الأنفاق التي كان خميس أحد روادها هي من جعلت الحياة ممكنة. صحيح أنه استفاد منها ولكن هذه الإفادة حق وثواب على الاجتهاد. فهو أيضاً قامر بماله في سبيل مساعدة الناس.

بصراحة والده «مزودها» كما قال لنفسه. والده نفسه صار ثرياً مقارنة مع كل أهل الحارة ويستكثر عليه أن يصير ثرياً بطريقته. لا يستوعب أن كل أمواله الآن لا تشتري دونم أرض، وأن المال إذا لم يزد ينقص. لا فرق بين السياسية وبين المال وبين الأمن. كلها مصالح. مساكين شباب الحارة «قابضينها جد». نصر مازال يظن أن اندفاعة الشباب صالحة إلى اليوم. حتى المسيرة التي ضاع فيها خميس تحت الأرجل لم تعد ذات المسيرة. الكل صار يبحث عن مصالحه. لماذا يصرون على تجريمه! كل ما قصده خير الناس. ساهم في رفع الحصار عن غزة عبر الأنفاق. صحيح انه استفاد، ولكن من الذي يعمل شيئاً لا يستفيد منه. كل غزة تستفيد. الكل يستفيد بطريقته. يحسدونه ربما على حلمه الذي تحقق. أحلامهم فشلت، لذا فهم يرون في نجاحه فشلاً. يصرون على ان يحاكموه بمزاج الفشل الذي يعيشون فيه.

من السهل تصديق كلام خميس، فالمول التجاري على التلة بات موضع اهتمام الكثيرين، وصار يستقطب زواراً ومتسوقين متنوعين من كل الأنحاء. ثم ماذا يريد أهل الحارة!!. أيضاً بناء المول كان مغامرة اقتصادية بالنسبة لخميس، كاد أن يخسر فيها الكثير من ثروته لو قدر للمشروع ان يفشل. هز رأسه فيما أفكاره تؤكد له قناعاته بأنه على صواب رغم كل شيء. ففي المحصلة كل شيء صار على أتم وجه. هاهو المسجد الكبير بقبته المطلية بلون ذهبي يمتلىء بالمصلين. وسارية العلم أمام مخفر الشرطة على التلة تحمل علم فلسطين، حتى يمكن رؤيته من خارج حدود المخيم لارتفاعه وارتفاع التلة. كل شيء تمام.

ليلة موت الحاج، سأل سليم على الهاتف إن كان يقدر أن يشارك في جنازة الحاج، فأخبره أن الحاج ابن الحارة ولن يمنعه أحد من أن يشارك الحارة في حزنها. نزل من الجيب أمام منزل والده في قلب الحارة. جر قدميه نحو التلة. لم يجرؤ على صعودها. كان المئات من أبناء الحارة والنسوة يصعدون مثل الحجيج نحو البيت المُضاء على التلة. كانت الشمس بدأت تنسحب مثل روح تخرج من جسد النهار، حين بدأت الأيدي تهلل وتكبر، وهي تحمل الجثمان وتهبط به إلى الشارع. تدارى قليلاً في شارع فرعي ريثما تعبر الجنازة الشارع العام. وما أن سارت الجنازة حتى قاد جيبه نحو المقبرة من طريق جانبي ليصل قبلها. وقف تحت شجرة سرو هرمة يتأمل المشيعين يفدون داخل المقبرة ونواح مقهور يتردد على الشفاه. أسند جذعه على شجرة السرو سامقة الطول كأنها تتلصص خلف المقبرة على

عالم التلة حيث كانت ترقد لها أخوات قامت الجرافات باقتلاعها من اجل ان يقيم خميس موله التجاري.

كانت عينا نيفين بين فترة والثانية تتسللان إلى الخلف لعلها تلتقط والدها يركض على أطراف الجنازة. قلبها يعتصر ألماً. لا تصدق أن هذا حدث له. في الليل وحين يعود تفتح الباب فتجده غافياً أمام درجات الفيلا الداخلية. تجلس بجواره تبكي بحرقة. مرات كان يستيقظ فيضمها إلى صدره. لو أنه يحس كم يعذبهم بحالته الجديدة تلك. في اول أسبوع كانت تذهب للبحث عنه في شوارع غزة. مرات تجده، وفي مرات اخرى لا تجده. وفي كل الحالات يرفض ان يركب معها ليعود إلى البيت. حين تجده لا تتركه، بل تظل حوله، لكنه كان يعرف كيف يراوغها ويفلت من رقابة عينيها.

أصرت أمها ان تحضر معها الجنازة. باستثناء مرة واحدة، لم تدخل أمها الحارة منذ عودة العائلة إلى غزة. في تلك المرة جاءت لرؤية بيت العائلة الذي كان يمكن لها أن تعيش فيه لو لم تطلب من زوجها ان يشتري شقة في برج سكني في المدينة. مسها الحزن على وجه نيفين حين اخبرها أحدهم بوفاة الحاج عبر الهاتف. ارتمت على الكنبة واخذت تبكي. لم تشعر الأم يوماً انها جزء من الحارة، ولم ترغب أن تكون كذلك. فهي لا يربطها بالحارة أي شيء، ولم تحب أن تعيد تكوين عالم وشبكة جديدة من العلاقات. بل حافظت على علاقاتها مع الأصدقاء السابقين في تونس وبيروت ودمشق الذين عادوا إلى غزة. من الصعب على المرء في مرحلة متقدمة من عمره ان يكسب أصدقاء جدد وذكريات جديدة. لكنها الآن تجد نفسها

مجروفة في تيار الحزن الذي يعم أهل الحارة. تسير معهم متشحة بالسواد، عيناها تغرورقان بالدموع، خطواتها متعثرة، نظراتها تائهة. أمسكت بكتف ابنتها وضمته بقوة إلى كتفها، وهما تجرجران خطواتهن في غبار الطريق المفضي إلى المقبرة.

ستتغير أشياء كثيرة. بالطبع فالعلاقة مع نصر عادت إلى سابق عهدها، وهي باتت أقرب إلى الإرتباط الرسمي من مجرد عشق لا يعترف به المجتمع. وصارت تقابله كل يوم تقريباً. ويزورهم في البيت. بل صار هو رجل البيت بعد ان ترك العميد صبحي البيت وصار هائماً في الشوارع. يعتني بالتفاصيل الكثيرة التي تخص البيت. وقد يذهب إلى السوق لشراء الخضار لنيفين وامها. سعادة جديدة لكنها ممزوجة بحسرة وألم. كأن الاشياء بطبعها لا تكتمل، وكأن الفرحة لا يمكن ان تأتي دفعة واحدة. وليس على نيفين إلا أن تنتظر لعل قادم الأيام يجود عليها بالفرحة المرجوة حيث يعود والدها إلى رشده.

أيضاً ليس هذا كل ما تتمناه. لا يمكن لأحد ان يراهن على قدرة نيفين على التحمل. لكنها وصلت الآن إلى نقطة الصفر. اقترحت على نصر أن يهاجرا إلى السويد بعد أن يتما الزواج. كل شيء جاهز ومعد. اخوها الاكبر يعيش هناك وهو جاهز للمساعدة في كل شيء. قالت له إنها تحب غزة، ولكن الحياة قاسية. ذات مساء وهي تحدق في سفن الصيد تمخر البحر والشمس مثل طفل صغير على أهبة الاستعداد للقفز في الماء، قالت إنها لم تعد تحتمل، تريد ان تعيش كما ترغب. غزة سجن تخرج منه بشق الأنفس، وحين تخرج تعود إليه أيضاً بشق الأنفس. لا شيء يستقر على حاله.

من المؤكد أنها لم تنس والدها ووالدتها. اقترحت أن يتم سحبهم إلى هناك. لن يكون هناك صعوبة في فعل ذلك فأخوها لديه جنسية سويدية منذ عشر سنين وبالتالي يستطيع سحب والديه. أيضاً خطط نيفين لم تستثن والدة نصر التي لابد من سحبها أيضاً إلى هناك. لم يقدر نصر أن يستوعب الصورة: نصر يهاجر خارج البلاد!! قال لها إنه لا يستطيع ذلك. عموماً اقترحت نيفين أن يناقشا الامر بعد الزواج.

أما متى الزواج؟ أيضاً لا أحد يعرف، إذ أن حالة والدها تعيق أي فرحة قادمة. عليهما ان ينتظرا قليلاً. لمحت ظلال والدها تركض خلف شجرات الكينيا على مدخل المقبرة. مسحت بعينيها كل المقبرة فلم تعثر عليه.

كان ثمة فتاة تبدو أجنبية، تلف شعرها بشال أسود تنجح بعض خصلات شعرها الشقراء في الهرب من سطوته. ممشوقة الطول ببنطال سكني اللون وبلوزة سوداء أيضاً.

لحظة!!

لابد أن هذه «كريستيانا»، فقد تردد أنها وصلت إلى غزة قبل يومين من وفاة الحاج. وصلت فجأة. لم يتوقعها أحد. اجتازت معبر رفح ضمن وفد تضامن دولي. وما أن وضعت حقائبها في فندق المتحف حتى كانت أصابعها تضغط على رقم جوال سليم. ولأنه لم يلتفت للرقم على شاشة الهاتف، فقد ظن أنها تحادثه من إيطاليا. لابد أن هذه مزحة من مزحاتها. في لقائهما الأول قالت له إنها من جنوب إيطاليا. روت قصصاً عن ماضي العائلة في المافيا. ثم

وبعد أن أيقنت أنه صدقها بالكامل قالت انظر جيداً في الجنوب لا يكون هناك شقر لهذه الدرجة. لم يكن يصدقها حتى هذه اللحظة، فهي تبرع في ابتداع المواقف وفي نسج القصص.

كانت الشمس تغطس في البحر بدعة وخفة، أشعتها البرتقالية تتشعبط في السماء مثل أنفاس أخيرة. «كريستيانا» تقف قبالة البحر تحدق في الصبية يلهون على الرمال. صياد شاب يرتق عيون شباكه. السفن الصغيرة بدأت تتهادى فوق الموج تعبره إلى مواطن السمك. وقف خلفها غير مصدق. جلسا على الطاولة.

من يصدق!!

كأن القدر لم يشأ أن يترك سليم وحيداً. ففي اللحظة التي استسلم لقدره الجديد، وأيقن بأن ثمة لحظات في حياتنا لا تنفع فيها مقاومة الواقع، وأن هذه اللحظات تكون عادة أقوى منا، جاءته المفاجأة من حيث لا يحتسب. لم يصدق أن المرء قد يكون ورقة في لعبة معقدة. قدره أن لا يعرف من هو «الجوكر» الذي يلهو بمصيره. لم تكن «كريستيانا» زميلة سليم فقط في مركز الأبحاث الذي عمل فيه بعد تخرجه من الجامعة، بل كانت أيضاً زميلته في الدراسة. ربطت سليم بـ«كريستيانا» قصة حب غريبة من التواصل والإنقطاع. ربما تحولت مع الزمن إلى صداقة بنكهة الحب، أو حب بنكهة الصداقة. فهما وبعد علاقة استمرت سنة انفصلا لستة أشهر ثم لم يلبثا أن عاودا علاقتهما كأنهما يتعاشقان للمرة الأولى. ثم انفصلا سنة وعاودا علاقتهما مرة ثانية. وهكذا. وربما يصعب لهما أن يتذكرا متي انفصلا ومتى عادت علاقتهما إلى مجاريها. كما أن أصدقاءهما لم

يعودوا يسألون عن العلاقة بينهما، إذ أن الأمر بات محرجاً، كما لم يعد من المفيد تذكره لأن الإجابة ستختلف من وقت لآخر.

لابد أن أحداً ينتبه إلى كلمة «انفصلا» التي وردت سابقاً. نعم فقد ربط الاثنين أكثر من مجرد الحب؛ الزواج. في الحقيقة سليم تزوج بـ«كريستيانا» بعد ثمانية أشهر من لقائهما الأول. كان هذا اللقاء خلال رحلة نظمها القسم الذي يدرسان فيه بالجامعة إلى جبال الألب في شمال إيطاليا. هناك حيث سكنوا في أكواخ في أحضان الجبال لأسبوع ترعرت زهرة الحب في قلب الثلج البارد. لكنها زهرة ستمد جذورها عميقاً، أو أن القدر سيشاء أن يبقى لها أثراً في كل مراحل حياة سليم. كان هذا اللقاء بعد سنة من رحيل نتالي وهجرها له. ومع تكرار الفراق وقطع العلاقة واستعادتها، حدث الانفصال القانوني بينهما، أي تطلقا. لن يفوت «كريستيانا» وخلال لحظات غضبها على سليم ،أن تتهمه بأنه تزوجها من أجل الحصول على الجنسية. عموماً، كانت هذه القصة الوحيدة التي لم تظهر على السطح خلال السنة الماضية من إقامة سليم في غزة. لحظة مقتل والده، ومغادرته لغزة كانت علاقتهما قد توقفت قبل قرابة عام. في تلك الليلة في مطعم «كازا دي بوبولو» كانت سفوح توسكانا تنحدر أسفل شرفة المطعم فيما هما يتفقان على ضرورة أن يحافظا على المسافة المعقولة في علاقتهما. لم يعد من المنطقي أن يتواعدا شهراً ويفترقا شهراً آخر. تعاهدا أن يظلا صديقين وزميلين فقط. ووضعا ألف خط تحت كلمة «فقط». لكن القدر لم يضع خطاً واحداً.

بدا الأمر مثل حلم. أخبرته أنها جاءت إلى غزة للعمل ضمن فريق منظمة خيرية إيطالية. ضحك. قال هذه لعبة جديدة مدبرة،

مثلما جاءت نتالي أيضاً ضمن صدفة مفتعلة للعمل في غزة. يا إلهي حين تفيق الصدف مرة واحدة في حقل التدابير الذي يرعاه ويقوم على سقايته القدر.

صارت سمر اكثر انطوائية بعد رحيل والدها. حتى في الجنازة كانت تمشي وحدها. حاولت نيفين أن تشدها للسير معها ولم تفلح. كانت الفتاة التي صارت الآن في عامها الثاني في الجامعة لا تفهم لماذا لا تذهب مع اخيها سليم إلى إيطاليا للدراسة هناك. لم تفاتحه بالامر مطلقاً. لكنها كانت تنتظر منه أن يقترح عليها ذلك. أن يعرض الدراسة في إيطاليا. في وقتها لم تشا أن تترك والدها وحيداً. الآن لا والد ولا شيء تعتني به في غزة. سألت سليم ذات مساء عن إيطاليا. اكتفي بالقول إنها بلاد جميلة. لم يفهم إشاراتها. لم تعد غزة كبيرة كما كانت بوجود والدها. كان عالماً كبيراً متعدد الجوانب، حميم، ودافيء. صحيح أن سليم يعوضها عن بعض هذا، لكن لا شيء يمكن أن يعوض والدها نعيم. ظلت تلبس الأسود شهوراً ثلاثة، ولم تخلعه إلا تحت تانيب عمتها وجارتها لها. الحزن ليس بلبس الأسود. تذكر كيف قال لها والدها إنه لم يحلق ذقنه يوم رحلت امها لأكثر من عامين. «عامين حداد!.» رد نعيم «العمر كله لن يكفي حداداً على آمنة».

في الجامعة كل شيء عادي، لكنها لا تجد نفسها هناك. لا صديقات لديها ولا رفيقات درب داخل ممرات الجامعة. تسير وحدها وتجلس وحدها. الوحدة قاتلة لكنها أفضل من الإنهماك في تفاصيل مملة. أحست أن يافا الأقرب لها. تعجبها تجربة يافا رغم

الخيبات التي مرت بها. فهي استطاعت ان تقف وتكمل الطريق. من هنا نشأت علاقة خارج سياق الإنطواء الذي تفضله سمر بينهما. حدث الامر صدفة لكنها صار مألوفاً. يافا تحاول بين فترة وأخرى أن تدعوها لزيارتها في المؤسسة. تحب يافا وكانت تتمني لو كانت من نصيب سليم. لم تسألها يوماً حقيقة ما تسمعه عن علاقتها السابقة بأخيها ولا عن مصير تلك العلاقة. لكنها وبحدس الأنثي تدرك بأن يافا لا تحب هذه السيرة. ربما ما لا تعرفه سمر أن سليم طلب من يافا أن تحتك بأخته بعد أن لاحظ ميلها الشديد للوحدة. وأياً كان الحال فإن سمر ستظل حتى هذه اللحظة وهي تكفكف دموعها على الحاج نعيم تندب حظها العاثر، وتنتظر اللحظة التي سيقترح عليها فيها سليم ان يغادرا إلى إيطاليا للدراسة.

تظنون ان هذا سيحدث!! على الأقل من يعرف يقول لا. لكن إلى متى ستنتظر سمر حتى تدرك أن سليم اقتنع بالحياة في غزة رغم كل المرارات التي يحسها فيها.

نتالي تمسك بيد نيفين ويافا. كان الحزن يلف الجميع في الجنازة. ستقول لمن يحدثها إنها واحدة من الحارة، فقد عاشت معهم وأكلت معهم وحزنت معهم وفرحت معهم. عجيب امر الحب كيف يفعل بالمرء. فكل الأمر، كما تذكرون، بدأ بقصة حب بسيطة بين فتاة أسبانية وشاب فلسطيني في إيطاليا. قصة حب لن يقدر لها أن تنجح، لكن جمرها سيظل يطقطق في الذاكرة، دائم التذكار بالأثر الذي لم يغب. لم تتنازل نتالي عن هذا الجمر، وإن اختلفت جهة النار التي يشعلها. نظرت حولها. كانت النسوة يتشحن بالأسود والعويل

والصراخ يصدر بين الفينة والاخرى من جهة من الجنازة. كانت لغة الحزن التي تتبادلها النسوة اكبر من قاموسها اللغوي بالعربية، لكنه ليس أكبر من مقدرتها على الإحساس بهذا الألم.

وصلت نتالي لغزة قبل يوم من وفاة الحاج. جاءت للمشاركة في المعرض الذي تنظمه المؤسسة التي تعمل بها يافا عن عمل الصيادين في بحر غزة. كانت بعض الصور التي التقطتها خلال إقاماتها المختلفة في غزة تشارك في المعرض. لم يتبق إلا ساعات على افتتاح المعرض حين جاء الخبر ليافا أن والدها قد فارق الحياة. هرولت معها نتالي نحو التلة حيث كان المئات قد صعدوا إلى البيت الذي سيشهد لحظات الحاج الاخيرة.

هل يسأل أحدكم عن يورو وقصة الحب التي جمعت نتالي به!

نجحت نتالي في إحضار يورو إلى «ملقة» حيث شارك في المعرض الفني الذي نظمه المركز الثقافي المحلي هناك. ضمه إلساندور بحرارة حين قابله مع نتالي في المطار، وقال له إنه سيتكفل بجعل حياته فردوساً هناك. وحصل ما وعده. فإلساندرو استطاع استصدار تصريح عمل ليورو بضمانة مركزه الثقافي، وساعده في إيجاد عمل في سوبرماركت لنسيبه. بعد شهر فتر شعور نتالي تجاه يورو، قالت له إن قلبها لم يعد يدق. ظن انها ستعيده لغزة. قالت له لن يعني هذا ان تتخلى عنه، ستعمل على دعمه والوقوف إلى جانبه حتى يحقق حلمه في افتتاح مقهى عربي في المدينة. شعر يورو بالخذلان لكنه سرعان ما تكيف مع الامر. ففي غزة لا يوجد إلا نتالي واحدة، اما في أسبانيا فآلاف. وفعلاً سارت حياة يورو بشكل طبيعي بسبب مساندة

393

ألسنادرو وارشاداته ورعايته له. وحدها ظلت أم يورو في بيت العائلة تنتظر اتصالاته الأسبوعية، وكل مرة مصدقة وعده بانه سيعود الشهر القادم. نتالي، كأن قلبها اعتاد على قصص الحب والفراق، شعرت حقاً بأن الارتباط بيورو سيعطل حياتها، فهي دائمة الترحال والتنقل، ومن شان أي علاقة ثابتة أن تعيق مستقبلها.

كات العتمة قد بدأت بالزحف فوق الرؤوس وحول الاجساد وخلف الأشجار، والطريق تبتلع بقايا النهار في سترة الظلام. كانت عيناها تبحثان عن سليم. تخيلت لو ان علاقتها به لم تنته. وأنه لم يخنها مع الفتاة الفرنسية. بالمناسبة هي تصر على هذه الحادثة كثيراً. الخيانة تؤلمها لشيء له علاقة بتاريخ العائلة على ما يبدو. لو استمرت العلاقة لكانت تغيرت الكثير من الأحداث والتفاصيل في حياتها. اولاً ربما لم تكن لتعمل صحفية. فهروبها من فلورنسا بعد انكسار قلبها على يد سليم، هو ما دفعها للعمل في الصحافة. أرادت أن تتلهى بأي شيء. المجنونة تخلت عن منحة كاملة للدراسة من اجل ان تهرب. هكذا الحب، قد يدفعنا للألم كي نتجنب المزيد منه. التقت عيناها مع عيني يافا غريمتها ومنافستها على قلب الرجل الذي تعلقتا به اكثر من أي رجل آخر في حياتهما. المؤكد ان كل واحدة أحبت اكثر من رجل في حياتها، لكن المؤكد أن سيلم كان الرجل الحقيقي لكلتيهما. ربما حالة التنافس التي وجدتا نفسيهما فيها. او ربما لأن سليم -عن قصد، او بغير قصد- قد هجر أو خان كل واحدة دون سابق إنذار.

أيضاً علاقتها مع يورو لم تبعد كثيراً عن ذلك. هي فعلاً أحست أن قلبها يخفق حين تفكر بيورو. وهي لم تنس أبداً تلصص

عينيه على صدرها في المطعم في غزة وارتباكه. يثيرها أنه لم يلمس النساء وقد بلغ الأربعين. سألته في اول ليلة لهما سوية حين رأت ارتباكه حين رآها عارية تماماً: «أول مرة». كانت عيناه والشهوة الطافحة في التفاصيل وحمرة الخجل تقول ذلك.

الآن تدرك بأن ثمة أقدار لا نهرب منها. فهي لو ارتبطت بسليم أو لو ظلت علاقتها معه ربما كانت تركته في مرحلة متقدمة، اور بما لم تعمل في مهنتها، وربما أيضاً تغيرت حياتها. وكأن قصة الفراق المؤلم ليست إلا تدبير آخر كي تستمر الحياة. وجدت نفسها فجأة تضم يافا التي كانت الدمعات تتجمع على قباب خديها مثل جمرات تقف فوقها.

يا الله كأن الفرح شيء غريب على يافا. كان لحظاته لا تكتمل. تولد ناقصة وتموت ناقصة. كأن العين تدمن البكاء، وكأن القدر يعز عليه ان يجود بلحظات فرح دائمة. ما أن تبدأ الحياة بالبسمة، حتى يطل عفريت النكد. الآن ستبدأ التأقلم مع الوضع الجديد مرة أخرى. عليها ان تعيش بدون الحاج، أن تتكيف مع العالم بلا وجوده. كان النعش يسير نحو المقبرة والنسوة يحطن بها من كل جهة. الغبار المتطاير من رمل الدروب كأنه ينعي اللحظات الاخيرة للفرح. العصافير التي تطير عن الأشجار وعيونها صوب أعشاشها الراقدة في حضن الأغصان تذكر برائحة الفقد الكبير.

بكي الحاج أكثر من خمس ساعات وهو يحتضن ابن اخيه العائد من الغربة. لم يصدق. ظن أنه يحلم. كانت مفاجأة من العيار الثقيل. لم تقل له يافا شيئاً عن الامر سابقاً. فجأة فتحت الباب.

وقف شاب طويل القامة شعره غزير، عيناه سوداوان مغروزتان في وجهه الطويل. طرق الباب. كانت يافا تختبىء خلف شجرة الكينيا وتنظر للمشهد، مثل مخرج سينما محترف، يعرف كل كلمة وكل حركة في المشهد قيد التكوين. خرج الحاج بتثاقل وفتح الباب. نظر في الشاب الذي لم ينطق كلمة واحدة. بعد نصف دقيقة من النظرات المتبادلة سأل الحاج الشباب عن بغيته. لم يجب الشاب. اقترب الحاج أكثر وسأله إن كان يريد شيئاً. ابتسم الشاب ولم يقل كلمة واحدة. قفزت يافا من خلف الشجرة وانضمت للمشهد الذي سينفجر عما قليل. سألت الحاج إن كان حقاً لا يعرف هذا الشاب. عندها كان على الحاج أن يعمل نظرته البيولوجية في وجه الشاب. قال والدمعة تنط من عينيه «هادا ابن اخوي». وبكى بكاءً لم تعهده يافا طوال حياتها يبكي مثله.

رتبت يافا لنادر الوصول إلى القاهرة لكنها لم تتمكن من إدخاله لغزة عبر معبر رفح الحدودي. الأمر بحاجة لأوراق ثبوتية محلية ولتعقيدات لم يكن من السهل حلها. لم تعرف ماذا تفعل. هاتفت نصر الذي تعرف أنه ساهم في إدخال سليم عبر الأنفاق عند وفاة والده. قال إن خميس هو الشخص المناسب لحل مثل هذه الأزمات. لم يتردد خميس حين هاتفته يافا طالبة مساعدته في إدخال ابن عمها عبر الأنفاق. لم يتردد قال إن نادر سيكون غداً في غزة. ثمة شيء تطور لدى خميس فيما يتعلق بالحارة. بات اكثر حرصاً على تلبية المطالب الشخصية لهم في الدوائر الحكومية وحيث يستطيع، سيما بعد قصة المول التجاري وشعوره بخيبة أملهم من موقفه واستفادته المادية من وراء المشروع الذي جاء على حساب ذكرياتهم

ومشاعرهم. وعبر عملية معقدة ولكن ممكنة، عبر نادر إلى غزة. وجد نفسه هناك على جزء متاح من الجغرافية.

قائمة طويلة من الخطط والأفكار التي وضعتها يافا لنادر. اول شيء ستجد له مكاناً يعمل به. ربما مؤسسة او شركة. لم تقلق. يافا لديها علاقات واسعة في قطاع الجمعيات الأهلية ولن تجد صعوبة في ذلك. يافا اشترت شقة ولم تسكنها لأنها لم ترغب بترك الحاج وحيداً. الآن صارت الشقة جزءاً من خطط المستقبل. أما حفلة الزفاف فتلك قصة طموحة. خططت يافا مع نادر أن يقيما حفل الزفاف في غزة، بعد ان تعمل يافا على دخول عمها وأبنائه. هذا سيحتاج جهداً كبيراً، لكنه أيضاً ممكن. هكذا لا شيء مستحيل بالنسبة ليافا. فالمستحيل هو الشيء غير الموجود أصلاً، لذا لا نفكر فيه، أما ما يخطر ببالنا ونفكر فيه فهو ممكن. خميس لن يخذلها في ذلك. على الأقل حين وصل نادر عبر النفق كان هناك يستقبله معهم. ابتسمت يافا على اللفتة الجميلة. رد: «واجب الحارة». قال، وهو يقلبها بجيبه الفاخر إلى الحارة، إنه جاهز للمساعدة في أي شيء. «الواجب واجب». لمعت فكرة عودة عمها وابنائه لغزة لحضور حفل زفافها على نادر في رأسها. ابتسمت وهي تتأمل حبيبها وابن عمها والعائد الجديد للديار، فيما أشجار النخيل الباسقة في الطريق تتمايل مع اشتداد الريح تلّوح لأمها الصحراء هناك بالوداع.

لابد أن تكونوا متأكدين أن يافا لن تتنازل عن قائمة الخطط تلك. الحزن سيأخذ مداه، والدموع ستجري على الخدود لزمن، والبسمة ستختبئ في أدراج الشفاه المبللة بالتنهدات. لكن ماذا تفعل

حين تحس أن العالم يعاندك! فما أن وجدت الشاب الذي وخز قلبها وأحبته، حتى هجرها لهثاً وراء أحلامه. وما أن تزوجت وأرادت أن تبني عش الحياة، حتى تطلقت لأنها لم تقايض حريتها بقلبها. وها هي وحين تنجح وتبدأ بغرس قدمها في الأرض، وتجد عائلتها المشتتة، وتحضر ابن عمها وخطيبها للبلاد حتى يفارق والدها الحياة. نظرت إلى الأرض تحت قدميها، كأنها تبحث عن سر هذا القدر. عفرت الرمل بحذائها وأخذت تبحلق. وقفت مسيرة النسوة دفعة واحدة، ظنن أن يافا تبحث عن شيء ضاع منها. اخذن يبحقلن في التراب مثلها. هزت رأسها ودوار كبير يلفها. تمايلت الدنيا حولها وبدأت قواها في الخور. التقفتها النسوة. رشت إحداهن الماء على وجهها. كانت الجنازة تدخل المقبرة، وكانت الصور والاخيلة المتسربة من بين قطرات الماء المنثال على وجهها تقترح ان الألم اكبر من طاقة التحمل.

في مسيرة الرجال، كان نادر يسير بجوار نصر وسليم وياسر، محاطاً بالحزن. وصل لتوه إلى غزة. لم يمض على وصوله ثمانية وأربعين ساعة، وها هو يسير في جنازة عمه، العم الوحيد المتبقي داخل البلاد. كان هذا حلم العمر، ان يزور فلسطين، ان يجد نفسه يتنفس ذات الهواء الذي استنشقه والده في طفولته. أن يبحث عن الأشخاص دائمي التكرار في حديثه. أن يقابل عمه الكبير الذي يبكي والده كلما تذكره. تحقق الأمر باكثر غرابة يمكن لصانع أفلام أن يرتب فيها مصير نادر. فهو التقي بابنة عمه القادمة من غزة دون ان يعرف انها ابنة عمه. واحبها دون أن يعرف أيضاً أنها ابنة عمه، ودون ان يفكر حتى بالزواج منها. فهي لم تكن تفكر بالإقامة في

398

لبنان إذ أن جل حديثها كان عن العودة إلى غزة فور انتهاء مهمة البحث عن عمها. وإذا بها تبحث عنه هو، فهو ابن العم وهو شريك العمر. هل ثمة عناية أكثر دقة من تلك في صناعة النهايات السعيدة.

ليس تماماً!! الآن عليه ان يتحمل المسؤولية. فهو لم يعد فقط زوج يافا (حين يتم الأمر) ولا حبيبها، بل صار قريبها الوحيد الموجود حولها. إحساس مضاعف بالمسئولية. كان ببطء وتثاقل يجر الخطا خلف الجثمان المحمول على الأكتاف. تلفت يمنة ويسرة، كأنه يحاول أن يرى يافا من خلف الرؤوس المكدسة خلف النعش. كان ذلك مستحيلاً. ماذا تراها تفعل. لم يرها منذ ساعات الصباح. رمت نفسها على صدره واجهشت ببكاء ونواح قاتلين. نزلت دمعاته على شعرها. لم تكتمل فرحة عمه بالولد العائد من الغربة. في تلك الليلة، لم ينم الحاج. ظل مستيقضاً حتى طلعت تهاليل الفجر. أجلس ابن اخيه قبالته وأخذ يتأمله مثل من يتأمل تحفة اكتشف وجودها. بين الفينة والأخرى يمسد شعره بيده، يتحسس يديه كأنه يبحث فيها عن شيء من أخيه. وانهال عليه بعشرات الأسئلة التي كان الولد يجيب عليها بإجابات موسعة قدر الإمكان. كان يرى السعادة على وجه عمه كلما تحدث، لذا كان يحاول أن يتحدث اكثر، حتى يسعده أكثر.

كأن هناك مصادفات مقصودة. وكأن الحاج قضى شيئاً تعلقت به روحه؛ ان يرى أخيه. لم يره لكنه واخيراً عانق ابن اخيه مثلما كان يتخيل انه سيفعل لو عانق أخيه. ليس لأن الأبناء يخلدون سيرة الآباء، ولكن الروح حين تتعلق بشيء تتعذب حتى تحققه، وما

أن تحققه حتى تذبل وتذوي. على الاقل كان وصول نادر جزءاً من فرح الحاج المنشود. شده المختار وصفي من كتفه إلى صدره، ثم رفع رأسه للسماء، عيناه تلاحقان طيراً تخفق جناحاه في صدر الغيمات.

أنظروا لنصر، قدره أن يسير في جنازات من يحب. ان يواريهم الثرى. ان يقف على أعتاب قبورهم يلقي النظرة الاخيرة. ان يذرف الدموع. ان يعيش على الاستعادات الجميلة للحظات الماضي. إنه ذات الأرق الذي غرسته فيه أمه وهي تصف له لحظة رحيل والده. إنها الجنازة الاولى التي حمل فيها سكان المخيم الشباب الثلاثة الذين خاضوا معركة لست ساعات مع الجيش في ليلة ماطرة عام 1970. كأن كل الجنازات التي سار فيها ليست إلا استرجاعات لتلك الجنازة التي لم يشهدها. كان حلماً جميلاً في لحظة حب قبل أن يمضغ والده عرق الميرامية ويغادر. كانت تلك الصورة التي لم تغادر مخيلته. كأنه بنى حياته على استعادة تلك اللحظات، وكأن ما يحدث معه ليس إلا تركيباً مؤلماً لأحداث مضت. بإمكانه أن يقول إن الجنازة اليوم تشبه عشرات الجنازات التي سار فيها منذ جنازة سهيل زميله في الدراسة وهو لم يبلغ العاشرة حتى جنازة خاله نعيم قبل أقل من عام. ذات الحزن وذات الغضب وذات الألم.

نظر إلى وجه الحاج بعد ان غسله الشيخ حسن. وجهه صلب متماسك، تظنه غير آبه بالموت. شفتاه تبتسمان فيما يبين جزء من أسنانه. طبع قبلة على جبينه فنزلت الدمعة على الحاج. مسح الشيخ حسن وجه الميت، وشد نصر للخارج. لم يفارق النعش المحمول عليه الجثمان. كان بين فينة وأخرى يزاحم الشبان على حمل النعش

على كتفه. العلم الملفوف حول الجثمان تتطاير أطرافه على وجه نصر، فيما سرب من الحمامات تطير عن شجرة السرو على جانب الطريق، ونظرات الشاب الذي أفني عمره في البحث عن سر الألم الذي كوى والده فخرج يمضغ عرق الميرامية. عملية بحث لم تتوقف.

أقلقه أن نيفين تفكر بجدية في ترك غزة واللحاق بأخيها في السويد. لم تفهم ان غضبه ونقمته على الوضع في غزة لا يعني أنه يريد أن يتركها، ولكن لأنه يريدها أن تكون أفضل. فهو لم يحمل السلاح ولم يدخل السجن ولم يصب برصاص الجيش، وقبل كل ذلك لم يُقتل والده من أجل هذا. لم يكن يحلم حتى في أسوأ كوابيسه أن هذه ستكون النتيجة الحتمية لسنوات العذاب تلك. خميس صار لا يفهم إلا التجارة والمال والربح، العميد صبحي والد نيفين قرأ المعادلة خطأ وكانت النتيجة أنه فقد عقله، سليم ابن خاله فضل البحث عن نجاحه الشخصي وترك والده يذوي ألماً، ويافا تركت كل شيء هي الأخرى بحثاً عن نجاحها والتعالي على نكسات حياتها الشخصية، وها هي تعود بابن عمها زوجاً. والمختار وصفي استسلم في النهاية لتوجهات أبنائه التجارية فحول بقالة العائلة لمحلات جوالات.

لم يقل لنيفين انه لا يريد أن يهاجر معها. تمنع وطلب منها أن تنظر إلى النصف المليء من الكأس. ضحكت وقالت: «أصله حتى النص المليان معكر». وطلبت منه أن ينظر جيداً. يعرف شغفها بالسفر للخارج. يذكر كيف اقترحت عليه ذلك قبل أشهر حين منعها أبوها من لقائه. بالنسبة لها السفر حل لكل شيء. نجح في

تخفيف الامر عليها حين قال ليؤجلا البحث في الأمر إلى ما بعد زواجهما. في النهاية عليه أن يستمع لوجهة نظرها. نظر إلى الحمامات تطير بعيداً. قالت له آخر مرة تحدثا فيه بالموضوع: «لنسافر قبل أن يصبح من المتأخر فعل ذلك». يتذكر حواره مع سليم في السيارة حين سأله الاخير هل ستهاجر لو اتيحت لك الفرصة. كان رده صادماً له وليس لسيلم. أجاب بنعم.

هل يوافق في النهاية على السفر مع نيفين للخارج. ربت الشيخ حسن على كتفه وهما ينزلان النعش على الأرض.

أما ياسر فحياته لم تتغير، ومن المشكوك أن تتغير. يحب مهنته ويرى فيها متعة كبيرة. صحيح أنها شاقة، خاصة أوقات الحرب والاجتياحات والاغتيالات، لكن هكذا فرن الأخبار قد يحرقك. الكثير من أصدقائه قضوا خلال تغطية الاجتياحات الإسرائيلية لغزة، وبعضهم أصيب إصابات بالغة. لاشيء بلا ثمن. فانت حين تمسك بالرغيف الساخن قد تلسعك سخونته أو يكويك البخار المتصاعد من داخله. عليك أن تتحمل. لكن بينه وبين نفسه يعترف أنه يحب مهنته كثيراً. صحيح أنه وجدها صدفة، لكن الحياة ليست إلا سلسلة من الصدف المرتبة بعناية.

يفكر في تأسيس نادي للصحافة في غزة مع مجموعة من زملائه يقدم خدمات للصحفيين المحليين والأجانب، ويكون مكاناً للتفاعل والنقاش والتواصل الاجتماعي. يمكنه أن يقول أن الفكرة جاهزة، وضعت على الورق وهي تنتظر التنفيذ القريب. الفكرة أعجبت الكثير من زملائه والكل جاهز لأن يساهم. خميس الذي

التقي ياسر صدفة في مؤتمر صحفي للوزارة سأله عن الفكرة. لم يعرف كيف عرف بها. ضحك خميس وقال «الحكومة». يقصد أن الحكومة تعرف كل شيء. على كل ليس بالأمر السري. المهم خميس اقترح أن يتبرع بشقة في الموول التجاري الذي بناه على التلة لإقامة نادي الصحافة. ضحك ياسر وهو يقول إن الموضوع ليس تجارياً. لم يكترث خميس كثيراً. مضي وهو يقول «أنا أريد أن أساعد فقط».

هذه المرة لم يحمل كاميرة ويصور. ليس لأن رحيل الحاج ليس بالحديث الهام. أيضاً هو لم يقم بالتصوير يوم رحيل نعيم. من الصعب فصل مشاعرنا حين يتعلق الأمر بمن نحب.

العم يوسف يرى رفاق العمر يذوون خلف ستارة الموت. هذه المرة مسه الموت كثيراً. فكر فيه بعمق. جلس في البيت طوال الصباح يفكر في أنه سيموت، سيرحل. ستأتي لحظة يتجمع فيها الناس حول البيت منتظرين خروج جثمانه من التغسيل، يحملونه على الاكتاف. لحظة لابد ان تأتي. من يعرف متي؟ قبل يومين جلس مع الحاج خليل ساعات يتحدثان، لم يشعر بشيء. كان عادياً. لم يشتك من شيء. وها هو فجأة يموت. أيضاً نعيم مات فجأة. كان يبدأ نهاره حين باغتته الرصاصة. قال لوصفي المختار وهما يهبطان التلة خلف النعش إن الكل يرحل. هز وصفي رأسه ولم ينبس بكلمة. بعد دقيقة تلاقت اعينهم وهي شاردة ساهمة تحدق في فراغ الحياة.

جاءه خميس وقبّل يده أمام كل اهل المخيم. لم يدخل بيته منذ أشهر. قاطعه. رفض كل توسلات خميس بالحديث معه. لقد خذله الولد. لم يصدق أن رجلاً من صلبه سيبيع الحارة هكذا. لم يسمع

كلامه. لو أنه أخلى طرفه من المشروع. كان سيصدقه لو أنه لم يكن شريكاً فيه. لو انه حاول ولم ينجح. لو أنه وقف مع أهل الحارة وناهض المشروع. لكنه لم يفعل شيئاً. من البداية قال إنه مع المشروع وأنه طرف فيه. صحيح أنه اختلق قصة الشركة التي له فيها رأسمال، لكن هذا لا يغير من الحقيقة شيئاً. شعر العم يوسف بالخجل امام اهل الحارة. شعر أنه يساهم في مشروع تصفية التلة. رجاه أن ينقذه من هذا الشعور. لم يفعل. قال له وصفي في النهاية يظل ابنه.

دلف للبيت، والليل يرخى سدوله على المخيم. العتمة والوحدة والقلق والتوتر وكأس الشاي والسيجارة. أحس بالاختناق. قام يمشي في شوارع المخيم بلا هدي. لمح صبحي من بعيد. نادى عليه. هرول صبحي إلى شارع الحارة. تبعه. لم يتوقف. صعد التلة فصعد خلفه. جلس صبحي على حجر كبير، جلس العم يوسف بجواره. تبادلا حديثا امتد للصبح فيما أضواء المول التجاري خافتة لا تقوى على إنارة حيز صغير.

انظروا لسليم. إنه الأكثر قلقاً وتوتراً في هذه المسيرة العرمرم. عيناه تزومان في المكان.. تبحلقان في كل شيء، في وجوه الناس، في الجثمان، في الطريق. ينظر للأمام، ينظر للخلف، ينظر في كل اتجاه. يمكن لكاميرا خارجية أن تظن أن الفقيد خاصته، فهو الأكثر تأثراً بما حدث. كان الحزن على أشده. إنها ذات الجنازة التي تمت قبل أقل من عام ولم يتمكن سليم من حضورها. كان جثمان نعيم محمولاً على الأكتاف ويسير في نفس الدروب. كلهم كانوا هناك إلا هو. كان مثل هذا الإحساس بالتقصير يكوي قلبه فيحس به كأن فأراً يقضمه.

يتوجع، لكنه الوجع الذي لا شفاء منه إلا بالنسيان. والنسيان لا يتوفر في كل شيء. نعيم الذي ولد في الحرب ومات في الحرب. لم يعش كما ينبغي لإنسان عادي ان يفعل. قالت له الست تهاني ذات مرة إننا كلنا نولد في الحروب ونموت فيها. السلام ليس إلا استراحة بين حربين. قال إنه لم يقصد المعنى المجازي؛ بل فعلاً والده مات لحظة الخروج من يافا ومات في حرب الجيش على المخيم.

تمت صفقة تبادل الأسرى في تشرين ثاني وخرج أكثر من ألف أسير، وظل سالم خلف القضبان. في البداية تسربت أخبار أن اسمه مدرج ضمن الأسرى المنوى الإفراج عنهم. فعل سليم مثلما كان يفعل نعيم. ذهب إلى إيرز لاستقبال أخيه. لم يكن متاكداً أنه سيكون ضمن المفرج عنهم، فاسمه لم يكن في كشوفات الإفراج النهائية. لكن ماذا يفعل الإنسان بالامل حين يأكل هدوءه. عاد ادراجه. لم يشعر بالخيبة، لكنه تخيل لو كان نعيم والده مكانه، لإنهار لأسبوع. لم تفلح اتفاقيات السلام ولا صفقات خطف الجنود ومبادلتهم في إطلاق سراح الشاب الذي امضي الآن اكثر من نصف عمره الذي دخل عقده الرابع في السجن. عليه أن يعتاد على مثل هذا الشعور، كما يعتاد قلبه على الامل.

نظر إلى جثمان الحاج يطير كأنه يستعجل الرحيل. الحاج ايضاً ولد في الحرب ومات فيها ايضاً او مات بسببها. يكفي الاستماع إلى ما تيسر من قصص حياته... تشرد العائلة وتمزقها بين الضفة الغربية والأردن ولبنان وغزة، حنينه للقاء ولده الذي مازال خلف القضبان، لعناق أخيه. المسكين لم يستمتع برؤية لم شمل العائلة.

405

الحياة ليست إلا جملة بين مزدوجين متشابهين. أنت لست حراً في الهرب من بين فكيها. الحاج كما نعيم كانا يريدان مستقبلاً أجمل ونهاية أخف وطأة، لكنهما لم يفلحا بالنجاة من كماشة الواقع. مثله تماماً يريد نهايات مختلفة، يريد تفاصيل مختلفة، يريد عالماً أكثر بهجة. لم يقدر على تحديد البدايات لكن على الأقل قد ينجح في تقرير مصير النهايات. هذا هو الفرق بينه وبين الآخرين. الماكينة الكبيرة التي قبِل الجميع ان يكون ترساً فيها لا تلائمه، لا تناسب طموحه. لا يريد ان يموت صدفة، ان يصبح مجرد بوستر على جدران البيوت، صورة معلقة في الصالونات. لا يريد أن يصير ذكرى عابرة، مجرد قصة من الماضي. على الأقل حين يرحل يعرف الآخرون أنه راحل. لا يصحون فجأة فيجدون أنه جثة هامدة. هل يقدر؟! هل يستطيع الإنسان أن يفلت وينجو بجلده؟! ماذا سيفعل؟! هل سيخضع للرجاءات والوعود التي تطلقها عيون كريستيانا ويرجع للعيش معها في إيطاليا!. سيبدأ مرة أخرى من جديد!. هل هذا هو الخلاص!!. سيأخذ أخته سمر ويرحل معها عن غزة، أم يتركها وحيدة هنا لتلقى مصيرها وحيدة مثلما لقى نعيم مصيره وحيداً. ما كان والده ليسعد بهذا. ماذا لو خرج أخوه فجأة من السجن! ألن يجد من يفتح له الباب! ألن يجد من يعانقه عناق العمر! لن يقدر على تخيل ذلك.

من يقدر أن يتخيل أن كل شيء انتهى. ان الحاج صار تحت التراب، أن الناس ستعود لبيوتها تحمله ذكريات تشتعل وتخبو في حركة أبدية.

406